O caçador de pipas

Khaled Hosseini
O caçador de pipas
Romance

TRADUÇÃO DE MARIA HELENA ROUANET

195ª impressão

EDITORA
NOVA
FRONTEIRA

Título original: THE KITE RUNNER

Copyright © 2003 by Khaled Hosseini

EDITORA NOVA FRONTEIRA S.A.
Rua Bambina, 25 – Botafogo – 22251-050
Rio de Janeiro – RJ – Brasil
Tel.: (21) 2131-1111 - Fax: (21) 2286-6755
http://www.novafronteira.com.br
e-mail: sac@novafronteira.com.br

CIP-Brasil. Catalogação-na-fonte
Sindicato Nacional dos Editores de Livros, RJ.

H821c   Hosseini, Khaled
        O caçador de pipas / Khaled Hosseini ; tradução Maria Helena Rouanet. – Rio de Janeiro : Nova Fronteira, 2005

        Tradução de: The kite runner
        ISBN 978-85-209-1767-1

        1. Amizade – Ficção. 2. Cabul (Afeganistão) – Ficção. 3. Romance afegão. I. Rouanet, Maria Helena. II. Título.

                            CDD 891.593
                   CDU 821.411.21(581)-3

Este livro é dedicado a Haris e Farah,
a noor dos meus olhos, e às crianças do Afeganistão.

AGRADECIMENTOS

Agradeço aos seguintes colegas por seus conselhos, sua ajuda ou seu apoio: dr. Alfred Lerner, Dori Vakis, Robin Heck, dr. Todd Dray, dr. Robert Tull e dr. Sandy Chun. Agradeço também a Lynette Parker, do East San Jose Community Law Center, por seus esclarecimentos sobre os procedimentos da adoção, e ao sr. Daoud Wahab, por compartilhar comigo suas experiências no Afeganistão. Toda minha gratidão ao meu querido amigo Tamim Ansary, por suas sugestões e seu apoio, e à turma do San Francisco Writers Workshop, por seu retorno e encorajamento. Gostaria de agradecer a meu pai, a meu irmão mais velho e àquela que foi a inspiração para tudo o que há de nobre no personagem de *baba*, minha mãe, que rezou por mim e fez *nazr* em cada etapa da escrita deste livro; e a minha tia, que comprava livros para mim quando eu era jovem. Agradeço também a Ali, Sandy, Daoud, Walid, Raya, Shalla, Zahra, Rob e Kader, por lerem as minhas histórias. Quero ainda agradecer ao dr. e à sra. Kayoumy — meus segundos pais —, por seu apoio caloroso e inabalável.

Preciso agradecer à minha agente e amiga, Elaine Koster, por sua sabedoria, paciência e gentileza, bem como a Cindy Spiegel, minha editora de olhos argutos e judiciosos, que me ajudou a abrir tantas portas nesta história. E gostaria de agradecer a Susan Petersen Kennedy, que apostou neste livro, e a toda a incansável equipe da Riverhead que trabalhou nele.

Por fim, não sei como agradecer à minha adorável esposa, Roya — em cujas opiniões sou viciado —, por seu carinho e sua boa-vontade, e por ter lido, relido e me ajudado a revisar cada versão deste romance. Pela sua paciência e pela sua compreensão, vou amar você para sempre, Roya *jan*.

UM

Eu me tornei o que sou hoje aos doze anos, em um dia nublado e gélido do inverno de 1975. Lembro do momento exato em que isso aconteceu, quando estava agachado por detrás de uma parede de barro parcialmente desmoronada, espiando o beco que ficava perto do riacho congelado. Foi há muito tempo, mas descobri que não é verdade o que dizem a respeito do passado, essa história de que podemos enterrá-lo. Porque, de um jeito ou de outro, ele sempre consegue escapar. Olhando para trás, agora, percebo que passei os últimos vinte e seis anos da minha vida espiando aquele beco deserto.

Um dia, no verão passado, meu amigo Rahim Khan me ligou do Paquistão. Pediu que eu fosse vê-lo. Parado ali na cozinha, com o fone no ouvido, sabia muito bem que não era só Rahim Khan que estava do outro lado daquela linha. Era o meu passado de pecados não expiados. Depois que desliguei, fui passear pelo lago Spreckels,

na orla norte do parque da Golden Gate. O sol do início da tarde
cintilava na água onde navegavam dezenas de barquinhos em miniatura, impulsionados por um ventinho ligeiro. Olhei então para
cima e vi um par de pipas vermelhas planando no ar, com rabiolas
compridas e azuis. Dançavam lá no alto, bem acima das árvores da
ponta oeste do parque, por sobre os moinhos, voando lado a lado
como um par de olhos fitando San Francisco, a cidade que eu agora
chamava de lar. E, de repente, a voz de Hassan sussurrou nos meus
ouvidos: "Por você, faria isso mil vezes!" Hassan, o menino de lábio
leporino que corria atrás das pipas como ninguém.

Sentei em um banco do parque, perto de um salgueiro. Pensei em
uma coisa que Rahim Khan disse um pouco antes de desligar, quase
como algo que lhe houvesse ocorrido no último minuto. "Há um jeito
de ser bom de novo." Ergui os olhos para as pipas gêmeas. Pensei
em Hassan. Pensei em *baba*. Em Ali. Em Cabul. Pensei na vida que
eu levava até que aquele inverno de 1975 chegou para mudar tudo.
E fez de mim o que sou hoje.

DOIS

Quando éramos crianças, Hassan e eu trepávamos nos choupos da entrada da casa de meu pai e ficávamos chateando os vizinhos, usando um caco de espelho para mandar reflexos de sol para as suas casas. Sentávamos um defronte do outro, nos galhos mais altos, com os pés descalços pendurados no ar e os bolsos das calças cheios de amoras e nozes secas. Ficávamos nos alternando com o espelho enquanto comíamos amoras, jogando os frutos um no outro, entre risinhos e gargalhadas. Ainda posso ver Hassan encarapitado naquela árvore, com o reflexo do sol faiscando por entre as folhas no seu rosto quase perfeitamente redondo, um rosto de boneca chinesa talhado em madeira de lei: o nariz grande e chato, os olhos puxados e oblíquos como folhas de bambu, uns olhos que, dependendo da luz, pareciam dourados, verdes e até cor de safira. Ainda posso ver as suas orelhas miúdas, dobradas feito conchas, e a protuberância do queixo, um apêndice de carne que parecia ter sido acrescentado como simples lembrança de última hora. E o lábio fendido, bem naquela linha do meio, em um ponto em que a ferramenta escorregou, ou, quem sabe, foi apenas porque o artesão das bonecas chinesas já estava cansado e se descuidou.

Às vezes, lá no alto daquelas árvores, dizia para Hassan pegar o estilingue e atirar nozes no pastor alemão caolho do vizinho. Ele não queria, mas, se eu pedisse, pedisse *de verdade*, ele não me diria não. Hassan nunca me negava nada. E era fera com a atiradeira. Seu pai, Ali, sempre nos apanhava e ficava furioso, ou tão furioso quanto possível, no caso de alguém gentil como Ali. Com o dedo em riste, mandava que descêssemos da árvore. Pegava o espelho e repetia o que sua mãe lhe dizia: que o diabo também faz os espelhos reluzirem, e faz isso para distrair os muçulmanos durante as orações.

— E ri, depois que já conseguiu o que queria — acrescentava ele invariavelmente, olhando para o filho com ar severo.

— Está bem, pai — murmurava Hassan, fitando os próprios pés. Mas ele nunca me entregava. Nunca disse que tanto o espelho quanto as nozes atiradas no cachorro do vizinho tinham sido idéia minha.

Os choupos margeavam o caminho de tijolos vermelhos que levava a um portão de duas folhas, todo feito de ferro fundido. Por seu turno, este se abria para a rua que dava acesso à propriedade de meu pai. A casa ficava à esquerda, e tinha um quintal nos fundos.

Todos eram unânimes em dizer que meu pai, o meu *baba*, tinha construído a casa mais bonita do distrito de Wazir Akbar Khan, um bairro novo e rico ao norte de Cabul. Havia até quem dissesse que era a casa mais bonita de toda a cidade. Uma ampla alameda ladeada por roseiras conduzia à casa espaçosa, com piso de mármore e janelas enormes. Intrincados mosaicos de ladrilhos, que *baba* escolheu a dedo em Isfahan, recobriam o chão dos quatro banheiros. Tapeçarias com fios dourados, que *baba* comprou em Calcutá, revestiam as paredes. E um lustre de cristal pendia do teto abobadado.

Meu quarto ficava no andar de cima, junto com o de meu pai e o seu escritório, também conhecido como "sala de fumar", eternamente cheirando a tabaco e canela. Era lá que *baba* e seus amigos se reclinavam nas poltronas de couro preto depois que Ali tinha acabado de servir o jantar.

Todos enchiam os cachimbos — só que meu pai sempre dizia "engordar o cachimbo" — e conversavam sobre os seus três assuntos favoritos: política, negócios, futebol. Às vezes eu perguntava se podia ir sentar lá, junto com eles, mas *baba* ficava parado na porta.

— Agora, vá — dizia ele. — Isso é coisa de gente grande. Por que não vai ler um daqueles seus livros? — Fechava a porta e me deixava imaginando por que, com ele, tudo era *sempre* coisa de gente grande. Sentava junto da porta, abraçando os joelhos contra o peito. Algumas vezes ficava sentado ali uma hora, outras vezes, duas, ouvindo as conversas e os risos deles.

A sala de estar, no andar térreo, tinha uma parede em arco, com estantes feitas sob medida. Nelas ficavam os porta-retratos com as fotos de família: uma foto antiga e desbotada de meu avô com o rei Nadir Shah, tirada em 1931, dois anos antes do assassinato do rei; estavam parados junto de um veado morto, ambos usando botas de cano alto e com rifles pendurados nos ombros. Tinha uma foto da festa do casamento de meus pais: *baba* todo elegante em seu terno preto e minha mãe, uma princesinha sorridente, vestida de branco. Ao lado, *baba* e seu sócio e melhor amigo, Rahim Khan, parados diante da nossa casa. Nenhum dos dois está sorrindo. Nessa foto, sou um bebê, no colo de meu pai, que tem um ar sério e cansado. Estou em seus braços, mas é o mindinho de Rahim Khan que os meus dedos estão segurando.

Essa parede em arco dava para a sala de jantar em cujo centro havia uma mesa de mogno com espaço de sobra para trinta convidados — e, considerando-se o gosto de meu pai por festas extravagantes, era exatamente isto que acontecia quase toda semana. Na outra ponta da sala, ficava uma grande lareira de mármore, sempre iluminada pelo brilho alaranjado do fogo durante todo o inverno.

Uma grande porta de correr, envidraçada, se abria para uma varanda em semicírculo que dava para os oito metros quadrados de terreno e as aléias de cerejeiras. *Baba* e Ali tinham feito uma horta perto do muro que ficava do lado leste: plantaram tomates, hortelã, pimenta e uma fileira de milho que nunca pegou de verdade. Hassan e eu chamávamos aquele canto de "muro do milho doente".

Na parte sul do jardim, à sombra de um pé de nêspera, ficava a casa dos empregados, uma casinha modesta onde Hassan morava com o pai.

Foi ali, naquele pequeno casebre, que Hassan nasceu no inverno de 1964, um ano depois que minha mãe morreu durante o meu parto.

Nos dezoito anos que vivi em Cabul, só entrei na casa de Ali e Hassan umas poucas vezes. Quando o sol começava a se pôr atrás das colinas, e tínhamos acabado de brincar, nos separávamos. Eu passava pelas roseiras a caminho da mansão de *baba*, Hassan ia para a casinha de pau-a-pique onde nasceu e morou por toda a vida. Lembro que ela era minúscula, limpa e fracamente iluminada por dois ou três lampiões de querosene. Havia dois colchões, em lados opostos da sala, um velho tapete Herati, com uns rasgões no meio, um tamborete de três pernas e, em um canto, uma mesa de madeira onde Hassan fazia os seus desenhos. As paredes eram nuas, exceto por uma única tapeçaria bordada com contas que formavam as palavras *Allah-u-akbar*. Um presente que *baba* trouxe para Ali de uma de suas viagens a Mashad.

Foi nesse casebre que Sanaubar deu à luz Hassan, em um dia frio do inverno de 1964. Enquanto minha mãe morreu de hemorragia durante o parto, Hassan perdeu a sua menos de uma semana depois de nascer. E para um destino que a maioria dos afegãos considera pior que a morte: ela fugiu com uma trupe de cantores e dançarinos ambulantes.

Hassan nunca falou da mãe, como se ela jamais tivesse existido. Sempre me perguntei se sonharia com ela, se tentaria saber que aparência tinha, por onde andaria. Ficava imaginando se gostaria de conhecê-la. Teria saudade dela, como eu tinha da mãe que não conheci? Certo dia, quando estávamos indo da casa de meu pai ao cinema Zainab, ver um novo filme iraniano, cortamos caminho pelo acampamento militar perto da escola secundária Istiqlal. *Baba* tinha nos proibido de passar por aquele local, mas, nessa época, ele estava no Paquistão com Rahim Khan. Pulamos a cerca que rodeava o acampamento, saltamos um pequeno regato e chegamos ao terreno enlameado onde velhos tanques abandonados ficavam acumulando poeira. À sombra de um desses tanques, havia um grupo de soldados fumando e jogando cartas. Um deles nos viu, fez sinal ao companheiro que estava ao seu lado e chamou por Hassan.

— Ei! — exclamou ele. — Conheço você.

Nunca tínhamos visto aquele sujeito antes. Era um homem atarracado, de cabeça raspada e barba por fazer. O seu jeito de nos olhar e o sorriso que deu me apavoraram.

— Continue andando — murmurei para Hassan.

— Ei, hazara! Olhe para mim. Estou falando com você! — berrou o soldado. Entregou o cigarro ao sujeito que estava ao seu lado, e fez um círculo com o polegar e o indicador de uma das mãos. Depois, meteu o dedo médio da outra mão naquele círculo. E ficou enfiando e tirando o dedo. Enfiando e tirando.

— Sabia que conheci sua mãe? Conheci muito bem. Peguei ela por trás, perto daquele riacho logo ali.

Os outros soldados riram. Um deles fez um barulho que parecia um guincho. Eu disse a Hassan para continuar andando, continuar andando.

— Que bocetinha gostosa que ela tinha! — disse o soldado, apertando as mãos dos outros, rindo.

Mais tarde, no escuro, depois que o filme já tinha começado, ouvi Hassan fungando ao meu lado. As lágrimas lhe escorriam pelo rosto. Cheguei mais perto, passei o braço por suas costas e o puxei para mim. Ele encostou a cabeça no meu ombro.

— Aquele cara confundiu você com outra pessoa — sussurrei.

— Confundiu, sim.

Pelo que me disseram, ninguém se surpreendeu realmente quando Sanaubar fugiu. Na verdade, o que deixou todo mundo espantadíssimo foi quando Ali, um homem que sabia o Corão de cor, se casou com Sanaubar, uma mulher dezenove anos mais jovem, linda, mas sabidamente sem escrúpulos, que vivia de sua reputação nada honrosa. Como Ali, ela era uma muçulmana *shi'a*, da etnia hazara. Era também sua prima-irmã e, portanto, seria natural que fosse escolhida para ser sua esposa. Mas, afora isso, Ali e Sanaubar tinham muito pouco em comum, principalmente em termos de aparência. Enquanto os olhos verdes brilhantes e o rosto malicioso de Sanaubar haviam, segundo consta, atraído inúmeros homens para o pecado, Ali tinha uma paralisia congênita dos músculos faciais inferiores, o que o tornava incapaz de sorrir e lhe dava um ar constantemente carrancudo. Era muito estranho ver Ali feliz, ou triste, pois, no seu rosto enrijecido, apenas os olhos castanhos e oblíquos brilhavam com um sorriso ou se umedeciam com a tristeza. Dizem que os olhos são as janelas da alma. Isso nunca foi tão verdadeiro como no caso de Ali, que só podia se revelar através deles.

Ouvi dizer que o andar sugestivo e o rebolado de Sanaubar faziam os homens sonharem com infidelidade. Mas a pólio deixou Ali com a perna direita atrofiada e torta, pura pele colada nos ossos, com apenas uma camada de músculos fina que nem papel. Lembro de um dia, quando eu tinha oito anos, e Ali estava me levando ao *bazaar* para comprar *naan*. Eu ia caminhando atrás dele, cantarolando e tentando imitar o seu andar. Vi que balançava a perna descarnada, fazendo um movimento circular; vi que todo o seu corpo despencava para a direita cada vez que ele punha esse pé no chão. Parecia um verdadeiro milagre ele não cair a cada passo que dava. Quando tentei fazer a mesma coisa, quase me estatelei na sarjeta. E comecei a rir. Ali se virou e me pegou imitando o seu andar. Não disse nada. Nem na hora, nem nunca. Apenas continuou andando.

A cara de Ali e o seu jeito de andar assustavam algumas das crianças menores da vizinhança. Mas o maior problema era mesmo com os meninos mais velhos. Corriam atrás dele na rua e debochavam quando passava cambaleando. Alguns deram para chamá-lo *Babalu*, ou Bicho-Papão.

— Ei, *Babalu*, quem você comeu hoje? — gritavam eles em meio a um coro de risadas. — Quem você comeu, seu *Babalu* de nariz achatado?

Falavam do nariz achatado porque tanto Ali quanto Hassan tinham os traços mongolóides característicos dos hazaras. Durante anos, isso foi tudo o que soube a respeito desse povo: que descendiam dos mongóis e eram parecidos com os chineses. Os livros didáticos raramente os mencionavam e só se referiam às suas origens de passagem. Até que um dia, quando estava bisbilhotando as coisas de *baba* no seu escritório, encontrei um dos velhos livros de história de minha mãe. O autor era um iraniano chamado Khorami. Soprei a poeira que o cobria, levei-o comigo para a cama naquela noite e fiquei espantadíssimo ao ver um capítulo inteiro sobre a história dos hazaras. Um capítulo inteiro dedicado ao povo de Hassan! Foi aí que fiquei sabendo que meu povo, os pashtuns, tinha perseguido e oprimido os hazaras. Li que estes tentaram se rebelar contra os pashtuns no século XIX, mas foram "dominados com violência indescritível". O livro dizia ainda que meu povo matou os hazaras, expulsou-os das suas terras, queimou as suas casas e vendeu as suas mulheres como escravas. Dizia também que essa opressão de um povo pelo outro se deveu em parte ao fato de os pashtuns serem muçulmanos *sunni*, ao passo que os hazaras são *shi'a*. O livro falava de muitas coisas que eu não sabia, de coisas que os professores não mencionavam. Coisas que *baba* também não mencionava. Por outro lado, falava de coisas que eu *sabia*, como, por exemplo, que as pessoas chamavam os hazaras de "comedores de camundongos", "nariz achatado", "burros de carga". Já tinha ouvido alguns meninos da vizinhança gritarem essas palavras para Hassan.

Na semana seguinte, depois da aula, mostrei o tal livro ao meu professor e indiquei o capítulo sobre os hazaras. Ele passou os olhos por algumas páginas, deu uma risadinha e me devolveu o livro.

— É só isso que essa gente *shi'a* sabe fazer bem — comentou, juntando os seus papéis —, posar de mártires. — Franziu o nariz quando pronunciou a palavra *shi'a*, como se estivesse se referindo a uma espécie de doença.

Mas, apesar de ter a mesma herança étnica e o mesmo sangue de família, Sanaubar fazia coro com as crianças da vizinhança que debochavam de Ali. Ouvi dizer que não escondia de ninguém o desprezo que sentia pela aparência dele.

— Isso lá é homem que se apresente? — zombava. — Já vi burros velhos que dariam maridos bem melhores.

Afinal de contas, quase todos desconfiavam que o casamento tinha sido uma espécie de arranjo entre Ali e seu tio, o pai de Sanaubar. Dizia-se que Ali tinha se casado com a prima para ajudar a salvar um pouco da honra do nome já manchado do tio, muito embora Ali, órfão desde os cinco anos, não tivesse nenhum bem ou herança em especial.

Ele nunca tentou se vingar de nenhum dos seus algozes. Em parte, suponho eu, porque jamais conseguiria alcançá-los arrastando atrás de si aquela perna torta. Mas principalmente porque era imune aos insultos dos seus agressores; tinha encontrado a alegria, o antídoto para qualquer sofrimento no momento em que Sanaubar deu à luz Hassan. Foi tudo muito simples. Sem obstetras, sem anestesistas, sem aqueles extravagantes aparelhos de monitoramento. Apenas Sanaubar, deitada em um colchão manchado e sem lençóis, tendo Ali e a parteira para ajudá-la. E não precisou de muita ajuda, pois, já ao nascer, Hassan foi fiel à sua natureza: era incapaz de machucar quem quer que fosse. Uns poucos grunhidos, um ou dois empurrões, e Hassan saiu. Saiu sorrindo.

Segundo confidenciou a parteira tagarela ao criado do vizinho, que, por sua vez, se encarregou de espalhar para quem quisesse ouvir, Sanaubar teria dado uma olhada no bebê que Ali segurava no colo e, ao ver o lábio fendido, teria exclamado com um risinho amargo:

— Pronto — teria dito ela. — Agora você tem esse seu filho idiota para ficar sorrindo para você! — Não quis nem mesmo segurar Hassan e, cinco dias depois, foi-se embora.

Baba contratou a mesma ama-de-leite que tinha me amamentado para cuidar de Hassan. Ali nos disse que ela era uma hazara de olhos azuis, natural de Bamiyan, a cidade das estátuas dos Budas gigantes.

— Que voz doce e melodiosa ela tinha... — era o que costumava nos dizer.

Hassan e eu sempre perguntávamos o que ela cantava, embora já estivéssemos cansados de saber: ele nos contou essa história milhares de vezes. Só queríamos ouvir Ali cantando.

Ele pigarreava e começava:

De pé, no topo da mais alta das montanhas,
Chamei por Ali, o Leão de Deus
Ó Ali, Leão de Deus, Rei dos Homens,
Traze alegria para os nossos corações
Que tanto sofrem.

Depois repetia que as pessoas que mamavam no mesmo peito eram como irmãs, ligadas por uma espécie de parentesco que nem mesmo o tempo poderia desfazer.

Hassan e eu mamamos no mesmo peito. Demos os nossos primeiros passos na mesma grama do mesmo quintal. E, sob o mesmo teto, dissemos nossas primeiras palavras.

A minha foi *baba*.

A dele, *Amir*. O meu nome.

Olhando para trás, agora, fico pensando que os alicerces do que aconteceu no inverno de 1975 — e de tudo o que veio depois — já estavam contidos nessas primeiras palavras.

TRÊS

CONSTA QUE, CERTA VEZ, NO BALUQUISTÃO, meu pai enfrentou um urso negro com as próprias mãos. Se essa história dissesse respeito a qualquer outra pessoa, teria sido taxada de *laaf*, pois os afegãos têm uma certa tendência ao exagero. Lamentavelmente, este é quase um mal nacional. Se alguém se vangloriar de ter um filho médico, é possível que o rapaz tenha sido aprovado em um exame de biologia no segundo grau. Mas ninguém jamais duvidaria da veracidade de uma história que se referisse a *baba*. E se duvidassem, bem, *baba* tinha efetivamente aquelas três cicatrizes paralelas que traçavam uma trilha dentada nas suas costas. Muitas vezes fiquei imaginando aquela luta; cheguei mesmo a sonhar com ela. E, nesses sonhos, nunca fui capaz de distinguir quem era quem entre meu pai e o urso.

Rahim Khan foi o primeiro a se referir a *baba* com a expressão que acabou se tornando o seu célebre apelido, *Toophan agha*, ou "Sr.

Furacão". Era um apelido que lhe caía como uma luva. Meu pai era uma força da natureza, um gigantesco espécime da etnia pashtun, com uma barba espessa, o cabelo castanho cortado bem rente, tão rebelde quanto o próprio homem, umas mãos que pareciam capazes de arrancar um salgueiro do chão, e uns olhos negros que poderiam "fazer o diabo cair de joelhos implorando misericórdia", como dizia Rahim Khan. Nas festas, quando aquela massa de quase dois metros de altura irrompia sala adentro, todas as atenções convergiam para ele assim como os girassóis se viram na direção do sol.

Era impossível ignorar *baba*, mesmo quando estava dormindo. Eu enfiava chumaços de algodão nos ouvidos, puxava o cobertor para cobrir a cabeça e, mesmo assim, os seus roncos — que mais pareciam o motor de um caminhão — penetravam pelas paredes. E olhe que o meu quarto ficava em frente ao dele, do outro lado do corredor. Como minha mãe teria conseguido dormir no mesmo quarto que ele era um mistério para mim. Este era um dos itens da longa lista de coisas que teria perguntado se tivesse podido estar com ela.

Em fins da década de 1960, quando eu tinha uns cinco ou seis anos, *baba* decidiu construir um orfanato. Foi Rahim Khan quem me contou essa história. Disse que ele próprio fez a planta, apesar de não ter qualquer experiência em arquitetura. Os mais céticos insistiram para que deixasse de ser louco e contratasse um arquiteto. *Baba* recusou, é claro, e todos abanaram a cabeça, desanimados diante de sua teimosia. Mas deu tudo certo e, então, todos acenaram com a cabeça, admirados com o seu sucesso. *Baba* custeou, com dinheiro do seu próprio bolso, a construção do prédio de dois andares, bem próximo da avenida Jadeh Maywand, ao sul do rio Cabul. Rahim Khan me disse que *baba* financiou pessoalmente o projeto inteiro, pagando os engenheiros, os eletricistas, os bombeiros e os operários, sem contar com os funcionários da prefeitura cujos "bigodes estavam precisando de um pouco de óleo".

A construção do orfanato durou três anos. Eu estava então com oito anos. Lembro que, na véspera da inauguração, meu pai me levou ao lago Ghargha, a uns poucos quilômetros ao norte de Cabul. Disse-me que chamasse também Hassan, mas menti dizendo que ele estava com dor de barriga. Queria *baba* só para mim. Além disso, certa vez, no lago Ghargha, Hassan e eu estávamos atirando pedras na água e ele conseguiu fazer com que a sua pulasse oito vezes. O máximo que consegui foram cinco saltos. *Baba* estava vendo tudo e deu um tapinha nas costas de Hassan. Chegou até a passar o braço em seus ombros.

Sentamos em uma mesa de piquenique na margem do lago, só *baba* e eu, comendo ovos cozidos com sanduíches de *kofta* — bolos de carne e picles enrolados em *naan*. A água estava azul-escura e o sol reluzia naquela superfície como em um espelho. Às sextas-feiras, o lago ficava repleto de famílias que saíam para aproveitar o sol. Mas estávamos no meio da semana e, além de nós dois, só havia ali uma dupla de turistas de barba e cabelos compridos — *hippies*, como ele os chamou. Os dois estavam sentados no cais, com os pés dentro da água e varas de pescar na mão. Perguntei por que eles deixavam o cabelo crescer, mas *baba* deu um grunhido e não respondeu. Estava preparando o seu discurso para o dia seguinte, folheando um montão de páginas escritas a mão, fazendo anotações aqui e ali com um lápis. Dei uma dentada no ovo cozido e perguntei se era verdade o que um menino tinha me dito na escola, que se a gente comesse um pedaço de casca de ovo, teria que pôr para fora no xixi. *Baba* grunhiu outra vez.

Comi um pedaço do sanduíche. Um dos turistas de cabelo amarelo riu e deu um tapa nas costas do seu companheiro. Ao longe, na outra margem do lago, um caminhão vinha se arrastando para fazer a curva na colina. O sol cintilou batendo no seu retrovisor.

— Acho que estou com *saratan* — disse eu. Câncer.

Baba ergueu os olhos da sua papelada, que esvoaçava com o vento. Disse que eu mesmo podia ir pegar o refrigerante; que era só procurar na mala do carro.

No dia seguinte, as cadeiras do lado de fora do orfanato já tinham acabado. Muita gente ia ter de ficar de pé para assistir à cerimônia de inauguração. Estava ventando e sentei atrás de *baba*, no pequeno palanque armado bem diante da entrada principal do prédio. Ele estava usando um terno verde e um barrete de astracã. Bem no meio de seu discurso, o vento arrancou o seu gorro e todo mundo riu. *Baba* fez um sinal mandando eu ir pegar o barrete e me senti o máximo, pois, assim, todos iam ficar sabendo que ele era *meu* pai, *meu baba*. Ele se virou de volta para o microfone e disse que esperava que o prédio fosse mais firme que o seu gorro, e todos riram novamente. Quando *baba* acabou o discurso, as pessoas aplaudiram de pé. Bateram palmas por um bom tempo. Depois, vieram cumprimentá-lo. Alguns passaram a mão pela minha cabeça e também apertaram a minha mão. Fiquei tão orgulhoso de *baba*, de nós dois...

Mas, apesar de todos os seus sucessos, as pessoas estavam sempre duvidando de *baba*. Disseram-lhe que gerir negócios era coisa que não estava no seu sangue e que deveria estudar direito, como o pai. Então, ele provou que todos estavam errados, não só administrando o seu próprio negócio, mas tornando-se um dos comerciantes mais ricos de Cabul. *Baba* e Rahim Khan abriram uma firma de exportação de tapetes tremendamente bem-sucedida, duas farmácias e um restaurante.

Quando disseram que nunca faria um bom casamento — afinal de contas, não era de sangue nobre —, *baba* se casou com minha mãe, Sofia Akrami, uma moça muitíssimo bem-educada, unanimemente considerada uma das criaturas mais respeitadas, bonitas e virtuosas de Cabul. Não só lecionava literatura clássica farsi na universidade como era também descendente da família real, detalhe que meu pai esfregava divertido na cara de todos aqueles céticos chamando-a de "minha princesa".

Exceto por mim, é claro, *baba* moldou o mundo à sua volta do jeito que quis. O único problema é que o mundo, para ele, era pão, pão, queijo, queijo. E precisava decidir o que era pão e o que era queijo. Não se pode amar alguém assim sem ter medo dele também. E talvez até um pouco de ódio.

Quando eu estava na quarta série, tinha um mulá que nos dava aulas sobre o islã. Chamava-se mulá Fatiullah Khan. Era um homem baixinho e atarracado, com o rosto todo marcado de acne e uma voz rouca. Ele nos falava das virtudes do *zakat* e dos deveres do *hadj*; ensinava as complexidades da realização das cinco *namaz* diárias, e nos fez aprender de cor versículos do Corão. Só que, embora nunca traduzisse as palavras para nós, insistia, às vezes com a ajuda de uma vara feita de ramo de salgueiro, para que pronunciássemos corretamente as palavras em árabe a fim de que Deus pudesse nos ouvir melhor. Certo dia, ele disse que o islã considerava a bebida um pecado terrível; aqueles que bebessem teriam de responder por esse pecado no dia do *Qiyamat*, o Dia do Juízo. Naquela época, beber era coisa bastante comum em Cabul. Ninguém seria chicoteado em praça pública por esse motivo, mas os afegãos que bebiam não o faziam em público, por uma questão de respeito. As pessoas compravam uísque dentro de saquinhos de papel pardo, como "remédio", em algumas "farmácias" selecionadas. Deixavam o saco escondido e recebiam, às vezes, olhares furtivos de desaprovação daqueles que sabiam que tais estabelecimentos tinham fama de fazer esse tipo de transação.

Estávamos no escritório de *baba*, a tal "sala de fumar", quando eu lhe disse o que o mulá Fatiullah Khan tinha nos ensinado na aula. *Baba* estava se servindo de uísque no bar que tinha mandado fazer no canto da sala. Ele me ouviu, assentiu com a cabeça, tomou um gole da bebida. Depois sentou no sofá de couro, deixou o copo de lado e me pôs no colo. Senti como se estivesse me sentando em um par de troncos de árvore. Respirou fundo, exalou pelo nariz e o ar pareceu ficar assobiando em seu bigode por uma eternidade. Eu não conseguia decidir se queria abraçá-lo ou pular fora do seu colo, apavorado.

— Pelo que vejo, você está confundindo o que aprende na escola com a educação de fato — disse ele com aquela sua voz grave.

— Mas se o que ele disse é verdade, você não é um pecador, *baba*?

— Humm. — *Baba* trincou um cubo de gelo com os dentes. — Quer saber o que seu pai acha sobre essa história de pecado?

— Quero.

— Pois então vou lhe dizer, mas, primeiro, entenda bem isso, e entenda de uma vez por todas, Amir: você nunca vai aprender nada que preste com esses idiotas barbudos.

— Você quer dizer o mulá Fatiullah Khan?

Baba fez um gesto, com o copo na mão. O gelo tilintou.

— Eles todos. Estou cagando para as barbas de todos esses macacos hipócritas.

Comecei a rir. A imagem de *baba* cagando na barba de qualquer macaco, hipócrita ou não, era demais...

— Tudo o que sabem fazer é ficar desfiando aquelas contas de oração e recitando um livro escrito em uma língua que às vezes nem entendem — prosseguiu ele, tomando mais um gole de uísque. — Que Deus nos proteja se algum dia o Afeganistão cair nas mãos dessa gente.

— Mas o mulá Fatiullah Khan parece legal — consegui balbuciar tentando conter o riso.

— Gengis Khan também — disse *baba*. — Mas chega desse assunto. Você perguntou sobre pecado e quero lhe dizer o que penso a este respeito. Está me ouvindo?

— Estou — disse eu apertando os lábios. Mas o riso escapou pelo meu nariz fazendo um barulho que parecia um ronco. O que me fez recomeçar.

Os olhos duros de *baba* se fixaram nos meus e bastou isso para eu parar de rir.

— Estou tentando falar com você de homem para homem. Será que ao menos uma vez na vida consegue dar conta disso?

— Consigo, *baba jan* — murmurei espantado, e não pela primeira vez, ao ver como ele podia me atingir com tão poucas palavras. Por um instante, tínhamos tido um momento maravilhoso. Não era sempre que meu pai conversava comigo, e menos ainda me sentava em seu colo. E fui um idiota em estragar tudo.

— Ótimo — disse *baba*, mas os seus olhos não demonstravam lá muita convicção. — Pouco importa o que diga esse mulá; existe apenas um pecado, um só. E esse pecado é roubar. Qualquer outro é simplesmente uma variação do roubo. Entende o que estou dizendo?

— Não, *baba jan* — respondi querendo desesperadamente entender. Não gostaria de desapontá-lo de novo.

Baba soltou um suspiro de impaciência. O que também me atingiu, pois ele não era um homem impaciente. Lembrei de todas as noites em que chegou bem tarde, todas aquelas noites em que tive de jantar sozinho. Perguntava a Ali onde *baba* estava, a que horas ia voltar para casa, embora soubesse que ele estava na obra, inspecionando isso, supervisionando aquilo. Não era algo que exigia paciência? Cheguei a odiar todas as crianças para quem ele estava construindo o orfanato; por vezes desejei que todas elas tivessem morrido junto com seus pais.

— Quando você mata um homem, está roubando uma vida — disse *baba*. — Está roubando da esposa o direito de ter um marido, roubando dos filhos um pai. Quando mente, está roubando de alguém o direito de saber a verdade. Quando trapaceia, está roubando o direito à justiça. Entende?

Eu tinha entendido sim. Quando *baba* tinha seis anos, entrou um ladrão na casa de meu avô, no meio da noite. Meu avô, um juiz conceituado, reagiu ao assalto, mas o ladrão o esfaqueou na garganta, matando-o instantaneamente — e roubando de *baba* o seu pai. Os moradores da cidade apanharam o assassino na manhã seguinte, pouco antes do meio-dia; era um vagabundo da região de Kunduz. Enforcaram o homem no galho de um carvalho quando ainda faltavam duas horas para as preces da tarde. Foi Rahim Khan, e não *baba*, quem me contou essa história. Aliás, eu sempre ficava sabendo das coisas sobre meu pai por outras pessoas.

— Não há ato mais infame do que roubar, Amir — prosseguiu ele. — Um homem que se apropria do que não é seu, seja uma vida ou uma fatia de *naan*... Cuspo nesse homem... E se alguma vez ele cruzar o meu caminho, que Deus o ajude. Está entendendo?

Achei a idéia de meu pai espancando um ladrão engraçadíssima, mas, ao mesmo tempo, assustadora.

— Estou, *baba*.

— Se existe mesmo um Deus, em algum lugar por aí, espero que ele tenha coisas mais importantes para fazer do que se preocupar com o fato de eu beber uísque ou comer carne de porco. Agora, desça daí. Toda essa conversa sobre pecado me deixou com sede outra vez.

Fiquei olhando enquanto ele enchia o copo no bar e me perguntando quanto tempo ia se passar até que tivéssemos outra conversa como essa. A verdade é que sempre achei que *baba* me odiava um pouco. E por que não? Afinal, eu *tinha* matado a esposa que ele tanto amava, a sua linda princesa, não tinha? O mínimo que poderia ter feito era ter a decência de puxar um pouco mais a ele. Mas não puxei. Não mesmo.

NA ESCOLA, ERA COMUM JOGARMOS UM JOGO chamado *sherjangi*, a "Batalha de Poemas". O professor de farsi funcionava como moderador e o jogo era mais ou menos assim: um aluno recitava um verso de um poema e o adversário tinha sessenta segundos para replicar, citando um verso que começasse com a mesma letra com que o primeiro terminava. Todos na turma me queriam em suas equipes, pois, por volta dos meus onze anos, era capaz de recitar dezenas de versos de Khayyam, Hafez ou dos célebres *Masnawi* de Rumi. Certa feita, enfrentei a turma toda e ganhei. Mais tarde, na mesma noite, contei isso para *baba*, mas ele se limitou a balançar a cabeça e murmurar:

— Que ótimo.

Foi assim que escapei à indiferença de meu pai: refugiando-me nos livros de minha mãe morta. E também na companhia de Hassan, é claro. Lia tudo. Rumi, Hafez, Saadi, Victor Hugo, Júlio Verne, Mark Twain, Ian Fleming. Quando esgotei a biblioteca de minha mãe — não aqueles chatos, de história, pois nunca fui muito chegado a esses, mas os romances, as epopéias —, passei a gastar minha mesada em livros. Comprava um por semana, na livraria perto do cinema Park, e, quando já não havia mais espaço nas prateleiras, comecei a guardá-los em caixas de papelão.

É claro que casar com uma poeta era uma coisa, mas ter um filho que preferia meter a cara em livros de poesia a ir caçar... bem, não era exatamente o que *baba* tinha imaginado, suponho eu. Um homem de verdade não lê poesia, e Deus permita que nunca venha a escrever versos! Homens de verdade — meninos de verdade — jogam futebol, exatamente como meu pai fazia quando era jovem. Isso, sim, era algo digno de paixão. Em 1970, *baba* fez uma pausa na supervisão da construção do orfanato para passar um mês em Teerã e ver a Copa do Mundo pela TV, já que, naquela época, ainda não existia televisão no Afeganistão. Ele me inscreveu em times de futebol, tentando despertar em mim a mesma paixão. Mas eu era patético, um estorvo considerável para o meu próprio time, sempre atrapalhando um passe oportuno ou bloqueando involuntariamente um espaço livre de marcação. Ficava circulando pelo campo, desajeitado com as minhas pernas finas, berrando por passes que não vinham nunca. E quanto mais insistia, sacudindo os braços freneticamente acima da cabeça, e gritando "Estou livre! Estou livre!", mais os outros me ignoravam. *Baba* porém não desistia. Quando ficou mais do que evidente que eu não tinha herdado nem um pouquinho dos seus talentos atléticos, ele tratou de me transformar em um torcedor apaixonado. Por certo eu podia dar conta disso, não? Fingi interesse o máximo de tempo possível. Comemorava com ele quando o time de Cabul ganhava do de Kandahar, e berrava xingando o juiz quando este marcava um pênalti contra o nosso time. Mas *baba* percebeu que o meu interesse não era autêntico e se rendeu àquela evidência desanimadora: seu filho nunca ia ser nem jogador nem torcedor de futebol.

Lembro de uma vez que ele me levou ao torneio anual de *buzkashi*, realizado no primeiro dia da primavera, o dia do Ano-Novo. O *buzkashi* era, e ainda é, a paixão nacional do Afeganistão. Um *chapandaz*, um cavaleiro habilidosíssimo, geralmente patrocinado por torcedores ricos, tem que apanhar um bode ou um bezerro morto no meio de um monte de adversários. Depois, tem que arrastá-lo consigo por todo o estádio a galope, e depositá-lo em um círculo enquanto uma equipe de *chapandaz* o persegue e faz tudo o que pode — chuta, arranha, chicoteia, esmurra — para arrancar dele o bicho morto. Naquele dia, a multidão começou a berrar excitada quando os cavaleiros soltaram os seus gritos de guerra e se precipitaram sobre a carcaça do animal em meio a uma nuvem de poeira. A terra tremia com o tropel dos cascos. Estávamos assistindo a tudo da parte mais alta das arquibancadas e os cavaleiros passavam por nós, correndo a todo galope, urrando e gritando, enquanto voava espuma da boca dos seus cavalos.

Em certo momento, *baba* apontou para alguém.

— Está vendo aquele homem, Amir? Sentado ali, cercado de vários outros homens?

Estava.

— É Henry Kissinger.

— Ah! — disse eu. Não sabia quem era Henry Kissinger e devia ter perguntado. Mas, naquele instante, olhava horrorizado para um dos *chapandaz* que tinha caído do cavalo e estava sendo pisoteado por dezenas de cascos. O corpo dele foi derrubado da montaria e arremessado em meio ao tropel de homens e cavalos, como um boneco de pano, e acabou parando quando aquele bando se afastou. Então, teve um estremecimento e, depois, ficou imóvel, com as pernas dobradas em ângulos fora do normal e uma poça de sangue encharcando a areia ao seu redor.

Comecei a chorar.

Chorei durante todo o trajeto de volta para casa. Lembro como as mãos de *baba* apertavam o volante. Apertavam e afrouxavam. Acima de tudo, nunca vou esquecer o tremendo esforço que ele fez para disfarçar o ar de aborrecimento em seu rosto enquanto dirigia em silêncio.

Mais tarde, estava passando pelo escritório de meu pai quando o ouvi conversar com Rahim Khan. Colei o ouvido na porta fechada.

— ...agradecer por ele ter saúde — dizia Rahim Khan.

— Sei disso, sei disso. Mas ele está sempre enfiado naqueles livros ou rodando pela casa como se estivesse perdido em algum sonho.

— E daí?

— Eu não era assim.

Baba parecia frustrado; quase zangado.

Rahim Khan riu.

— As crianças não são cadernos de colorir. Você não tem de preenchê-lo com suas cores favoritas.

— Estou lhe dizendo — prosseguiu *baba*. — Eu não era assim. Nem eu nem qualquer das crianças com as quais cresci.

— Sabe, às vezes você é o homem mais autocentrado que já vi — disse Rahim Khan. Ele era a única pessoa capaz de dizer uma coisa dessas a meu pai sem problemas.

— O que é que uma coisa tem a ver com a outra? — retrucou *baba*.

— Ah, não tem não?

— Não.

— Então o que é que tem a ver com o quê?

Ouvi o ruído do couro rangendo quando *baba* mudou de posição na cadeira. Fechei os olhos, colei o ouvido ainda mais à porta, querendo e não querendo ouvir o que ele ia dizer.

— Às vezes olho por essa janela e o vejo brincando na rua com os meninos da vizinhança. Vejo como eles o maltratam, tiram os seus brinquedos, dão um empurrão aqui, um esbarrão ali. E, imagine só, ele nunca revida. Nunca. Apenas... abaixa a cabeça e...

— Ele não é violento — disse Rahim Khan.

— Não é isto que estou querendo dizer, Rahim, e você bem sabe — retrucou *baba*. — Falta algo a esse menino.

— É verdade. Propensão para a maldade.

— Saber se defender não tem nada a ver com maldade. Sabe o que acontece sempre que os vizinhos implicam com ele? Hassan intervém e põe todos para correr. Já vi isso com meus próprios olhos. Quando os dois voltam para casa, pergunto "Por que é que Hassan está com esse arranhão no rosto?" e Amir responde: "Ele caiu". Ouça o que estou lhe dizendo, Rahim, falta algo a esse menino.

— Você só precisa deixar que ele encontre o seu próprio caminho — disse Rahim Khan.

— E onde vai dar esse caminho? — perguntou *baba*. — Um menino que não sabe se defender vai se tornar um homem incapaz de enfrentar o que quer que seja.

— Como sempre, você está simplificando demais as coisas.

— Não concordo.

— Está zangado porque tem medo que ele jamais venha a assumir nossos negócios.

— Quem é que está simplificando demais, agora? — indagou *baba*. — Olhe, sei que vocês dois se gostam muito, e fico feliz com isso. Tenho inveja, mas fico feliz. É verdade. Ele precisa de alguém que... o compreenda, porque Deus sabe que eu não consigo. Mas há algo em Amir que me perturba de um jeito que não sei explicar. É como se...

Podia vê-lo procurando as palavras certas. Ele baixou a voz, mas deu para ouvir assim mesmo.

— Se não tivesse visto o médico tirá-lo de minha mulher com meus próprios olhos, não acreditaria que é meu filho.

No dia seguinte, enquanto preparava o meu café da manhã, Hassan perguntou se eu estava chateado. Gritei com ele, disse que não se metesse na minha vida.

Rahim Khan estava enganado sobre aquela história da propensão para a maldade.

QUATRO

EM 1933, ANO EM QUE *BABA* NASCEU e Zahir Shah iniciou seu reinado de quarenta anos no Afeganistão, dois irmãos, rapazes de uma família conhecida e abastada de Cabul, se meteram a dirigir o Ford Roaster de seus pais. Os dois, que tinham se enchido de haxixe e estavam *mast* de muito vinho francês, acabaram atropelando e matando um casal de hazaras na estrada de Paghman. A polícia trouxe os jovens com um jeitão contrito e o órfão de cinco anos perante meu avô, que era um juiz muitíssimo conceituado e um homem de reputação impecável. Depois de ouvir o relato dos irmãos e o pedido de clemência de seu pai, meu avô determinou que os dois rapazes fossem imediatamente para Kandahar e se alistassem no Exército por um ano — isto apesar de sua família ter conseguido, sabe-se lá como, obter que eles fossem dispensados do serviço militar. O pai dos jovens tentou discutir, mas não com tanta veemência, e, afinal, todos acabaram concordando que a punição talvez fosse severa, mas era justa. Quanto ao órfão, meu avô decidiu adotá-lo e levá-lo para sua própria casa. Mandou que os outros empregados tomassem conta dele, mas que fossem gentis. Esse menino era Ali.

Baba e Ali cresceram juntos, como companheiros de brincadeiras — ao menos até que a pólio o deixasse aleijado —, exatamente como Hassan e eu cresceríamos juntos uma geração mais tarde. *Baba* sempre falava das travessuras que ambos aprontavam, e Ali balançava a cabeça dizendo "Mas, *agha sahib*, diga a eles quem arquitetava as travessuras e quem era o simples executor". Meu pai ria e passava o braço nos ombros de Ali.

Em nenhuma dessas histórias, porém, *baba* se referia a Ali como amigo.

O curioso é que também nunca pensei em Hassan e eu como amigos. Pelo menos não no sentido habitual. Pouco importa se um ensinou ao outro a andar de bicicleta sem as mãos, ou a construir uma câmera caseira, feita com uma caixa de papelão, e que funcionava bastante bem. Pouco importa se passamos invernos inteiros empinando pipas e correndo para apanhar as que caíam. Pouco importa se, para mim, a cara do Afeganistão é a cara de um menino de porte esguio, cabeça raspada e orelhas meio dobradas; um menino com uma cara de boneca chinesa perpetuamente iluminada pelo sorriso leporino.

Nada disso importa. Porque não é fácil superar a história. Tampouco a religião. Afinal de contas, eu era pashtun, e ele, hazara; eu era sunita, e ele, xiita, e nada conseguiria modificar isso. Nada.

Mas éramos duas crianças que tinham aprendido a engatinhar juntas, e não havia história, etnia, sociedade ou religião que pudesse alterar isso. Passei a maior parte de meus primeiros doze anos de vida brincando com Hassan. Às vezes, toda a minha infância parece ter sido um longo dia preguiçoso de verão em companhia de Hassan, um correndo atrás do outro por entre as árvores do quintal da casa de meu pai, brincando de esconde-esconde, de polícia-e-ladrão, de índio e caubói, de torturar insetos. Quanto a esta última brincadeira, o ponto alto foi, sem dúvida alguma, aquela vez que arrancamos o ferrão de uma abelha e amarramos um barbante no pobre inseto para puxá-lo de volta sempre que conseguisse levantar vôo.

Atormentávamos os *kochi*, os nômades que atravessavam Cabul a caminho das montanhas do norte. Ouvíamos as caravanas que se aproximavam de nosso bairro, os balidos das ovelhas, os berros dos bodes, o tilintar das sinetas no pescoço dos camelos. Saíamos correndo de casa para ver a caravana passando por nossa rua, aqueles homens com o rosto empoeirado e castigado pelo sol e as mulheres usando xales longos e coloridos, contas e pulseiras de prata nos pulsos e nos tornozelos. Jogávamos pedrinhas nos bodes. Esguichávamos água nas mulas. Eu mandava Hassan subir no "muro do milho doente" e usar o estilingue para atirar pedras nos traseiros dos camelos.

Vimos nosso primeiro *western* juntos. Foi *Rio Bravo*, com John Wayne, no cinema Park, em frente à minha livraria favorita. Lembro-me que implorei a *baba* que nos levasse ao Irã para podermos ver John Wayne. Ele soltou uma daquelas suas sonoras gargalhadas — um som não muito diferente do motor de um caminhão acelerando — e, quando conseguiu recuperar a fala, nos explicou o que era dublagem. Hassan e eu ficamos atônitos, atordoados. Na verdade, então, John Wayne não falava farsi e não era iraniano! Era americano, exatamente como aqueles homens e mulheres tão simpáticos, de cabelos compridos, que sempre víamos circulando por Cabul, usando aquelas camisas esmolambadas e bem coloridas. Vimos *Rio Bravo* três vezes, mas o nosso *western* favorito, *Sete homens e um destino*, nós vimos treze vezes. Em todas elas, choramos no final, na cena em que as crianças mexicanas enterram Charles Bronson que, como descobrimos depois, também não era iraniano.

Passeávamos pelos mercados com cheiro de mofo do bairro Shar-e-Nau, ou na cidade nova, a oeste do distrito de Wazir Akbar Khan. Conversávamos sobre o filme que tivéssemos acabado de ver e caminhávamos por entre a multidão de *bazarris*. Íamos abrindo caminho em meio a mercadores e pedintes, perambulávamos pelas estreitas ruelas apinhadas de fileiras e mais fileiras de minúsculas barracas comprimidas umas às outras. *Baba* dava a cada um de nós dez afeganes por semana e gastávamos tudo em Coca-Cola quente e sorvete de água-de-rosas com cobertura de pistache torrado.

Durante o ano letivo, tínhamos uma rotina diária. Enquanto eu me levantava a duras penas e ia me arrastando até o banheiro, Hassan já tinha se lavado, rezado as *namaz* matinais junto com Ali e preparado meu café da manhã: chá preto quente, com três torrões de açúcar, e uma fatia de *naan* torrado com minha geléia favorita, de cereja ácida, tudo isso muito bem arrumado na mesa da sala de jantar. Enquanto eu comia e reclamava do dever de casa, Hassan fazia minha cama, engraxava meus sapatos, passava as roupas que eu ia usar naquele dia, arrumava meu material escolar. Eu o ouvia cantando no saguão enquanto passava roupa, entoando velhas cantigas hazara com sua voz nasalada. Então, *baba* e eu saíamos no seu Ford Mustang preto — um carro que atraía olhares invejosos por onde quer que passasse, já que era o mesmo modelo que Steve McQueen dirigia em *Bullit*, filme que ficou seis meses em cartaz em um cinema de Cabul. Hassan ficava em casa e ajudava Ali nas tarefas diárias: lavar à mão toda a roupa suja e estendê-la no quintal para secar, varrer a casa, ir ao *bazaar* para comprar *naan* fresco, marinar a carne para o jantar, regar o gramado.

Depois da aula, Hassan e eu passávamos a mão em um livro e corríamos para uma colina arredondada que ficava bem ao norte da propriedade de meu pai em Wazir Akbar Khan. Havia ali um velho cemitério abandonado, com várias fileiras de lápides com as inscrições apagadas e muito mato impedindo a passagem pelas aléias. Anos e anos de chuva e neve tinham enferrujado o portão de grade e deixado a mureta de pedras claras em ruínas. Perto da entrada do cemitério havia um pé de romã. Em um dia de verão, usei uma das facas de cozinha de Ali para gravar nossos nomes naquela árvore: "Amir e Hassan, sultões de Cabul." Essas palavras serviram para oficializar o fato: a árvore era nossa. Depois da aula, Hassan e eu trepávamos em seus galhos e apanhávamos as romãs encarnadas. Depois de comer as frutas e limpar as mãos na grama, eu lia para Hassan.

Sentado ali, com as pernas cruzadas e o jogo de sol e sombra da folhagem do pé de romã no rosto, Hassan arrancava distraído pedacinhos de grama do chão enquanto eu ia lendo as histórias que ele não podia ler sozinho. Pois Hassan cresceria analfabeto como Ali e a maioria dos hazaras: isto já estava decidido desde o minuto em que nasceu, talvez até mesmo desde o instante em que foi concebido no útero nada receptivo de Sanaubar — afinal, para que um criado precisaria da palavra escrita? Mas, apesar de ser analfabeto, ou quem sabe até por isso mesmo, Hassan era atraído pelo mistério das palavras, seduzido por um mundo secreto cujo acesso lhe era vedado. Lia para ele poemas e histórias, às vezes enigmas — embora sempre parasse de ler estes últimos quando percebia que ele tinha muito mais facilidade que eu para decifrá-los. Lia então coisas menos arriscadas, como as desventuras do vaidoso mulá Nasruddin e seu burro. Passávamos horas sentados debaixo daquela árvore, até que o sol começasse a se pôr, e, mesmo assim, Hassan insistia dizendo que ainda havia luz suficiente para eu ler uma outra história, um outro capítulo.

O que eu mais gostava, nessas horas em que estava lendo para Hassan, era quando esbarrávamos com uma palavra que ele não conhecia. Eu implicava com ele, exibia a sua ignorância. Uma vez, quando estava lendo uma história do mulá Nasruddin, ele me interrompeu.

— O que quer dizer essa palavra?

— Qual?

— Imbecil.

— Você não sabe o que significa? — indaguei eu com um sorriso largo.

— Não sei não, Amir *agha*.

— Mas é uma palavra tão comum!

— Mesmo assim, não conheço.

Se tinha percebido meu tom de deboche, seu rosto sorridente não deixava transparecer nada.

— Ora, todo mundo na escola sabe o que é isso — disse eu.
— Deixa ver. Imbecil quer dizer esperto, inteligente. Vou fazer uma frase com essa palavra para você: "Quando o assunto é vocabulário, Hassan é um imbecil."

— Ah! — exclamou ele, fazendo que sim com a cabeça.

Depois de um episódio como esse, sempre me sentia meio culpado. Tentava então compensar o que tinha feito dando-lhe uma das minhas camisas velhas ou um brinquedo quebrado. Dizia a mim mesmo que era o bastante para reparar uma brincadeira inofensiva.

O livro favorito de Hassan era o *Shahnamah*, a epopéia dos antigos heróis persas do século X. Gostava de todos os capítulos, os *shahs* do passado, Feridoun, Zal e Rudabeh. Sua história favorita, porém, e minha também, era "Rostam e Sohrab", um conto sobre o grande guerreiro Rostam e seu cavalo velocíssimo, Rakhsh. Durante uma batalha, Rostam fere mortalmente seu valente adversário, Sohrab, e acaba descobrindo que o rapaz é, na verdade, o filho que tinha perdido há muito tempo. Atormentado pela dor, Rostam ouve as últimas palavras do filho moribundo:

Se sois efetivamente meu pai, então manchastes vossa espada com o sangue de vosso filho. E fizestes isto por vossa própria obstinação. Pois procurei convertê-lo ao amor e implorei chamando o vosso nome, já que julguei encontrar em vós as qualidades de que minha mãe tanto falava. Mas foi em vão que apelei para vosso coração, e, agora, é tarde demais para qualquer aproximação...

— Leia outra vez, por favor, Amir *agha* — dizia Hassan. Às vezes, ficava com os olhos cheios de lágrimas enquanto eu lia a passagem e, nessas horas, sempre me perguntei por quem ele estaria chorando: seria pelo sofrimento de Rostam, que rasga as próprias roupas e cobre a cabeça com cinzas, ou pelo moribundo Sohrab, que só desejava o amor do pai? Eu, pessoalmente, não era capaz de perceber a tragédia do destino de Rostam. Afinal de contas, todos os pais, no fundo de seu coração, não abrigam o desejo de matar os filhos?

Um dia, em julho de 1973, aprontei outra sujeira com Hassan. Estava lendo para ele quando, de repente, deixei de lado a história. Fingi que continuava lendo o livro, virando as páginas regularmente, mas tinha abandonado completamente o texto, assumido o comando da narrativa e estava inventando tudo por minha própria conta. Hassan, é claro, não percebeu nada. Para ele, as palavras da página eram um amontoado de códigos, algo indecifrável, misterioso. Eram portas secretas e eu é que detinha todas as chaves. No final, estava pronto para perguntar se Hassan tinha gostado da história, com o riso já se armando na minha garganta, quando ele começou a bater palmas.

— O que está fazendo? — perguntei.

— Há muito tempo que você não me contava uma história tão boa — disse ele ainda aplaudindo.

Comecei a rir.

— Sério?

— Sério.

— Fascinante! — murmurei. E também não estava brincando. Aquilo era... absolutamente inesperado. — Tem certeza, Hassan?

Ele continuava a bater palmas.

— Foi o máximo, Amir *agha*. Lê mais amanhã?

— Fascinante — repeti meio sem fôlego, sentindo-me como um homem que descobre um tesouro enterrado em seu próprio quintal. Enquanto descíamos a colina, as idéias iam explodindo em minha cabeça como fogos de artifício em Chaman. "Há muito tempo que você não me contava uma história tão boa" foi o que ele disse. E olhe que eu tinha lido *um monte* de histórias para ele. Mas Hassan estava fazendo uma pergunta qualquer.

— O quê? — indaguei eu.

— O que quer dizer "fascinante"?

Comecei a rir. Dei-lhe um abraço bem apertado e um beijo na bochecha.

— Por que isso? — indagou ele assustado, corando.

Dei-lhe um empurrão de leve. Sorri.

— Você é um príncipe, Hassan. É um príncipe e adoro você.

Naquela mesma noite, escrevi minha primeira história. Levei trinta minutos para fazê-lo. Era um pequeno conto meio soturno sobre um homem que encontra um cálice mágico e fica sabendo que, se chorar dentro dele, suas lágrimas vão se transformar em pérolas. Mas, embora tenha sido sempre muito pobre, ele era feliz e raramente chorava. Tratou então de encontrar meios de ficar triste para que as suas lágrimas pudessem fazer dele um homem rico. Quanto mais acumulava pérolas, mais ambicioso ficava. A história terminava com o homem sentado em uma montanha de pérolas, segurando uma faca na mão, chorando inconsolável dentro do cálice e tendo nos braços o cadáver da esposa que tanto amava.

Subi as escadas e fui direto para a "sala de fumar" de meu pai, levando nas mãos as duas folhas de papel onde tinha rascunhado a história. Quando cheguei, *baba* e Rahim Khan estavam fumando cachimbo e tomando *brandy*.

— O que foi, Amir? — perguntou *baba* recostando-se no sofá e cruzando as mãos na nuca. O seu rosto estava envolto em fumaça azulada, e o seu olhar fez minha garganta ficar seca. Pigarreei e disse que tinha escrito uma história.

Baba acenou com a cabeça e deu um leve sorriso que demonstrava pouco mais que interesse fingido.

— Ora, isso é muito bom, não é? — disse ele.

E foi só. Apenas ficou me olhando através daquela nuvem de fumaça.

Devo ter ficado parado ali por menos de um minuto, mas foi um dos minutos mais longos de toda a minha vida até aquele instante. Os segundos iam se arrastando, separados uns dos outros por uma eternidade. O ar ficou pesado, abafado, quase sólido. Eu estava respirando tijolos. *Baba* continuou olhando para mim e não pediu para ler o que eu tinha escrito.

Como sempre, foi Rahim Khan que veio em meu socorro. Estendeu a mão e me brindou com um sorriso que nada tinha de fingido.

— Posso ver, Amir *jan*? Adoraria lê-la.

Baba quase nunca usava o termo carinhoso, *jan*, quando falava comigo.

Ele deu de ombros e se levantou. Parecia aliviado, como se também tivesse sido socorrido por Rahim Khan.

— Isso mesmo, mostre a *kaka* Rahim. Vou subir para me aprontar.
— E, dizendo isso, saiu do aposento.

A maior parte do tempo, eu adorava *baba* com uma intensidade quase religiosa. Naquele instante, porém, tudo o que queria era poder abrir as minhas veias e deixar que o seu maldito sangue saísse do meu corpo.

Uma hora mais tarde, quando o céu já estava escurecendo, os dois saíram no carro de meu pai para ir a uma festa. Quando estavam de saída, Rahim Khan se agachou diante de mim e me entregou minha história junto com um outro papel dobrado. Deu um sorriso e piscou o olho.

— Tome. Leia isso mais tarde.

Fez uma pausa e acrescentou uma única palavra que foi mais eficaz no sentido de me encorajar a continuar escrevendo do que qualquer outro elogio que algum editor jamais tenha me feito. Essa palavra foi "bravo!".

Depois que eles saíram, sentei em minha cama querendo que Rahim Khan fosse meu pai. Pensei então em *baba* com seu peito largo e em como era bom quando ele me apertava junto a si; como cheirava a Brut pela manhã; e como a sua barba espetava o meu rosto. De repente, senti uma culpa tão grande que disparei para o banheiro e vomitei na privada.

Mais tarde, encolhido na cama, li e reli milhares de vezes o bilhete de Rahim Khan, que dizia o seguinte:

Amir jan,

adorei a sua história. Mashallah, Deus lhe concedeu um talento especial. Cabe a você, agora, aperfeiçoar esse talento, pois alguém que desperdiça os talentos que Deus lhe deu é simplesmente burro. Você escreve corretamente do ponto de vista gramatical e tem um estilo interessante. O mais impressionante, porém, é que a sua história tem ironia. Talvez você nem saiba o que essa palavra significa. Mas algum dia saberá. É algo que alguns escritores passam a vida inteira procurando e nunca conseguem atingir. E você conseguiu isso na primeira história que escreveu.

Minha porta está e sempre estará aberta para você, Amir jan. *Estou pronto para ouvir qualquer história que tenha para contar. Bravo!*

Seu amigo,
Rahim

Animado com o bilhete de Rahim Khan, passei a mão na história e corri para o saguão onde Ali e Hassan estavam dormindo, em colchões no chão. Era só nessas circunstâncias que eles dormiam dentro de casa, quando *baba* saía e Ali tinha que tomar conta de mim. Sacudi Hassan, para acordá-lo, e perguntei se queria ouvir uma história.

Ele esfregou os olhos, sonolento, e se espreguiçou.

— Agora? Que horas são?

— Azar da hora! Essa é uma história especial. Fui eu mesmo que escrevi — sussurrei, torcendo para não acordar Ali. O rosto de Hassan se iluminou.

— Então, *tenho* que ouvi-la — disse ele já empurrando o cobertor para se levantar.

Li a história para ele na sala de visitas, perto da lareira de mármore. Desta vez, nada de gozações com as palavras. O que estava em jogo era eu mesmo! E Hassan era o público perfeito, em todos os sentidos: inteiramente absorto na narrativa, a expressão de seu rosto se modificando de acordo com os tons que a história ia assumindo. Quando li a última frase, ele fez com as mãos o gesto do aplauso sem som.

— *Mashallah*, Amir *agha*. Bravo! — disse ele radiante.

— Gostou? — indaguei eu, esperando sentir pela segunda vez o sabor, e como era doce, de uma apreciação positiva.

— Algum dia, *Inshallah*, você vai ser um grande escritor — disse Hassan. — E gente do mundo todo vai ler as suas histórias.

— Que exagero, Hassan! — exclamei, adorando-o por isso.

— Não é não. Você vai ser grande e famoso — insistiu ele.

Hesitou um pouco, então, como se estivesse prestes a acrescentar algo. Pesou bem as palavras e pigarreou.

— Mas posso perguntar uma coisa sobre a história? — indagou envergonhado.

— Claro.

— Bem... — principiou ele, mas logo parou.

— Pode falar, Hassan — disse eu. E sorri, embora, de repente, o escritor inseguro que havia em mim não soubesse muito bem se queria ou não ouvir o que ele tinha a dizer.

— Bem... — recomeçou ele — o que eu queria perguntar é por que o homem matou a esposa. Na verdade, por que ele precisava estar triste para derramar lágrimas? Será que não podia simplesmente cheirar uma cebola?

Fiquei pasmo. Um detalhe como esse, tão óbvio que chegava a ser absolutamente estúpido, não tinha me ocorrido. Movi os lábios sem emitir som algum. Parecia que na mesma noite em que eu tinha aprendido qual era um dos objetivos da escrita, a ironia, ia ser apresentado também a uma de suas armadilhas: os furos da trama. E, entre todas as criaturas do mundo, Hassan é que foi me ensinar isso. Hassan que não sabia ler e nunca tinha escrito uma única palavra em toda a sua vida. Uma voz, fria e escura, sussurrou subitamente em meu ouvido,

"Mas o que é que ele entende disso, esse hazara analfabeto? Ele nunca vai passar de um cozinheiro. Como ousa criticar você?".

— Bem... — disse eu. Mas nunca consegui acabar aquela frase. Porque, de repente, o Afeganistão mudou para sempre.

CINCO

HOUVE UM ESTRONDO QUE MAIS PARECIA um trovão. A terra estremeceu um pouco e ouvimos o *ra-ta-ta-ta-tá* de uma arma de fogo.

— Pai! — gritou Hassan. Levantamos de um salto e saímos correndo da sala de visitas. Fomos encontrar Ali atarantado, mancando freneticamente de um lado para o outro no saguão.

— Pai! Que barulho foi esse? — gritou Hassan correndo para ele com os braços estendidos. Ali o abraçou. Um clarão esbranquiçado iluminou o céu em tons de prateado. Depois, um outro clarão, seguido do rápido *staccato* da artilharia.

— Estão caçando patos — respondeu Ali com a voz rouca. — Você sabe que é à noite que se caçam patos. Não tenha medo.

Uma sirene passou à distância. Em algum lugar um vidro se estilhaçou e alguém gritou. Ouvi barulho de gente na rua, provavelmente acordada em sobressalto e ainda de pijamas, com os cabelos despenteados e os olhos inchados. Hassan estava chorando. Ali o abraçou ainda mais, apertando-o com ternura. Mais tarde, diria a mim mesmo que não fiquei com inveja de Hassan. De jeito nenhum.

Ficamos assim amontoados até as primeiras horas da manhã. O tiroteio e as explosões não duraram nem uma hora, mas nos deixaram apavorados, porque nenhum de nós jamais tinha ouvido tiros pelas ruas. Nessa época, aqueles ruídos eram estranhos para nós. A geração de crianças afegãs cujos ouvidos só conheceram o som das bombas e da artilharia ainda estava por nascer. Bem juntinhos, na sala de jantar, esperando o dia clarear, nenhum dos três fazia a menor idéia de que um jeito de viver tinha terminado. *O nosso*. Não de imediato, mas aquele instante tinha marcado o começo do fim. O fim, o fim *oficial* chegaria primeiro em abril de 1978, com o golpe de Estado comunista, e, depois, em dezembro de 1979, quando os tanques russos começaram a circular por aquelas mesmas ruas onde Hassan e eu brincávamos, trazendo a morte do Afeganistão que conheci e dando início a uma era sangrenta que perdura até hoje.

Um pouco antes do nascer do sol, o carro de *baba* embicou na entrada da casa. Ouvimos a porta bater e os seus passos apressados ressoando nos degraus. Então, ele surgiu na porta da frente e vi algo em seu rosto, algo que não consegui identificar imediatamente, pois nunca tinha visto aquilo antes: medo.

— Amir! Hassan! — exclamou ele correndo na nossa direção, com os braços bem abertos. — Bloquearam todas as estradas e o telefone não estava funcionando. Fiquei tão preocupado!

Deixamos que nos apertasse em seus braços e, por um breve instante de loucura, fiquei feliz pelo que quer que tivesse acontecido aquela noite.

Ninguém estava caçando patos, afinal. Como ficamos sabendo depois, eles não tinham tido muito em que atirar naquela noite de 17 de julho de 1973. Quando Cabul acordou na manhã seguinte, descobriu que a monarquia era coisa do passado. O rei, Zahir Shah, estava na Itália. Aproveitando-se da sua ausência, seu primo Daoud Khan pôs fim a um reinado de quarenta anos com um golpe sem derramamento de sangue.

Lembro que, naquela manhã, Hassan e eu ficamos agachados perto da porta do escritório de meu pai enquanto *baba* e Rahim Khan tomavam chá preto e ouviam as últimas notícias do golpe transmitidas pela rádio Cabul.

— Amir *agha*... — sussurrou Hassan.

— O quê?

— O que é uma "república"?

— Não sei — disse eu dando de ombros. No rádio de *baba* aquela palavra, república, estava sendo repetida milhares de vezes.

— Amir *agha*...

— O quê?

— Será que "república" quer dizer que o pai e eu vamos ter de ir embora?

— Acho que não — respondi também sussurrando.

Hassan pensou um pouco.

— Amir *agha*...

— O quê?

— Não quero que eles nos mandem embora, o pai e eu.

Sorri para ele.

— *Bas*, seu burro. Ninguém está mandando vocês embora.

— Amir *agha*...

— O quê?

— Você quer subir na nossa árvore?

Meu sorriso se alargou. Isso era outra característica de Hassan. Sempre sabia dizer a coisa certa na hora certa — as notícias do rádio já estavam ficando muito chatas. Ele foi para casa se aprontar e eu fui pegar um livro. Depois, passei pela cozinha, enchi os bolsos de pinhões e corri para o quintal ao encontro de Hassan, que estava esperando por mim. Saímos em disparada pelo portão principal e tomamos o rumo da colina.

Passamos pelas ruas residenciais e estávamos caminhando por um grande terreno baldio que tínhamos de atravessar para chegar à colina quando, de repente, uma pedra acertou Hassan pelas costas. Viramo-nos e meu coração quase parou. Assef e dois de seus amigos, Wali e Kamal, estavam vindo em nossa direção.

Assef era filho de um amigo de meu pai, Mahmud, um piloto de avião. Moravam a umas poucas ruas ao sul da nossa casa, em um condomínio elegante, com muros altos e palmeiras. Se você fosse uma criança que morasse no bairro Wazir Akbar Khan, em Cabul, já teria ouvido falar de Assef e do seu célebre soco-inglês de aço inoxidável, se não tivesse tido o azar de experimentá-lo na própria pele. Filho de mãe alemã e pai afegão, Assef era louro, de olhos azuis e bem mais alto que todos os outros garotos. Sua merecida fama de atos de selvageria o precedia pelas ruas. Ladeado por seus amigos obedientes, circulava pelas redondezas como um *khan* que passeasse pelas suas terras cercado de seu séquito obsequioso. Sua palavra era lei e se por acaso você precisasse de alguma instrução legal, aquele soco-inglês metálico era o instrumento ideal para ele lhe transmitir os seus ensinamentos. Uma vez vi Assef usar o soco-inglês em um menino do bairro de Karteh-Char. Nunca vou esquecer como os seus olhos azuis brilhavam com uma luz não inteiramente sã, e como ele sorria, sim, como *sorria* enquanto esmurrava o pobre garoto inconsciente. Alguns meninos de Wazir Akbar Khan o tinham apelidado Assef *Goshkhor*, ou Assef, o "Comedor de Orelhas". É claro que ninguém ousava dizer isso na cara dele, a menos que quisesse ter o mesmo destino do pobre garoto que tinha inspirado involuntariamente esse apelido quando brigou com Assef por causa de uma pipa e acabou tendo que pescar a própria orelha direita dentro de uma valeta enlameada. Anos mais tarde, aprendi uma palavra que define muito bem uma criatura como Assef, uma palavra para a qual não existe um equivalente perfeito em farsi: "sociopata."

De todos os meninos da vizinhança que torturavam Ali, Assef era de longe o mais incansável. Na verdade, foi ele que inventou a tal história de *"Babalu"*: "Ei, *Babalu*, quem foi que você comeu hoje? Uh-uh! Como é, *Babalu*? Dê um sorriso para nós!" E, quando estava particularmente inspirado, caprichava ainda mais no deboche: "Ei, seu *Babalu* de nariz achatado, quem foi que você comeu hoje? Não vai dizer não, seu burro de olhos puxados?"

Agora, lá estava ele, vindo na nossa direção, com as mãos nas cadeiras e os tênis levantando nuvenzinhas de poeira do chão.

— Bom dia, *kunis*! — exclamou Assef, acenando com a mão. "Bichas": este era mais um de seus insultos favoritos. Hassan se escondeu atrás de mim quando os três garotos mais velhos chegaram bem perto.

Ficaram parados na nossa frente: aqueles três sujeitos altos, usando camiseta e calça *jeans*. Pairando muito acima de nós, Assef cruzou os braços musculosos diante do peito, com uma espécie de sorriso selvagem nos lábios. Não foi a primeira vez que me passou pela cabeça que ele não era inteiramente normal. Também me passou pela cabeça a sorte que eu tinha por ser filho de *baba*, o único motivo, creio eu, para que Assef quase sempre evitasse me atormentar demais.

Esticou o queixo, apontando para Hassan.

— Ei, nariz achatado! — exclamou ele. — Como vai *Babalu*?

Hassan não disse nada e deu mais um passo para trás.

— Ouviram as notícias, meninos? — prosseguiu ele, ainda com aquele sorriso nos lábios. — O rei já era. E já vai tarde! Vida longa para o presidente! Meu pai conhece Daoud Khan, sabia, Amir?

— O meu também — disse eu. Para ser sincero, não tinha a menor idéia se aquilo era verdade ou não.

— O meu também — repetiu Assef me imitando, com uma vozinha chorosa. Kamal e Wali riram em uníssono. E eu desejei que *baba* estivesse ali.

— É, Daoud Khan jantou lá em casa no ano passado — acrescentou Assef. — O que você acha disso, Amir?

Perguntei a mim mesmo se alguém nos ouviria gritar, aqui nesse terreno isolado. A casa de *baba* ficava bem a um quilômetro de distância. Adoraria que não tivéssemos saído...

— Sabe o que vou dizer a Daoud Khan da próxima vez que ele for jantar lá em casa? — indagou Assef. — Vou ter uma conversinha com ele, de homem para homem, *mard* para *mard*. E vou lhe dizer o que disse para minha mãe. Sobre Hitler. Aquilo, sim, é que era um líder. Um grande líder. Um homem de visão. Vou dizer a Daoud Khan que se tivessem deixado Hitler terminar o que começou, o mundo hoje seria um lugar muito melhor.

— *Baba* diz que Hitler era louco, que mandou matar um monte de gente inocente — me ouvi dizendo antes que tivesse tempo de tapar a boca com a mão.

Assef deu uma risadinha.

— Parece até minha mãe, e olhe que ela é alemã... Não devia cair nessa... Mas acontece que eles querem que vocês acreditem nisso, não é? Não querem que saibam a verdade.

Não fazia a mínima idéia de quem seriam esses "eles", ou que verdade era essa que estariam escondendo, mas também não fazia a mínima questão de saber. Tudo o que queria era não ter dito nada. E, mais uma vez, desejei levantar os olhos e dar com *baba* subindo a colina.

— Mas a gente tem que ler os livros que nos dão na escola — prosseguiu ele. — Eu li. E isso me abriu os olhos. Agora, tenho uma posição, e vou dividi-la com nosso novo presidente. Sabe o que isso significa?

Fiz que não com a cabeça. De um jeito ou de outro, ele ia dizer mesmo. Assef sempre respondia às perguntas que ele próprio fazia.

Seus olhos azuis se moveram rapidamente, voltando-se para Hassan.

— O Afeganistão é a terra dos pashtuns. Sempre foi e sempre será. Nós é que somos os verdadeiros afegãos, os afegãos puros, e não esse "nariz achatado" aqui. Essa gente polui a nossa terra, o nosso *watan*. Sujam o nosso sangue. — Fez um gesto bem amplo com as mãos. — O Afeganistão para os pashtuns, é isso aí! Essa é a minha posição.

Voltou a olhar para mim. Parecia alguém acordando de um sonho.

— Para Hitler, é tarde demais — disse ele. — Para nós, não. — Apanhou alguma coisa no bolso de trás do *jeans*. — Vou dizer ao presidente para fazer o que o rei não teve *quwat* de fazer. Livrar o Afeganistão de todos esses hazaras nojentos, *kasseef*!

— Deixe a gente ir, Assef — disse eu, com ódio ao ver que minha voz tremia. — Não estamos atrapalhando você...

— Mas claro que estão — retrucou ele.

E o meu coração quase parou quando vi o que ele tinha apanhado no bolso. É lógico. O soco-inglês de aço inoxidável reluzia ao sol.

— Estão me atrapalhando muitíssimo. Na verdade, você me aborrece muito mais que esse hazara aí. Como pode falar com ele, brincar com ele, deixar que ele toque em você? — perguntou com a voz cheia de repulsa. Wali e Kamal assentiram com a cabeça e com um grunhido. Assef apertou os olhos. Abanou a cabeça. Quando voltou a falar, sua voz soou tão espantada quanto parecia o seu rosto. — Como pode chamá-lo de "amigo"?

"Mas ele não é meu amigo!" foi o que quase deixei escapar. "É meu empregado!" Será que tinha realmente pensado isso? Não. Claro que não. Sempre tratei Hassan muito bem, como um amigo; talvez até melhor, como um irmão. Mas, então, por que será que quando os amigos de *baba* vinham nos visitar com os filhos, eu nunca incluía Hassan nas nossas brincadeiras? Por que só brincava com ele quando não tinha mais ninguém por perto?

Assef enfiou o soco-inglês na mão. E me lançou um olhar glacial.

— Você é parte do problema, Amir. Hoje em dia, já estaríamos livres dessa gente se idiotas como você e seu pai não os acolhessem. Todos teriam apodrecido em Hazarajat, que é o lugar deles. Você é uma desgraça para o Afeganistão.

Olhei para os seus olhos enlouquecidos e vi que estava falando sério, que *realmente* pretendia me atacar. Assef ergueu o punho e partiu para cima de mim.

Percebi um movimento rápido às minhas costas. Com o canto do olho, vi Hassan se abaixar e voltar a se erguer bem depressa. Os olhos de Assef avistaram algo atrás de mim e se arregalaram de espanto. Vi o mesmo olhar perplexo no rosto de Kamal e de Wali quando também se deram conta do que estava acontecendo.

Virei e dei de cara com o estilingue de Hassan. A tira elástica estava toda esticada para trás. Na lingüeta, uma pedra do tamanho de uma noz. Hassan estava mirando bem no meio do rosto de Assef. Sua mão tremia com o esforço para manter a tira retesada e gotas de suor banhavam a sua testa.

— Por favor, deixe-nos em paz, *agha* — disse ele com voz impassível. Chamou Assef de "*agha*" e, por um segundo, me perguntei como deveria ser levar uma vida assim, com uma noção tão entranhada de qual é o lugar que lhe cabe em uma hierarquia.

Assef cerrou os dentes.

— Baixe isso, seu hazara sem mãe!

— Por favor, deixe a gente em paz, *agha* — insistiu Hassan.

Assef sorriu.

— Talvez você não tenha notado, mas somos três, e vocês, apenas dois.

Hassan deu de ombros. Para alguém que não o conhecesse, não parecia estar com medo. Mas aquele rosto era a minha lembrança mais remota e eu conhecia cada uma das suas nuanças mais sutis, cada contração ou estremecimento que porventura se desenhasse ali. E vi que estava com medo. Com muito medo mesmo.

— Tem razão, *agha*. Mas talvez você não tenha notado que sou eu que estou segurando o estilingue. Se fizer o mínimo movimento, terá de trocar o apelido de Assef, o "Comedor de Orelhas", para Assef, o "Caolho", pois esta pedra está apontada para o seu olho esquerdo.

Disse isto de um jeito tão tranqüilo que até eu tive de fazer um esforço para perceber o medo que sabia estar escondido por baixo daquela calma.

A boca de Assef se retorceu. Wali e Kamal olhavam aquele confronto com uma espécie de fascínio. Alguém tinha desafiado o seu deus. Ele estava sendo humilhado. E, o que era pior, esse alguém era um hazara franzino. Assef olhava para a pedra e para Hassan. Observava o rosto do menino atentamente. O que viu ali deve tê-lo convencido da seriedade das suas intenções, pois baixou o punho.

— Tem uma coisa que você precisa saber a meu respeito, seu hazara — disse ele num tom grave. — Sou um cara muito paciente. Isto não vai ficar assim, pode acreditar no que estou dizendo. — E acrescentou, virando-se para mim. — Isso vale para você também, Amir. Algum dia vou fazer você me enfrentar e vai ser só entre nós dois.

Assef deu um passo atrás. Seus discípulos o seguiram.

— O seu hazara cometeu um grande erro hoje, Amir — disse ele. Os três viraram então as costas e foram embora. Fiquei olhando enquanto desciam a colina, até que desapareceram atrás de um muro.

Hassan estava tentando enfiar o estilingue na cintura com as mãos trêmulas. Sua boca se contorceu fazendo algo que, supostamente, pretendia ser um sorriso tranqüilizador. Só na terceira tentativa é que conseguiu prender o estilingue no cordão da calça. Temerosos, nenhum de nós disse praticamente nada no caminho até em casa, pois podíamos jurar que Assef e seus amigos estariam emboscados em cada esquina. Mas não estavam, e deveríamos ter ficado um pouco mais tranqüilos. Mas não ficamos. Não mesmo.

Durante os primeiros anos que se seguiram ao golpe, os termos "desenvolvimento econômico" e "reforma" dançavam em várias bocas em Cabul. A monarquia constitucional tinha sido abolida, substituída pela república, e o país era governado por um presidente. Por um breve tempo, um certo ar de rejuvenescimento e determinação circulou pelo Afeganistão. Falava-se em direitos das mulheres e moderna tecnologia.

E, sob quase todos os aspectos — embora houvesse um novo líder no Arg, o palácio real de Cabul —, a vida continuava exatamente como antes. As pessoas iam trabalhar de sábado a quinta-feira e, na sexta, se reuniam para fazer piqueniques nos parques, nas margens do lago Ghargha, nos jardins de Paghman. Ônibus e lotações multicoloridos, repletos de passageiros, circulavam pelas estreitas ruas da capital, guiados pelos gritos incessantes dos ajudantes que se encarapitavam no pára-choque traseiro dos veículos e iam indicando as direções ao motorista, aos berros, com o seu forte sotaque *kabuli*. Na época do *Eid*, a celebração de três dias que marca o fim do mês sagrado do Ramadan, os *kabulis* vestiam suas melhores roupas novas e iam visitar os parentes. Todos se abraçavam, se beijavam e se cumprimentavam dizendo *"Eid Mubarak"*. Feliz *Eid*. As crianças abriam os seus presentes e brincavam com ovos cozidos e tingidos.

Em princípios do inverno de 1974, Hassan e eu estávamos brincando no quintal, fazendo uma fortaleza de neve, quando Ali veio chamá-lo.

— Hassan, *agha sahib* quer falar com você! — Estava parado na porta da frente, vestido de branco, com as mãos enfiadas debaixo dos braços e vapor saindo da boca quando falava.

Hassan e eu nos entreolhamos sorrindo. Tínhamos passado o dia inteiro esperando por aquele chamado. Era o aniversário de Hassan.

— O que é, pai? Você sabe? Não vai nos dizer? — perguntou Hassan. E os seus olhos estavam brilhando.

Ali deu de ombros.

— *Agha sahib* não falou nada comigo.

— Vamos, Ali, diga! — insisti eu. — É um livro de desenho? Talvez um revólver novo?

Como o filho, Ali era incapaz de mentir. Todo ano, fingia ignorar o que *baba* tinha comprado para Hassan ou para mim de presente de aniversário. E, todo ano, os seus olhos o traíam e conseguíamos tirar dele todas as informações. Desta vez, porém, parecia estar dizendo a verdade.

Baba nunca deixava o aniversário de Hassan passar em branco. Houve uma época em que perguntava o que ele queria, mas desistiu de fazer isso porque Hassan era sempre modesto demais para sugerir um presente de verdade. Assim, *baba* acabava sempre escolhendo ele mesmo alguma coisa. Uma vez, comprou um caminhão de brinquedo japonês; outra vez, um trem elétrico. No ano passado, surpreendeu Hassan com um chapéu de *cowboy*, igualzinho ao que Clint Eastwood usava em *O bom, o mau e o feio* — que tinha substituído *Sete homens e um destino* como nosso *western* favorito. Passamos o inverno inteiro nos alternando para usar o chapéu e cantando em altos brados a famosa música do filme quando trepávamos em montanhas de neve e atirávamos um no outro de mentirinha.

Tiramos as luvas e as botas cheias de neve na porta da frente. Quando entramos no saguão, vimos *baba* sentado perto do fogareiro de ferro fundido, tendo ao seu lado um indiano baixo e um tanto calvo, vestido com um terno marrom e uma gravata vermelha.

— Hassan — disse *baba* sorrindo meio sem jeito. — Venha conhecer o seu presente de aniversário.

Hassan e eu nos entreolhamos espantadíssimos. Não havia sinal de embrulho de presente. Nenhuma sacola. Nenhum brinquedo. Só Ali, parado atrás de nós, e meu pai com aquele indiano baixinho que tinha um certo ar de professor de matemática.

O indiano de terno marrom sorriu e estendeu a mão para Hassan.

— Sou o dr. Kumar — disse ele. — Prazer em conhecê-lo.

Ele falava farsi com um leve e ondulante sotaque híndi.

— *Salaam alaykum* — disse Hassan meio hesitante. Fez um aceno com a cabeça, mas os seus olhos procuravam o pai às suas costas. Ali chegou mais perto e pôs a mão no ombro do filho.

Baba percebeu o olhar desconfiado — e desconcertado — de Hassan.

— Chamei até aqui o dr. Kumar, de Nova Delhi. Ele é um cirurgião plástico.

— Sabe o que é isso? — indagou o indiano, o tal dr. Kumar.

Hassan abanou a cabeça. Olhou para mim pedindo socorro, mas dei de ombros. Tudo o que eu sabia é que procurávamos um cirurgião para tratar de nós quando tínhamos apendicite. Sabia disso porque, um ano antes, um dos meus colegas de turma tinha morrido, e o professor nos explicou que demoraram muito para levá-lo a um cirurgião. Ambos olhamos para Ali, mas, é claro, não adiantou nada. O seu rosto estava impassível como sempre, embora houvesse um quê de seriedade nos seus olhos.

— Bem — disse o dr. Kumar —, o meu trabalho é consertar coisas no corpo das pessoas. Às vezes no rosto delas.

— Ah! — exclamou Hassan. Os seus olhos foram do dr. Kumar para *baba* e, depois, para Ali. Levou a mão ao lábio superior. — Ah! — repetiu ele.

— Sei que é um presente meio estranho — disse *baba*. — E, provavelmente, não era isso que você estava esperando. Mas este é um presente que vai ficar para sempre.

— Ah! — disse Hassan novamente. Passou a língua nos lábios. Pigarreou. — *Agha sahib*, vai... vai...

— De jeito nenhum — interveio o dr. Kumar sorrindo gentilmente. — Não vai doer nem um pouquinho. Na verdade, vou lhe dar um remédio e você nem vai se lembrar de nada.

— Ah! — repetiu Hassan. E retribuiu o sorriso aliviado. Mas nem tanto... — Não é que estivesse com medo, *agha sahib* — prosseguiu ele. — Só...

Hassan talvez tivesse acreditado naquela história, mas eu não. Sabia que quando os médicos dizem que não vai doer você pode ter a certeza de que está em maus lençóis. Apavorado, lembrei da minha circuncisão no ano anterior. O médico me disse a mesma coisa, garantindo que não ia doer nada. Mas, quando passou o efeito do tal remédio que entorpece, bem mais tarde naquela noite, parecia que alguém tinha enfiado carvão em brasa nos meus rins. Por que *baba* tinha esperado eu fazer dez anos para mandar me circuncidarem é uma coisa que nunca consegui entender, e que nunca vou perdoar.

Adoraria ter também algum tipo de cicatriz que atraísse a simpatia de *baba*. Não era justo. Hassan não tinha feito nada para conquistar a afeição de meu pai; simplesmente tinha nascido com aquele estúpido lábio leporino...

A cirurgia foi um sucesso. Ficamos todos um pouco chocados da primeira vez que removeram os curativos; no entanto, continuamos sorrindo, obedecendo às instruções do dr. Kumar. Mas não foi fácil, pois o lábio superior de Hassan era uma coisa grotesca, todo inchado e em carne viva. Achei que ele ia gritar horrorizado quando a enfermeira lhe deu o espelho. Ali segurou a sua mão e ele ficou um bom tempo contemplando o próprio rosto. Depois, balbuciou algo que não entendi. Cheguei o ouvido bem perto da sua boca. Ele sussurrou de novo.

— *Tashakor.* — Obrigado.

Então os seus lábios se contorceram e, desta vez, eu sabia exatamente o que ele estava fazendo. Estava sorrindo. Assim como tinha feito quando saiu do útero de sua mãe.

O inchaço foi diminuindo e, com o tempo, a ferida cicatrizou. Em alguns meses, não passava de uma linha rosada atravessando o lábio superior. No inverno seguinte, era apenas uma leve cicatriz. O que é bastante irônico. Porque foi justamente nesse inverno que Hassan parou de sorrir.

SEIS

Inverno.

Todo ano, no primeiro dia em que começa a nevar, faço a mesma coisa: saio de casa bem cedo, pela manhã, ainda de pijama, apertando os braços contra o peito para enfrentar o frio. Vejo a entrada, o carro de meu pai, o muro, as árvores, os telhados e as colinas cobertos por mais de um palmo de neve. Sorrio. O céu está limpo e azul, e tudo é tão branco que os meus olhos chegam a arder. Enfio um punhado de neve na boca, fico ouvindo aquele silêncio abafado que só é rompido pelos grasnidos dos corvos. Desço os degraus, descalço, e chamo Hassan para vir ver também.

O inverno era a estação favorita de todas as crianças de Cabul, pelo menos daquelas cujos pais tinham condições de comprar um bom aquecedor de ferro. E o motivo era simples: as escolas fechavam durante a estação gelada. Para mim, a chegada do inverno significava não ter que fazer longas divisões nem dar o nome da capital da Bulgária, e o princípio de um período de três meses jogando cartas com Hassan perto da lareira, indo ver filmes russos no cinema Park na terça-feira de manhã, comer *qurma* de nabo doce com arroz na hora do almoço, depois de uma manhã inteira fazendo bonecos de neve.

E pipas, é claro. Soltar pipas. E correr para apanhá-las.

Para umas poucas crianças desafortunadas, o inverno não significava o fim do ano letivo. É que havia os chamados cursos voluntários de inverno. Nenhuma criança jamais foi realmente voluntária para esses cursos; é óbvio que eram os seus pais que as inscreviam. Por sorte, *baba* não era um deles. Lembro de um menino, Ahmad, que morava do outro lado da rua. Seu pai era uma espécie de médico, acho eu. Ahmad tinha epilepsia e usava sempre um casaco de lã e uns óculos com lentes de fundo de garrafa e aro escuro — ele era uma das vítimas habituais de Assef. Toda manhã, pela janela de meu quarto, via o criado hazara tirando a neve do chão defronte da casa deles, limpando o caminho para a saída do Opel preto. Eu fazia questão de ver Ahmad e o pai entrarem no carro, Ahmad vestindo o seu casaco negro e um sobretudo de inverno, com a mala cheia de livros e de lápis. Ficava esperando até eles saírem, dobrarem a esquina e, então, voltava para a cama com o meu pijama de flanela. Puxava o cobertor até o queixo e ficava olhando as colinas cobertas de neve que se viam pela janela. Ficava olhando para elas até pegar no sono outra vez.

Adorava o inverno em Cabul. Adorava por causa do suave tamborilar na minha janela à noite, quando estava nevando; por causa do barulhinho da neve fresca debaixo das minhas galochas pretas; do calor do fogareiro de ferro fundido enquanto o vento assobiava pelos quintais e pelas ruas. Mas principalmente porque, quando as árvores ficavam congeladas e a neve recobria as estradas, o gelo entre mim e *baba* diminuía um pouco. E a razão disso eram as pipas. *Baba* e eu morávamos na mesma casa, mas vivíamos em esferas de existência completamente diferentes. As pipas eram a minúscula área de interseção que havia entre essas esferas.

TODOS OS BAIRROS DE CABUL SEMPRE organizavam campeonatos de pipas no inverno. E se você fosse um menino de Cabul, o dia do torneio era incontestavelmente o ponto alto da estação fria. Nunca conseguia dormir na véspera da competição. Rolava na cama, fazia animais de sombra na parede, chegava até a ir sentar na varanda no escuro, enrolado em um cobertor. Eu me sentia como um soldado tentando dormir na trincheira na véspera de uma batalha importante. E não era muito diferente, não. Em Cabul, empinar pipas era um pouco como ir para a guerra.

Como em toda guerra, você precisa se preparar para uma batalha. Durante algum tempo, Hassan e eu fizemos as nossas próprias pipas. Passávamos o outono economizando dinheiro da mesada e guardávamos essas economias em um cavalinho de porcelana que meu pai trouxe uma vez de uma viagem a Herat. Quando começavam a soprar os ventos do inverno e a neve começava a cair em quantidade razoável, abríamos o fecho que ficava debaixo da barriga do cavalo. Corríamos para o *bazaar* e comprávamos bambu, cola, barbante e papel de seda. Passávamos horas a fio aparando o bambu para a vareta central e as outras duas que se cruzavam para fazer a armação, cortando o papel finíssimo, indispensável para a pipa debicar e voltar a subir com facilidade. E, é claro, tínhamos que fazer também a nossa própria linha, ou *tar*. Se a pipa era o revólver, o *tar*, o fio cortante recoberto de cerol, era a munição. Íamos para o quintal e enchíamos uns duzentos metros de barbante com aquela mistura de cola e vidro moído. Depois, pendurávamos o barbante entre as árvores para secar. No dia seguinte, enrolávamos a linha pronta para a guerra em um carretel de madeira. Quando a neve derretia e começavam a cair as chuvas da primavera, todos os meninos de Cabul ostentavam nos dedos talhos horizontais, traços reveladores de um inverno inteiro passado nessas batalhas. Lembro de como os meus colegas e eu nos reuníamos para comparar as cicatrizes de guerra no primeiro dia de aula. Os cortes eram doloridos e levavam umas duas semanas para sarar, mas isso não tinha a menor importância. Aquelas eram as marcas da estação que eu tanto amava e que, mais uma vez, tinha acabado depressa demais. Então, o monitor da turma soava o apito e, em fila, todos nos dirigíamos para a sala de aula, já sonhando com a volta do inverno e, no entanto, indo ao encontro do espectro de mais um longo ano letivo.

Logo se viu, porém, que Hassan e eu éramos muito melhores empinando pipas do que tentando fabricá-las. Uma falha ou outra no nosso projeto sempre acabava determinando o seu destino. *Baba* começou então a nos levar à loja de Saifo para comprar nossas pipas. Saifo era um homem quase cego, *moochi* de profissão — que ganhava a vida consertando sapatos. Mas também era o fabricante de pipas mais famoso da cidade, com a sua minúscula lojinha na Jadeh Maywand, a rua mais movimentada ao sul das margens lamacentas do rio Cabul. Lembro que as pessoas tinham de se agachar para entrar naquele cubículo do tamanho de uma cela de prisão, e, depois, levantar a tampa de um alçapão para descer alguns degraus de madeira que levavam ao porão úmido onde Saifo guardava as tão cobiçadas pipas. *Baba* comprava para cada um de nós três pipas idênticas e carretéis de linha com cerol. Se eu mudasse de idéia e resolvesse pedir uma pipa maior e mais extravagante, ele a compraria, mas compraria a mesma também para Hassan. Às vezes gostaria que não agisse assim. Que me deixasse ser o seu favorito.

O campeonato de pipas era uma velha tradição de inverno no Afeganistão. O torneio começava de manhã cedo e só acabava quando do a pipa vencedora fosse a única ainda voando no céu — lembro de uma vez que a competição terminou quando já era noite fechada. As pessoas se amontoavam pelas calçadas e pelos telhados, torcendo pelos filhos. As ruas ficavam repletas de competidores dando sacudidelas e puxões nas linhas, com os olhos fixos no céu, tentando se pôr em condições de cortar a pipa do adversário. Todo pipeiro tinha um assistente — no meu caso, Hassan —, que ficava segurando o carretel e controlando a linha.

Certa vez, um gurizinho indiano, cuja família tinha acabado de se mudar para o nosso bairro, veio nos dizer que, lá na sua terra, havia regras estritas e toda uma regulamentação para se soltar pipa.

— Temos que ficar em uma área cercada e é preciso se pôr em um ângulo determinado com relação ao vento — disse ele todo prosa. — E não se pode usar alumínio para fazer sua própria linha com cerol.

Hassan e eu nos entreolhamos. E caímos na gargalhada. Aquele pirralho indiano logo, logo aprenderia o que os britânicos aprenderam no começo do século, e os russos viriam a descobrir em fins da década de 1980: que os afegãos são um povo independente. Cultivam os costumes, mas abominam as regras. E com as pipas não podia ser diferente. As regras eram simples: não havia regras. Empine a sua pipa. Corte a dos adversários. E boa sorte.

Só que isso não era tudo. A brincadeira começava mesmo depois que uma pipa era cortada. Era aí que entravam em cena os caçadores de pipas, aquelas crianças que corriam atrás das pipas levadas pelo vento, até que elas começassem a rodopiar e acabassem caindo no quintal de alguém, em uma árvore ou em cima de um telhado. Essa perseguição podia se tornar bastante feroz; bandos de meninos saíam correndo desabalados pelas ruas, uns empurrando os outros como aquela gente da Espanha sobre quem li alguma coisa, aqueles que correm dos touros. Uma vez, um garoto da vizinhança subiu em um pinheiro para apanhar uma pipa. O galho quebrou com o seu peso e ele caiu de mais de dez metros de altura. Quebrou a espinha e nunca mais voltou a andar. Mas caiu segurando a pipa. E quando um desses caçadores põe a mão em uma pipa, ninguém pode tirá-la dele. Isso não é uma regra. É o costume.

Para eles, o prêmio mais cobiçado era a última pipa que caía em um campeonato de inverno. Era como um troféu, algo a ser posto em um lugar de destaque e exibido para as visitas. Quando o céu se esvaziava, e sobravam apenas as duas últimas pipas, todos aqueles caçadores se preparavam para tentar conquistar aquele prêmio. Procuravam se posicionar de jeito a estarem prontos para a largada. Músculos tensos, prestes a disparar. Pescoços espichados. Olhos apertados. Surgiam as brigas. E, quando a última pipa era cortada, era um deus-nos-acuda.

Ao longo dos anos, vi milhares de garotos correrem atrás de pipas. Mas Hassan foi de longe o melhor que jamais vi. Era impressionante como ele percebia onde a pipa poderia ir parar *antes* mesmo que ela começasse a cair, como se tivesse uma espécie de bússola interior.

Lembro de um dia nublado de inverno, quando Hassan e eu estávamos tentando apanhar uma pipa. Fui correndo atrás dele pelo bairro todo, pulando valetas, me embrenhando por ruelas estreitas. Hassan era um ano mais moço, mas corria bem mais depressa, e eu já estava ficando para trás.

— Hassan! Espere! — gritei quase sem fôlego.

Ele se virou e fez um gesto com a mão.

— Por aqui — disse, antes de desaparecer em uma outra esquina. Olhei para cima e vi que estávamos correndo em uma direção, enquanto a pipa ia sendo levada para o lado oposto.

— Vamos perder essa pipa! Estamos indo para o lado errado! — exclamei.

— Confie em mim! — gritou ele lá de longe.

Cheguei na esquina e vi Hassan, que continuava correndo, de cabeça baixa, sem nem mesmo olhar para o céu, com as costas da camisa encharcadas de suor. Tropecei em uma pedra e caí — eu não era só mais lento que Hassan, era mais desajeitado também; sempre tive inveja de sua condição atlética natural. Quando me levantei, avistei Hassan que desaparecia dobrando uma outra esquina. Saí mancando atrás dele, sentindo fisgadas de dor nos joelhos esfolados.

Fomos dar em uma estradinha de terra toda esburacada, perto da escola secundária Istiqlal. De um lado, havia um campo que, no verão, era uma plantação de alfaces, e, do outro, um renque de cerejeiras. Vi Hassan sentado no chão, ao pé de uma daquelas árvores, comendo um punhado de amoras secas.

— O que é que estamos fazendo aqui? — indaguei ofegante, com o estômago se revirando de enjôo.

— Sente comigo, Amir *agha* — disse ele sorrindo.

Na verdade, me deixei cair ao seu lado e me estiquei em um pedacinho de chão coberto de neve, quase sem fôlego.

— Estamos perdendo tempo. Não viu que a pipa está indo para o outro lado?

Hassan trincou uma amora.

— Está vindo para cá — respondeu.

Eu mal podia respirar, e ele nem parecia cansado.

— Como pode saber? — perguntei.

— Eu sei.

— *Como?*

Ele se virou para mim. Algumas gotinhas de suor escorriam de sua cabeça raspada.

— Já menti para você, Amir *agha*?

De repente, resolvi implicar com ele.

— Sei lá — respondi. — Já?

— Mil vezes comer cocô! — exclamou ele com ar indignado.

— De verdade? Você faria isso?

Ele me lançou um olhar desconcertado.

— Faria o quê?

— Comer cocô, se eu mandasse — respondi. Sabia que estava sendo cruel, como naquelas vezes em que debochava dele quando não conhecia uma palavra qualquer. Mas havia algo de fascinante, embora de um jeito doentio, em implicar com Hassan. Era um pouco como brincar de torturar insetos. Só que, agora, ele era a formiga e eu é que estava segurando a lupa.

Ele ficou me encarando por um bom momento. Estávamos sentados ali, dois meninos debaixo de uma cerejeira, e, de repente, nos olhávamos, olhávamos *de verdade*. Foi então que aconteceu de novo: o rosto de Hassan mudou. Talvez não tenha *mudado*, não para valer, mas, de repente, tive a sensação de estar olhando para dois rostos: um deles, o que eu conhecia, aquele que era a minha lembrança mais remota; o outro, o segundo rosto, era o que estava escondido logo abaixo da superfície. Já tinha visto isso acontecer antes e aquilo sempre me deixava um pouco atordoado. Esse outro rosto só aparecia por uma fração de segundo, mas isso era o bastante para me deixar com a perturbadora sensação de que talvez já o tivesse visto em algum lugar. Então, Hassan piscava e voltava a ser ele mesmo. Simplesmente Hassan.

— Se você mandasse, faria, sim — disse ele afinal, olhando bem para o meu rosto. Baixei os olhos. Foi aí que descobri como é difícil olhar diretamente nos olhos das pessoas como Hassan, essas pessoas que dizem sinceramente o que pensam. — Mas fico imaginando... — acrescentou ele. — Será que algum dia você me mandaria fazer uma coisa dessas, Amir *agha*?

E, com isso, Hassan me propôs um pequeno teste. Se eu ia provocá-lo, desafiando a sua lealdade, ele ia fazer o mesmo, pondo à prova a minha integridade.

Adoraria não ter começado aquela conversa. Dei um sorriso forçado.

— Não seja idiota, Hassan. Você sabe muito bem que eu não faria isso!

Ele também sorriu. Só que o dele não parecia forçado.

— Eu sei — disse.

E esse é o problema das pessoas que são sinceras: acham que todo mundo também é.

— Lá vem ela — exclamou ele apontando para o céu.

Levantou-se e deu uns poucos passos para a esquerda. Olhei para cima e vi a pipa rodopiando na nossa direção. Ouvi correria, gritos, um monte de outros caçadores que se aproximavam. Mas estavam perdendo seu tempo. Porque Hassan ficou parado ali, de braços abertos, sorrindo, à espera da pipa. E que Deus — se é que Ele existe — me cegue se não for verdade que a pipa caiu exatamente naqueles braços estendidos.

No inverno de 1975 vi Hassan correr atrás de uma pipa pela última vez.

Normalmente, cada bairro tem a sua própria competição. Mas, naquele ano, o campeonato ia ser realizado no meu, Wazir Akbar Khan, e vários outros — Karteh-Char, Karteh-Parwan, Mekro-Rayan e Koteh-Sangi — tinham sido convidados. Não se podia ir a lugar nenhum sem ouvir falar do torneio que se aproximava. Dizia-se que aquela ia ser a maior competição dos últimos vinte e cinco anos.

Certa noite, naquele inverno, a apenas quatro dias do campeonato, meu pai e eu estávamos sentados no escritório, nas cadeiras estofadas de couro, à luz da lareira. Conversávamos, tomando chá. Ali tinha servido o jantar mais cedo — batatas e couve-flor ao *curry* com arroz — e tinha ido se deitar juntamente com Hassan. *Baba* estava engordando o cachimbo, como dizia, e eu lhe pedi que me contasse aquela história sobre o inverno em que um bando de lobos desceu das montanhas de Herat, obrigando as pessoas a ficarem trancadas em casa por uma semana. Ele riscou um fósforo e disse, como quem não quer nada:

— Talvez você ganhe o campeonato este ano. O que acha?

Fiquei sem saber o que pensar. Ou o que dizer. Será que era o que eu estava imaginando? Será que ele estava simplesmente me dando uma indireta? Eu era bom empinando pipas. Na verdade, era muito bom. Umas poucas vezes estive bem perto de ganhar o campeonato de inverno — certa feita, fiquei entre os três finalistas. Mas chegar quase lá não era a mesma coisa que vencer, não é? *Baba* não tinha *chegado quase lá*. Ganhou porque os vencedores ganham e todos os demais vão embora para casa. Ele estava acostumado a vencer, vencer em tudo o que resolvesse fazer. Será que não tinha o direito de esperar o mesmo do próprio filho? E imagine só se eu ganhasse...

Baba ficou fumando seu cachimbo e falando. Fingi estar ouvindo. Na verdade, porém, não conseguia ouvir nada, pois o ligeiro comentário casual que ele tinha feito plantou uma semente em minha cabeça: a decisão de ganhar o torneio de inverno. Eu ia ganhar. Não havia nenhuma outra opção viável. Ia ganhar e ia conseguir aquela última pipa. Então, ia trazê-la para casa e mostrá-la a *baba*. Mostrar a ele, de uma vez por todas, que o seu filho tinha valor. E, assim, quem sabe a minha vida de fantasma naquela casa não acabaria afinal? Fiquei sonhando: imaginei conversas e risos durante o jantar, em vez daquele silêncio só rompido pelo barulho dos talheres e algum grunhido ocasional. Vi nós dois saindo de carro, na sexta-feira, rumo a Paghman, com uma parada no lago Ghargha para comer truta frita com batatas. Iríamos ao zoológico ver Marjan, o leão, e talvez *baba* não ficasse bocejando e olhando o relógio o tempo todo. Talvez até lesse uma das minhas histórias. Seria capaz de escrever uma centena delas se achasse que ele leria uma que fosse... Talvez ele me chamasse de Amir *jan*, como Rahim Khan fazia. E talvez, apenas talvez, ele finalmente me perdoasse por ter matado minha mãe.

Baba estava falando de quando cortou quatorze pipas em um dia só. Fiquei sorrindo, assentindo com a cabeça; ri em todos os momentos certos, mas praticamente não ouvi uma palavra do que ele disse. Agora, eu tinha uma missão. E não ia decepcionar *baba*. Não desta vez.

NEVOU FORTE NA VÉSPERA DO CAMPEONATO. Hassan e eu ficamos sentados debaixo do *kursi*, jogando *panjpar*, ouvindo os galhos das árvores batendo na vidraça sacudidos pelo vento. Mais cedo, pedi a Ali que preparasse o *kursi* para nós — basicamente um aquecedor elétrico instalado sob uma mesa baixa recoberta com um edredom bem grosso. Em volta da mesa, ele pôs colchões e almofadas e, desse jeito, umas vinte pessoas poderiam se sentar e enfiar as pernas ali embaixo. Normalmente, Hassan e eu passávamos os dias de muita neve desse jeito, jogando xadrez ou cartas — quase sempre *panjpar*.

Comprei o dez de ouros de Hassan e joguei para ele dois valetes e um seis. Ao lado, no escritório, *baba* e Rahim Khan estavam tendo uma conversa de negócios com dois outros homens, um dos quais reconheci como sendo o pai de Assef. Através da parede, dava para ouvir o som meio chiado do noticiário da rádio Cabul.

Hassan deixou o seis e apanhou os valetes. No rádio, Daoud Khan estava anunciando alguma coisa sobre investimentos estrangeiros.

— Ele está dizendo que um dia desses vamos ter televisão em Cabul — disse eu.

— Quem?

— Daoud Khan, seu idiota, o presidente.

— Ouvi dizer que no Irã já tem — disse Hassan com um risinho.

— Esses iranianos... — suspirei.

Para muitos hazaras, o Irã representava uma espécie de santuário. Suponho que fosse porque, como eles, a maioria dos iranianos era xiita. Mas estava lembrando de algo que meu professor tinha dito naquele verão sobre os iranianos: que eles eram indivíduos sorridentes e de fala mansa, que davam tapinhas nas costas com uma das mãos enquanto roubavam a nossa carteira com a outra. Contei isso a *baba* e ele disse que meu professor era um daqueles afegãos invejosos, invejosos porque o Irã era um poder em ascensão na Ásia e a maior parte das pessoas pelo mundo afora mal sabia localizar o Afeganistão em um mapa. "É duro dizer isto", acrescentou ele dando de ombros. "Mas é melhor uma verdade que dói do que uma mentira que conforta."

— Qualquer dia desses compro uma para você — acrescentei.

O rosto de Hassan se iluminou.

— Uma televisão? Sério?

— Claro. E não vai ser dessas em preto-e-branco, não. Provavelmente já seremos grandes nessa época, mas vou comprar duas. Uma para você, outra para mim.

— Vou botar em cima da minha mesa, onde ficam os meus desenhos — disse Hassan.

Ouvi-lo dizer isso me deixou triste. Triste por ele ser o que era, por morar onde morava. Pelo fato de aceitar que ia crescer naquela cabana do quintal, exatamente como tinha acontecido com seu pai. Comprei a última carta e joguei para ele um par de damas e um dez.

Hassan pegou as damas.

— Sabe, acho que você vai deixar *agha sahib* muito orgulhoso amanhã.

— Acha mesmo?

— *Inshallah* — disse ele.

— *Inshallah* — repeti eu, embora a idéia de uma "vontade de Deus" não soasse muito sincera em minha boca. Isso era um dos problemas com Hassan. O desgraçado do garoto era tão puro que a gente sempre parecia hipócrita perto dele.

Comprei o rei e joguei a última carta, o ás de espadas. Ele tinha que comprá-la. Ganhei, mas, enquanto embaralhava as cartas para uma outra partida, tive a clara suspeita de que Hassan tinha me *deixado* ganhar.

— Amir *agha*...

— O quê?

— Sabe... *gosto* do lugar onde moro. — Ele sempre fazia isso: ler meus pensamentos. — É o meu lar.

— Bom, você é quem sabe... — disse eu. — Prepare-se para perder outra vez.

SETE

No DIA SEGUINTE, ENQUANTO PREPARAVA meu chá preto para o café da manhã, Hassan me contou que tinha tido um sonho.

— Estávamos no lago Ghargha — disse ele. — Você, eu, o pai, *agha sahib*, Rahim Khan e mais um monte de gente. Fazia sol, a temperatura estava ótima e o lago estava límpido como um espelho. Mas ninguém estava nadando porque andavam dizendo que um monstro tinha vindo para o lago. Estava escondido lá no fundo, só esperando...

Encheu a minha xícara, acrescentou o açúcar e soprou algumas vezes. Pôs então o chá diante de mim.

— Era por isso que todos estavam com medo de entrar na água. De repente, você descalçou os sapatos, Amir *agha*, e tirou a camisa. "Não tem monstro nenhum aí", disse. "Vou mostrar a todos vocês." E, antes que alguém pudesse impedi-lo, mergulhou na água e começou a nadar. Mergulhei também e saímos os dois nadando.

— Mas você não sabe nadar!

— É um sonho, Amir *agha* — disse Hassan rindo. — A gente pode fazer qualquer coisa. Seja como for, todo mundo começou a gritar: "Saiam daí! Saiam daí!", mas nós continuamos a nadar na água fria. Chegamos sãos e salvos ao meio do lago e paramos. Viramos na direção da margem e acenamos para as pessoas que estavam paradas lá. Pareciam formiguinhas, mas podíamos ouvir os seus aplausos. Agora estavam vendo. Não tinha monstro nenhum ali, só água. Depois disso, mudaram o nome do lago, que passou a se chamar "Lago de Amir e Hassan, sultões de Cabul", e podíamos cobrar das pessoas que quisessem ir nadar lá.

— E o que isso significa? — perguntei eu.

Ele passou geléia no meu *naan* e botou em um prato.

— Sei lá... Tinha esperanças que você me explicasse.

— Ora, é um sonho besta. Não acontece nada...

— O pai diz que os sonhos sempre querem dizer alguma coisa.

Tomei uns goles do meu chá.

— Então, por que não vai perguntar a ele, já que é tão esperto — disse eu, mais rispidamente do que pretendia. Não tinha dormido nada aquela noite. Meu pescoço e minhas costas estavam parecendo molas bem enroladas, e meus olhos pinicavam. De todo modo, tinha sido uma peste com Hassan. Quase pedi desculpas, mas acabei não fazendo nada. Hassan ia compreender que eu estava nervoso. Ele sempre compreendia o que acontecia comigo.

Podia ouvir lá em cima o ruído da água escorrendo no banheiro de *baba*.

As ruas cintilavam com a neve fresca e o céu estava de um azul impecável. A neve recobria todos os telhados e pesava sobre os ramos das amoreiras mirradas que margeavam a nossa rua. Durante a noite, tinha se infiltrado em cada fenda ou vala. Precisei apertar os olhos diante daquele branco ofuscante quando Hassan e eu saímos pelo portão de ferro fundido. Ali fechou o portão depois que passamos. Ouvi que murmurava baixinho uma oração — sempre fazia isso quando o filho saía de casa.

Nunca tinha visto tanta gente em nossa rua. Crianças atirando bolas de neve, brigando, correndo atrás umas das outras, rindo.

Competidores às voltas com os seus ajudantes, fazendo os últimos preparativos. Das ruas adjacentes, podíamos ouvir gente rindo e conversando. Os telhados já estavam repletos de espectadores reclinados em cadeiras de jardim, com o chá quente fumegando nas garrafas térmicas e a música de Ahmad Zahir tocando em altos brados nos toca-fitas. O popularíssimo Ahmad Zahir revolucionou a música afegã e escandalizou os puristas acrescentando guitarras elétricas, bateria e trompetes aos instrumentos tradicionais, a tabla e o harmônio. No palco ou nas festas, ele desprezava a atitude austera e quase soturna dos cantores de antigamente e chegava mesmo a sorrir enquanto cantava — às vezes até para as mulheres. Olhei para o nosso telhado e vi meu pai e Rahim Khan sentados em um banco, ambos com suéteres de lã, tomando chá. *Baba* acenou. Não pude distinguir se tinha sido para mim ou para Hassan.

— Acho que é melhor a gente começar a se mexer — disse Hassan.

Ele estava usando botas de neve de borracha preta, um *chapan* verde brilhante por cima de uma suéter bem grossa e uma calça de veludo cotelê desbotada. A luz do sol batia em cheio no seu rosto e, com isso, dava para perceber como a marca rosada no seu lábio superior tinha cicatrizado bem.

De repente, me deu vontade de desistir. Pegar as minhas coisas e ir embora para casa. O que é que estava pensando? Por que estava me metendo nessa enrascada, se já sabia qual seria o resultado? *Baba* estava lá em cima do telhado, olhando para mim. Sentia o seu olhar no meu corpo como a gente sente o calor do sol ardente. Ia ser um fracasso estrondoso, mesmo para alguém como eu...

— Não sei se estou a fim de empinar pipa hoje — disse.

— Está um dia lindo — retrucou Hassan.

Passei o peso do corpo de um pé para o outro. Tentei desviar os olhos do telhado lá de casa.

— Não sei, não. Talvez seja melhor voltar.

Então, ele deu um passo na minha direção e, baixinho, disse uma coisa que me deixou um pouco assustado.

— Não se esqueça, Amir *agha*. Não tem monstro nenhum; só um lindo dia.

Como eu podia ser assim tão transparente para ele quando, pelo menos em cinqüenta por cento das vezes, não fazia a menor idéia do que estaria passando pela sua cabeça? E era eu que ia ao colégio. Era eu que sabia ler e escrever. Era eu o inteligente. Hassan não era capaz de ler nem um livro de primeira série, mas podia me ler com a maior facilidade. Era um tanto perturbador, mas também um pouco reconfortante ter alguém que sempre sabia do que você estava precisando.

— Monstro nenhum... — repeti, sentindo-me um pouco melhor, para minha própria surpresa.

— Monstro nenhum — disse ele sorrindo.

— Tem certeza?

Ele fechou os olhos e fez que sim com a cabeça.

Olhei para aquelas crianças correndo pela rua, atirando bolas de neve.

— O dia está lindo, não está?

— Vamos lá? — indagou ele.

Ocorreu-me que talvez Hassan tivesse inventado aquele sonho. Seria possível? Decidi que não. Hassan não era tão esperto assim. *Eu* não era tão esperto assim. Mas, inventado ou não, aquele sonho idiota tinha diminuído um pouco a minha ansiedade. Talvez *devesse* tirar a camisa e nadar no lago. Por que não?

— Vamos lá — respondi.

O rosto de Hassan se iluminou.

— Ótimo — disse ele.

Ergueu a nossa pipa vermelha com as bordas amarelas e que trazia, logo abaixo do ponto em que as varetas se cruzam, a marca inconfundível da assinatura de Saifo. Lambeu os dedos e segurou a pipa lá no alto; testou o vento e, então, correu na sua direção — nas raras vezes em que empinávamos pipas no verão, ele chutava o chão para levantar poeira e ver para que lado o vento estava soprando. O carretel ficou rolando nas minhas mãos até Hassan parar, a uns vinte metros de distância. Ficou segurando a pipa bem acima da cabeça, como um atleta olímpico que exibe a medalha de ouro. Dei dois puxões na corda, o sinal combinado entre nós, e ele soltou a pipa.

Dividido entre *baba* e os mulás da escola, ainda não sabia muito bem o que pensar a respeito de Deus. Mas quando me veio à cabeça um *ayat* do Corão, que tinha aprendido na aula de *diniyat*, eu o repeti baixinho. Respirei fundo e comecei a puxar a corda. Em um minuto, a minha pipa estava subindo vertiginosamente pelos ares. Fazia um barulho que parecia um pássaro de papel batendo as asas. Hassan aplaudiu, assobiou, e correu de volta para perto de mim. Segurei firme na linha, e lhe entreguei o carretel que ele girou bem depressa para enrolar novamente a parte que tinha ficado solta.

Havia pelo menos umas vinte e tantas pipas no céu, como tuba-rões de papel perambulando à cata de uma presa. Em uma hora, esse número tinha duplicado, e pipas vermelhas, azuis e amarelas voavam e rodopiavam pelo ar. Um vento frio soprava em meu cabelo. Era o vento perfeito para empinar pipas, apenas forte o bastante para dar a elas alguma altitude e facilitar os movimentos. Ao meu lado, Hassan segurava o carretel com as mãos já sangrando por causa do cerol.

Logo a batalha começou e as primeiras pipas derrotadas já rodo-piavam fora de controle. Caíam do céu feito estrelas cadentes, com as caudas luzidias e ondulantes, enchendo o bairro de troféus para os meninos que corriam atrás delas para apanhá-las. Era possível ouvi-los gritando e correndo pelas ruas. Alguém anunciou que tinha começado uma briga dois quarteirões adiante.

Continuei lançando olhares para *baba* sentado junto com Rahim Khan no telhado lá de casa, tentando imaginar o que estaria pensando. Será que estava torcendo por mim? Ou será que parte dele gostava de me ver fracassar? É isso que acontece quando a gente empina pipas: nossa cabeça sai voando junto com elas.

Agora, caíam pipas por todo lado e a minha ainda estava no ar. A minha ainda estava no ar. Meus olhos continuavam buscando *baba* agasalhado em sua suéter de lã. Será que estava surpreso ao ver que eu estava conseguindo resistir tanto? "Se tirar os olhos do céu, não conseguirá manter a pipa no ar por muito tempo." Tratei então de olhar de novo para o céu. Uma pipa vermelha estava se aproximando da minha. Eu a notei bem na hora. Embolei um pouco com ela, mas acabei levando a melhor quando o outro empinador ficou impaciente e tentou me cortar por baixo.

Por todo canto, viam-se aqueles caçadores que voltavam triunfan-tes, erguendo bem alto as pipas que tinham capturado, exibindo-as para os pais e os amigos. Todos sabiam, porém, que o melhor ainda estava por vir. O maior dos prêmios ainda estava voando. Derrubei uma pipa amarela brilhante, com uma rabiola branca toda enroladinha. Esse feito me custou mais um talho no indicador e o sangue começou a escorrer pela palma da minha mão. Mandei Hassan segurar a linha e, depois de chupar o sangue, esfreguei bem o dedo na calça *jeans*.

Mais uma hora se passou e a quantidade de pipas que ainda resistiam tinha despencado de umas cinqüenta para cerca de uma dúzia. Consegui estar entre as doze finalistas. Sabia que essa parte da disputa ia ser um pouco mais demorada, porque os caras que tinham agüentado até ali eram bons — não cairiam facilmente, com armadilhas simples como o velho tentear e debicar, o truque favorito de Hassan.

Por volta das três da tarde, o céu foi ficando encoberto e o sol se escondeu atrás das nuvens. As sombras começaram a aumentar. Os espectadores que estavam nos telhados se agasalharam ainda mais, com cachecóis e casacos bem grossos. Já éramos só umas dez, e eu ainda estava voando. As minhas pernas doíam e o meu pescoço estava duro. Mas, a cada pipa derrubada, a esperança crescia no meu coração, como a neve que vai se acumulando em cima de um muro, um floco de cada vez.

Os meus olhos estavam sempre voltando a fitar uma pipa azul que vinha fazendo a maior devastação há cerca de uma hora.

— Quantas ele já derrubou? — perguntei.

— Contei onze — respondeu Hassan.

— Sabe de quem pode ser essa pipa?

Hassan estalou a língua e esticou o queixo para a frente. Aquele gesto era a sua marca registrada, significando que não fazia a menor idéia a respeito de algo. A azul cortou uma outra pipa grande e roxa, e, majestosa, deu duas voltas no ar. Dez minutos depois, derrubou mais duas, fazendo milhares de garotos saírem desabalados ao seu encalço.

Meia hora depois, só restavam quatro pipas. E eu ainda estava voando. Parecia praticamente impossível fazer algum movimento errado. Era como se todas as rajadas de vento soprassem a meu favor. Nunca me senti tão dono da situação, tão sortudo. Estava embriagado. Não ousava olhar para o telhado lá de casa. Não ousava tirar os olhos do céu. Precisava me concentrar, ficar ligado no que estava fazendo. Mais quinze minutos se passaram e aquilo que, pela manhã, teria parecido um sonho ridículo tinha, de repente, se tornado realidade: só restávamos nós dois, eu e o outro garoto. O da pipa azul.

O ar em volta estava tão tenso quanto a linha com cerol que eu manejava com as mãos ensangüentadas. As pessoas estavam batendo com os pés no chão, aplaudindo, assobiando, berrando: *"Boboresh! Boboresh!* Derrube! Derrube!" Fiquei me perguntando se a voz de *baba* estaria entre as que eu estava ouvindo. A música tocava altíssima. O cheiro de *mantu* no vapor e de *pakora* frito se espalhava pelo ar, vindo dos telhados e das portas abertas.

Tudo o que ouvia, porém — tudo o que me permitia ouvir —, era o pulsar do sangue na minha cabeça. Tudo o que via era a pipa azul. O único cheiro que sentia era o da vitória. Salvação. Redenção. Se *baba* estivesse enganado, e existisse mesmo um Deus, como me diziam no colégio, então Ele ia deixar que eu vencesse. Não sabia com que objetivo o outro garoto estava competindo, talvez só para exibir os seus dotes. Mas, para mim, aquela era a única chance de me tornar alguém que era olhado, e não apenas visto; que era escutado, e não apenas ouvido. Se existia mesmo um Deus, Ele ia guiar o vento, deixar que soprasse para mim, e assim, com um puxão na corda, eu ia me livrar da minha dor, dos meus anseios. Tinha agüentado muito, chegado longe demais. E, de repente, em um piscar de olhos, a esperança virou certeza. Eu ia ganhar. Era só uma questão de tempo.

Acabou acontecendo mais cedo do que eu imaginava. Uma rajada de vento fez a minha pipa subir e fiquei em vantagem. Dei mais linha e, depois, um puxão. Com isso, a minha pipa fez um *looping* e ficou acima da azul. Mantive essa posição. A pipa azul sabia que estava em apuros. Tentava desesperadamente realizar manobras para sair daquele aperto, mas não deixei. Mantive minha posição. A multidão percebia que o fim da batalha estava próximo. O coro "Derrube! Derrube!" foi ficando cada vez mais forte, como os romanos gritando para os gladiadores: "Mate! Mate!"

— Você está quase lá, Amir *agha*! Quase lá! — exclamou Hassan ofegante.

Então, chegou a hora. Fechei os olhos e afrouxei a pegada na linha. Cortei os dedos novamente quando o vento arrastou a minha pipa. E aí... não precisei ouvir os gritos da multidão para saber. Também não precisei ver nada. Hassan estava gritando e tinha passado o braço pelo meu pescoço.

— Bravo! Bravo, Amir *agha*!

Abri os olhos e o que vi foi a pipa azul rodopiando loucamente, como um pneu que se solta de um carro em alta velocidade. Pisquei várias vezes, tentei dizer alguma coisa. Não saiu som nenhum. De repente, eu estava flutuando no ar, vendo a mim mesmo lá embaixo. Casaco de couro preto, cachecol vermelho, calça *jeans* desbotada. Um menino magricela, um tanto pálido e meio baixinho para alguém de doze anos. Com ombros estreitos e círculos escuros que se insinuavam em torno dos olhos cor de avelã. O vento despenteava os seus cabelos castanho-claros. Ele ergueu os olhos para mim e sorrimos um para o outro.

Comecei então a gritar, e tudo era cor e som, tudo estava cheio de vida e era maravilhoso. Abracei Hassan com o braço que estava livre e começamos a pular, ambos rindo, ambos chorando.

— Você ganhou, Amir *agha*! Você ganhou!

— *Nós* ganhamos! *Nós* ganhamos! — foi tudo o que consegui dizer. Isso não estava acontecendo. Logo, logo estaria piscando os olhos e despertando desse sonho maravilhoso; saindo da cama, descendo até a cozinha para tomar o meu café da manhã sem ter ninguém com quem conversar a não ser Hassan. Me aprontar. Ficar esperando por *baba*. Desistir. De volta à minha velha vida. Foi então que o vi no telhado lá de casa. Estava de pé na mureta, agitando ambos os braços. Gritando e aplaudindo. E aquele ali foi o único momento importante dos meus doze anos de vida: ver *baba* no telhado, finalmente orgulhoso de mim.

Mas, agora, ele estava fazendo alguma coisa, fazendo um gesto com as mãos como quem indica urgência. Então, compreendi.

— Hassan, nós...

— Eu sei — disse ele se desvencilhando do meu abraço. — *Inshallah*, vamos festejar mais tarde. Agora, vou apanhar aquela pipa azul para você — acrescentou. Largou o carretel e saiu correndo, com a borda do *chapan* verde arrastando na neve atrás de si.

— Hassan! — gritei eu. — Volte com ela!

Ele já estava dobrando a esquina, com as botas de borracha levantando neve do chão. Parou e se virou. Pôs as mãos em concha junto da boca.

— Por você, faria isso mil vezes! — disse ele. E deu aquele sorriso de Hassan, desaparecendo então na esquina. Só voltei a vê-lo sorrir assim tão descontraído vinte e seis anos mais tarde, olhando uma foto Polaroid desbotada.

Comecei a recolher a minha pipa e as pessoas vinham correndo para me dar parabéns. Cumprimentei a todos, agradeci. As crianças menores me olhavam com um brilho de respeito nos olhos. Eu era um herói. Mãos vinham me dar tapinhas nas costas, afagar os meus cabelos. Fui puxando a linha, retribuindo os sorrisos de todos, mas só pensava mesmo naquela pipa azul.

Afinal, tinha a minha pipa nas mãos. Enrolei no carretel a linha solta que estava amontoada junto dos meus pés, cumprimentei mais algumas pessoas e corri para casa. Quando cheguei ao portão de ferro, Ali estava esperando por mim do lado de dentro. Passou as mãos pela grade.

— Meus parabéns! — disse.

Entreguei a ele a pipa e o carretel, apertei sua mão.

— *Tashakor*, Ali *jan*.

— Fiquei o tempo todo rezando por vocês — acrescentou ele.

— Pois então, continue rezando. Ainda não terminamos.

Voltei correndo para a rua. Nem perguntei a Ali onde estava meu pai. Ainda não queria vê-lo. Tinha tudo planejado na cabeça: faria uma entrada triunfal, como um herói, tendo nas mãos ensangüentadas o tão valioso troféu. Todas as cabeças iam se virar e os olhos ficariam pregados em mim. Rostam e Sohrab se avaliando mutuamente. Um dramático instante de silêncio. Então, o velho guerreiro ia se aproximar do mais jovem, abraçá-lo e reconhecer o seu valor. Legitimação. Salvação. Redenção. E depois? Bem... Felizes para sempre, é claro. O que mais poderia ser?

As ruas de Wazir Akbar Khan eram numeradas e haviam sido traçadas formando ângulos retos, como se fosse uma grade. Naquela época, era um bairro novo, ainda em fase de formação, com lotes

vazios e casas parcialmente construídas em todas as ruas, entre con-
domínios cercados por muros de uns três metros de altura. Corri para
cima e para baixo, passando por todas as ruas, à procura de Hassan.
Em todo canto, as pessoas estavam atarefadas dobrando cadeiras,
guardando comida e arrumando as coisas depois de um longo dia
de festa. Algumas delas, ainda sentadas nos telhados, gritavam para
me dar parabéns.

Quatro ruas ao sul da nossa, vi Omar, filho de um engenheiro
amigo de *baba*. Estava jogando futebol com o irmão no gramado
em frente à sua casa. Omar era um sujeito bem legal. Tínhamos sido
colegas na terceira série e, certa vez, ele me deu uma caneta-tinteiro,
daquele tipo que a gente recarrega com um cartucho.

— Soube que você venceu, Amir — disse ele. — Parabéns!

— Obrigado. Você viu Hassan?

— O seu hazara?

Fiz que sim com a cabeça.

Omar atirou a bola para o irmão.

— Ouvi dizer que é fantástico apanhando pipas — acrescentou.

O irmão jogou a bola de volta para ele. Omar a pegou, fazendo-a
quicar para cima e para baixo.

— Se bem que sempre me perguntei como consegue isso. Quero
dizer, com aqueles olhinhos apertados, como é que pode *ver* alguma
coisa?

Seu irmão deu uma risada e pediu a bola. Omar o ignorou.

— Você o viu? — insisti eu.

Sem se virar, Omar apontou para o sudoeste com o polegar.

— Vi ele passar correndo rumo ao *bazaar* ainda agora mesmo
— respondeu ele.

— Obrigado — disse eu, e saí em disparada.

Quando cheguei à praça do mercado, o sol já tinha desaparecido
quase inteiramente atrás das colinas e o anoitecer tingiu o céu de rosa
e arroxeado. Alguns quarteirões adiante, na mesquita Haji Yaghoub,
o mulá começou a entoar o *azan*, convocando os fiéis a estender
o tapete, voltados para o oeste, e inclinar a cabeça para a oração.
Hassan nunca deixava de fazer nenhuma das cinco orações diárias.
Mesmo quando estávamos brincando no quintal, ele pedia desculpas,

tirava água do poço, se lavava e desaparecia no seu casebre. Saía de lá poucos minutos depois, sorrindo, e vinha me encontrar recostado no muro ou trepado em uma árvore. No entanto, hoje à noite ele ia deixar de fazer as suas orações, e por minha causa.

O *bazaar* estava ficando vazio bem depressa, com os mercadores encerrando os negócios do dia. Fui correndo pela lama, em meio aos inúmeros cubículos colados uns aos outros, onde se podia comprar um faisão recém-abatido em uma das tendas e uma calculadora na do lado. Fui me espremendo por entre a multidão que ia se reduzindo: os mendigos aleijados embrulhados em trapos esfarrapados, os vendedores carregando tapetes nos ombros, os mercadores de roupas e os açougueiros que já fechavam suas lojas. Não vi nem sinal de Hassan.

Parei em uma tenda que vendia frutas secas, descrevi Hassan para um velho mercador que estava pondo caixotes de pinhões e uvas passas no lombo de uma mula e usava um turbante azul-claro.

Ele parou o que fazia para me olhar por um bom momento e só depois me respondeu.

— É possível que o tenha visto...

— Para que lado ele foi? — indaguei.

Ele me olhou dos pés à cabeça.

— Por que um menino como você está andando por aqui, a essa hora do dia, procurando um hazara?

Os seus olhos se detiveram no meu casaco de couro e na minha calça *jeans* — "calças de *cowboy*", como as chamávamos. No Afeganistão, ter alguma coisa que viesse dos Estados Unidos, e, principalmente, que não fosse de segunda mão, era sinal de riqueza.

— Preciso encontrá-lo, *agha*.

— O que ele é para você? — perguntou o mercador. Não entendi o porquê daquela pergunta, mas disse com meus botões que a impaciência não ia fazer com que ele desse mais informações.

— É o filho de nosso empregado — respondi.

O velho ergueu as sobrancelhas grisalhas.

— É? Que sorte a desse hazara, ter um patrão que se preocupa tanto assim com ele! O pai desse garoto devia se ajoelhar e varrer com as pestanas a poeira do chão em que você pisa.

— O senhor vai ou não vai me dizer para onde ele foi?

Ele apoiou o braço no lombo da mula e apontou para o sul.

— Acho que vi o garoto que você descreveu correndo naquela direção. Estava segurando uma pipa nas mãos. Uma pipa azul.

— Estava? — perguntei.

"Por você, faria isso mil vezes" era o que tinha prometido. Grande Hassan. O bom, velho e leal Hassan. Cumpriu a promessa e pegou aquela pipa para mim.

— É claro que, a essa hora, já devem tê-lo apanhado — acrescentou o velho mercador dando um grunhido e pondo mais um caixote no lombo da mula.

— Quem?

— Os outros garotos — disse ele. — Que estavam correndo atrás dele. Todos vestidos assim como você. — Ergueu os olhos para o céu e suspirou. — Agora vá embora, pois está me atrasando para a *namaz*.

A essa altura, porém, eu já tinha disparado ruela abaixo.

Por cerca de cinco minutos, rodei o *bazaar* inteiro, em vão. Talvez os olhos do velho mercador o houvessem traído. Acontece que ele tinha visto a pipa azul. Só de pensar em pôr as mãos nela... Metia a cabeça em cada ruela, em cada tenda. Nem sinal de Hassan.

Já estava ficando preocupado com a idéia de que anoitecesse antes de eu encontrar Hassan quando ouvi vozes um pouco mais adiante. Cheguei a uma rua deserta e lamacenta, perpendicular ao fim da avenida que passava bem no meio do *bazaar*. Dobrei a esquina da ruela esburacada e fui seguindo o som das vozes. As minhas botas chapinhavam na lama a cada passo, e a minha respiração ia se transformando em nuvens brancas à minha frente. De um dos lados da estreita passagem havia um barranco cheio de neve, onde, na primavera, talvez corresse um riacho. Do outro lado, fileiras de ciprestes cobertos de neve intercalados com casas de barro de teto achatado — em sua maioria, simples casebres de pau-a-pique —, separadas umas das outras por minúsculos becos.

Voltei a ouvir aquelas vozes, agora mais altas, vindo de um desses corredores. Fui me esgueirando até a entrada. Prendi a respiração. Escondido na quina da casa, espiei lá para dentro.

No final do beco sem saída, vi Hassan em uma pose desafiadora: punhos cerrados, pernas ligeiramente afastadas. Atrás dele, em cima de pilhas de entulho e lixo, estava a pipa azul. A minha chave para o coração de *baba*.

Impedindo Hassan de sair do beco, estavam três garotos, os mesmos daquela manhã lá na colina, no dia seguinte ao golpe de Estado de Daoud Khan, quando Hassan nos salvou com o estilingue. Wali estava parado de um lado, Kamal, do outro, e, no meio, Assef. Senti o corpo todo se contrair e alguma coisa gelada escorreu pelas minhas costas. Assef parecia relaxado, confiante. Estava girando o soco-inglês metálico nas mãos. Os dois outros, nervosos, trocavam constantemente o pé de apoio, olhando ora para Assef, ora para Hassan, como se houvessem acuado algum tipo de animal selvagem que só Assef fosse capaz de domar.

— Cadê o estilingue, hazara? — perguntou Assef sem parar de brincar com o soco-inglês. — O que foi mesmo que você disse? "Vão ter de chamar você de Assef, o Caolho." É, foi isso sim. Assef, o Caolho. Brilhante. Realmente brilhante. Mas, por outro lado, é fácil ser tão esperto quando se tem nas mãos uma arma carregada.

Percebi que ainda não tinha soltado o ar. Exalei bem devagarinho, sem fazer barulho. Estava me sentindo paralisado. Fiquei olhando enquanto eles se aproximavam do menino com quem eu tinha crescido, aquele menino cujo rosto com o lábio leporino era a minha lembrança mais remota.

— Mas hoje é o seu dia de sorte, hazara — prosseguiu Assef. Estava de costas para mim, mas eu podia apostar que estava rindo. — Estou a fim de perdoar. O que acham disso, rapazes?

— É muita generosidade sua — exclamou Kamal. — Principalmente depois de toda a grosseria que ele fez conosco daquela vez.

Tentou falar no mesmo tom de deboche, mas a sua voz saiu um tanto trêmula. Foi então que entendi tudo: na verdade, não era Hassan que metia medo nele. Estava com medo porque não tinha a menor idéia do que Assef pretendia fazer.

Assef fez um gesto com a mão, como que encerrando a questão.

— *Bakhshida*. Está perdoado. Pronto. — E acrescentou, baixando um pouco a voz: — É claro que nada nesse mundo é assim, de graça. Por isso o meu perdão tem um preço bem razoável.

— É justo — disse Kamal.

— Nada é de graça — acrescentou Wali.

— Você é um hazara de sorte — disse Assef, dando um passo na direção de Hassan. — Porque, hoje, isso só vai lhe custar essa pipa azul. Um negócio bem justo, não é, rapazes?

— Mais que justo — respondeu Kamal.

Mesmo do lugar em que estava, pude ver o medo se instalando nos olhos de Hassan, mas ele abanou a cabeça.

— Amir *agha* ganhou o campeonato e corri atrás dessa pipa para ele. E consegui apanhá-la jogando limpo. Essa pipa é dele.

— Que hazara mais leal... Leal como um cachorro — disse Assef.

O riso de Kamal soou estridente, nervoso.

— Mas, antes de se sacrificar por Amir, pense nisso: será que ele faria a mesma coisa por você? Já se perguntou por que ele nunca inclui você nas brincadeiras quando tem visita? Por que só brincam juntos quando não tem ninguém mais por lá? Eu lhe digo por quê, hazara. Porque, para ele, você não passa de um bichinho de estimação feioso. Alguma coisa para brincar quando ele está aborrecido; alguma coisa que pode chutar quando está zangado. Não tente se enganar, e lembre que você é mais que isso.

— Amir *agha* e eu somos amigos — disse Hassan. E me pareceu que tinha ficado vermelho.

— Amigos? — exclamou Assef, rindo. — Seu idiota patético! Algum dia você vai acordar dessa sua fantasia e descobrir que ótimo amigo ele é. Agora, *bas*! Chega de lengalenga. Passe essa pipa para cá!

Hassan se abaixou e pegou uma pedra.

Assef vacilou. Já ia dando um passo atrás, mas parou.

— É a sua última chance, hazara!

A resposta de Hassan foi erguer a mão que segurava a pedra.

— Como quiser...

Assef desabotoou o casaco, tirou-o e, deliberadamente, dobrou-o com todo cuidado, pondo-o junto do muro.

Abri a boca e quase disse algo. Quase. O resto da minha vida poderia ter sido bem diferente se eu tivesse dito alguma coisa naquela hora. Mas não disse. Só fiquei olhando. Paralisado.

Assef acenou com a mão e os dois outros garotos se separaram para formar um semicírculo, encurralando Hassan naquele beco sem saída.

— Mudei de idéia — disse Assef. — Vou deixar que fique com a pipa, hazara. Vou deixar que fique com ela para que nunca se esqueça do que vou fazer agora.

Então, atacou. Hassan atirou a pedra, atingindo Assef na testa. Ele gritou e partiu para cima de Hassan, derrubando-o no chão. Wali e Kamal o seguiram.

Mordi a mão. Fechei os olhos.

UMA RECORDAÇÃO:

Sabia que Hassan e você mamaram do mesmo leite? Sabia disso, Amir agha? Ela se chamava Sakina. Era uma linda hazara de olhos azuis, nascida em Bamiyan, e cantava para vocês velhas cantigas de casamento. Dizem que as pessoas que mamam do mesmo leite são como irmãs. Sabia disso?

Uma recordação:

"Uma rupia por cabeça, crianças. Só uma rupia por cabeça, e abrirei para vocês as cortinas da verdade." *O velho estava sentado junto a um muro de barro. Os seus olhos cegos eram como prata derretida encrustada em duas crateras profundas, idênticas. Curvado sobre a bengala, o vidente passa a mão nodosa por toda a superfície do rosto murcho. Estende para nós a mão em concha.* "Não é um preço muito alto pela verdade, é? Uma rupia por cabeça." *Hassan põe uma moeda naquela palma áspera. Eu ponho outra.* "Em nome de Allah, o mais clemente, o mais misericordioso", *sussurra o velho adivinho. Pega primeiro a mão de Hassan e, com uma unha que mais parecia um osso, fica fazendo voltas e voltas, voltas e voltas na sua palma. O dedo se desloca então até o rosto de Hassan e, com um ruído seco e áspero, vai acompanhando lentamente o traçado das suas bochechas, o contorno das suas orelhas. As pontas calejadas daqueles dedos roçam os olhos de Hassan. A mão pára ali e se detém por um instante. Uma sombra percorre o rosto do cego. Hassan e eu nos entreolhamos. O velho pega a mão de Hassan e põe a rupia de*

*volta em sua palma. Vira-se para mim. "E você, meu jovem amigo?",
pergunta. Do outro lado do muro, um galo canta. O velho pega minha
mão, mas eu a retiro.*

Um sonho:

*Estou perdido em uma tempestade de neve. O vento assobia,
atirando pedacinhos de gelo que espetam os meus olhos. Vou cambaleando, os pés afundando em camadas daquela brancura fofa.
Grito por socorro, mas o vento não deixa que os meus gritos sejam
ouvidos. Caio e fico ofegando na neve, perdido naquela imensidão
branca, com o lamento do vento soando nos meus ouvidos. Vejo que
a neve está apagando as minhas pegadas. "Agora sou um fantasma",
penso eu, "um fantasma sem pegadas". Volto a gritar, com a esperança sumindo como as marcas dos meus passos. Desta vez, porém,
há uma resposta longínqua. Protejo os olhos com as mãos e dou um
jeito de me sentar. Além das cortinas flutuantes de neve, tenho a breve
visão de algo se movendo, um borrão de cor. Uma forma familiar se
materializa. Uma mão se estende na minha direção. Vejo profundos
talhos paralelos cortando a sua palma e o sangue escorrendo, tingindo
a neve. Seguro aquela mão e, de repente, a neve desaparece. Estamos
em um campo de relva verde-clara e macios flocos de nuvens deslizam
no céu. Olho para cima e vejo o céu claro coalhado de pipas verdes,
amarelas, vermelhas, laranja. Elas cintilam à luz do entardecer.*

HAVIA UM MONTE DE LIXO E SUCATA espalhado pelo beco. Pneus de bicicleta velhos, garrafas com os rótulos arrancados, revistas rasgadas,
jornais amarelados, tudo jogado em meio a uma pilha de tijolos e
de placas de cimento. Um fogareiro de ferro enferrujado, com um
enorme furo em um dos lados, estava apoiado no muro. Mas, no meio
de todo aquele lixo, havia duas coisas de que eu não conseguia tirar
os olhos. Uma delas era a pipa azul encostada no muro, perto do tal
fogareiro enferrujado; a outra era a calça de veludo cotelê marrom
de Hassan jogada sobre uma pilha de tijolos danificados.

— Não sei não... — dizia Wali. — Meu pai diz que é pecado.

Ele parecia hesitante, excitado, assustado, tudo ao mesmo tempo.
Hassan estava deitado, com o peito colado no chão. Kamal e Wali

seguravam os seus dois braços virados para trás, e dobrados na altura do cotovelo, fazendo com que as suas mãos ficassem imobilizadas nas costas. Assef estava de pé, acima deles, pressionando, com o salto da bota de neve, a nuca de Hassan.

— O seu pai não vai ficar sabendo de nada — retrucou Assef. — E não vejo que pecado pode haver em dar uma boa lição em um burro desrespeitoso.

— Não sei não... — murmurou Wali.

— Bom, como quiser — resmungou Assef. — E quanto a você? — perguntou virando-se para Kamal.

— Eu... bem...

— É só um hazara — disse Assef. Mas Kamal manteve os olhos voltados para o outro lado. — Tudo bem! — exclamou. — Só o que precisam fazer então, seus covardes, é segurar ele firme no chão. Será que disso vocês conseguem dar conta?

Wali e Kamal concordaram com um gesto de cabeça. Ambos pareciam aliviados.

Assef se ajoelhou por trás de Hassan, agarrou-o pelos quadris e ergueu um pouco o seu traseiro. Continuou segurando com uma das mãos e, com a outra, abriu a fivela do próprio cinto. Baixou o fecho ecler da calça *jeans*. Fez o mesmo com a cueca. Se ajeitou atrás de Hassan. Este não lutou. Nem mesmo se lamentou. Virou a cabeça lentamente e pude ver o seu rosto de relance. O que vi, ali, foi resignação. Era um olhar que eu já tinha visto antes. O olhar de um cordeiro.

AMANHÃ É O DÉCIMO DIA DO DHUL-HIJJAH, *último mês do calendário muçulmano, e o primeiro dos três dias do* Eid Al-adha, *ou* Eid-e-Qorban, *como se diz no Afeganistão — quando se celebra o episódio em que o profeta Abraão esteve a ponto de sacrificar o próprio filho a Deus. Como sempre,* baba *escolheu pessoalmente o carneiro para esse ano: ele era branco e peludo, com umas orelhas negras meio descaídas.*

Estamos todos de pé, no quintal dos fundos: Hassan, Ali, baba *e eu. O mulá recita a oração, passa a mão pela barba.* Baba *murmura baixinho "Vamos logo com isso". Parece chateado com aquelas orações intermináveis do ritual para que a carne se torne* halal. *Ele despreza a história que está por trás do* Eid, *como despreza, aliás, tudo o que se refira a religião. Mas respeita a tradição do* Eid-e-Qorban. *Segundo o costume, a carne é dividida em três porções, uma para a família, uma para os amigos e uma para os pobres. Todo ano, baba dá tudo para os pobres. "Os ricos já estão gordos o bastante" é o que diz.*

O mulá conclui suas orações. Ameen. *Pega o facão de cozinha de lâmina bem comprida. É costume não deixar que o carneiro veja a faca. Ali faz o animal comer um torrão de açúcar — outro costume, para que a morte seja mais doce. O carneiro escoiceia, mas não muito. O mulá o segura pelo focinho e encosta a lâmina da faca no seu pescoço. Um segundo antes de ele cortar a garganta do carneiro com um golpe certeiro, vejo os olhos do animal. É um olhar que vai assombrar os meus sonhos por semanas a fio. Não sei por que assisto a essa cerimônia que acontece todo ano em nosso quintal; meus pesadelos ainda persistem bem depois que as manchas de sangue no gramado já desapareceram. Mas sempre assisto. Assisto por causa dessa expressão de aceitação nos olhos do animal. É um absurdo, mas imagino que o carneiro entende. Imagino que ele vê que aquela morte iminente tem um propósito mais elevado. É essa a expressão dos olhos...*

PAREI DE OLHAR E ME AFASTEI DO BECO. Alguma coisa quente escorria pelo meu pulso. Olhei e me dei conta de que ainda estava mordendo a mão. E com tanta força que cheguei a tirar sangue das juntas. Percebi outra coisa também. Estava chorando. Lá da esquina, podia ouvir os grunhidos rápidos e ritmados de Assef.

Era a minha última chance de tomar uma decisão. Uma última oportunidade para decidir quem eu ia ser. Poderia entrar no beco, ir defender Hassan — do mesmo jeito que ele me defendeu todas aquelas vezes no passado — e aceitar o que quer que viesse a acontecer comigo. Ou podia sair correndo.

E, afinal, saí correndo.

Saí correndo porque era um covarde. Tinha medo de Assef e do que ele pudesse fazer comigo. Tinha medo de me machucar. Foi o que disse a mim mesmo quando dei as costas para o beco e para Hassan. Foi disso que me convenci. Realmente *desejei* ser covarde, já que a outra alternativa, a verdadeira razão pela qual eu tinha saído correndo, era que Assef tinha razão: nada era de graça nesse mundo. Talvez Hassan fosse o preço que eu tinha que pagar, o cordeiro que tinha de sacrificar, para conquistar *baba*. Era um preço justo? A resposta ficou pairando na minha mente consciente até eu conseguir reprimi-la: ele era apenas um hazara, não era?

Voltei correndo por onde viera. Voltei correndo pelo *bazaar* quase deserto. Titubeando, parei em uma daquelas tendas e me encostei na porta trancada. Fiquei ali ofegando, suando, desejando que as coisas tivessem tomado outro rumo.

Uns quinze minutos depois, ouvi vozes e tropel de passos. Fiquei agachado atrás da barraca e vi Assef e os dois outros passarem correndo e rindo ruela abaixo. Me obriguei a esperar mais uns dez minutos. Só então voltei para o caminho lamacento paralelo ao barranco cheio de neve. Naquela luz baça, apertei os olhos e avistei Hassan que vinha andando lentamente na minha direção. Nós nos encontramos diante de uma bétula desfolhada que ficava na margem do barranco.

Ele tinha nas mãos a pipa azul: foi a primeira coisa que vi. E não vou mentir agora, dizendo que os meus olhos não a percorreram de ponta a ponta, para ver se havia algum rasgão. O *chapan* de Hassan estava todo sujo de lama na frente, e a sua camisa, rasgada logo abaixo do colarinho. Ele parou. Cambaleou como se fosse desabar no chão. Depois, conseguiu recuperar o equilíbrio. E me entregou a pipa.

— Onde você estava? Procurei por toda parte — disse eu. E ao dizer essas palavras, senti como se estivesse mastigando uma pedra.

Hassan enxugou o rosto com a manga da camisa, limpando catarro e lágrimas. Esperei que dissesse alguma coisa, mas ficamos parados ali, em silêncio, à luz do fim do dia. Benditas sombras do anoitecer, que encobriam o rosto de Hassan e escondiam o meu. Fiquei feliz por não ter que fitá-lo nos olhos. Será que ele sabia que eu sabia? E se soubesse, o que eu veria se *efetivamente* olhasse nos seus olhos? Acusação? Indignação? Ou, tomara que não, o que eu mais temia: devoção sincera? Porque, mais que qualquer outra coisa, isso era o que eu não poderia suportar.

Começou a dizer algo, mas sua voz falhou. Fechou a boca, voltou a abri-la e, depois, a fechou novamente. Deu um passo atrás. Enxugou o rosto. E isso foi o mais perto que Hassan e eu chegamos de uma conversa sobre o que tinha acontecido no beco. Pensei que ele fosse cair no choro, mas, para meu alívio, não foi o que aconteceu, e fingi que não tinha percebido que sua voz estava embargada. Assim como fingi não ver a mancha escura nos fundilhos de sua calça. Ou aquelas gotinhas que iam pingando por entre as suas pernas, deixando marcas escuras na neve.

— *Agha sahib* vai ficar preocupado — foi tudo o que ele disse.

Afastou-se de mim e saiu mancando.

Tudo aconteceu exatamente do jeito que eu tinha imaginado. Abri a porta do escritório enfumaçado e entrei. *Baba* e Rahim Khan estavam tomando chá e ouvindo as notícias chiadas no rádio. Ambos viraram a cabeça. Então, apareceu um sorriso nos lábios de meu pai. Ele abriu os braços. Pus a pipa no chão e me dirigi para aqueles braços fortes e peludos. Enterrei a cabeça no calor do seu peito e chorei. *Baba* me puxou para si e ficou me embalando, para frente e para trás. Nos seus braços, esqueci o que tinha feito. E isso foi ótimo.

OITO

Durante uma semana, praticamente não vi Hassan. Acordava de manhã e lá estavam o meu pão torrado, o meu chá e o meu ovo cozido, tudo pronto e arrumado na mesa da cozinha. As roupas que ia vestir já estavam passadas e dobradas, em cima da cadeira com assento de palhinha que ficava no saguão, onde Hassan normalmente passava roupa. Em geral, ele esperava eu me sentar para tomar café e só então começava essa tarefa porque, desse jeito, podíamos conversar. E, em geral, também cantava, encobrindo com a voz o chiado do ferro a vapor. Eram velhas cantigas hazara que falavam de campos de tulipas. Agora, só as roupas dobradas estavam esperando por mim. As roupas e um café da manhã que eu mal conseguia terminar.

Em uma manhã nublada, estava brincando com o meu ovo cozido, fazendo-o girar pelo prato quando Ali entrou, carregando uma pilha de lenha cortada. Perguntei onde estava Hassan.

— Voltou a se deitar — respondeu Ali, ajoelhando-se diante do fogareiro e abrindo a portinhola quadrada.

— Será que daria para Hassan ir brincar hoje?

Ali parou o que estava fazendo, com uma acha de lenha na mão. Um ar de preocupação lhe passou pelo rosto.

— Ultimamente, parece que tudo o que ele quer é dormir. Faz as suas tarefas porque cuido para que não deixe de fazê-las, mas, depois, só quer voltar para debaixo das cobertas. Posso lhe perguntar uma coisa?

— Se acha que é necessário...

— Depois daquele campeonato de pipas, ele voltou para casa meio ensangüentado e com a camisa rasgada. Perguntei o que tinha acontecido, mas Hassan me disse que não era nada, que tinha se metido em uma briguinha à-toa com outros meninos por causa de uma pipa.

Fiquei calado. Simplesmente, continuei a fazer o ovo cozido girar pelo prato.

— Aconteceu alguma coisa com ele, Amir *agha*? Alguma coisa que ele não esteja querendo me contar?

— Como posso saber? — indaguei eu, dando de ombros.

— Você me contaria, não é? *Inshallah*, você me contaria se tivesse acontecido algo?

— Eu já disse... Como posso saber se tem alguma coisa errada com ele? — acrescentei asperamente. — Talvez esteja doente. Às vezes as pessoas ficam doentes, Ali. Afinal... é para hoje que você vai acender esse fogareiro ou vou morrer congelado aqui dentro?

NAQUELA MESMA NOITE, PERGUNTEI a meu pai se podíamos ir para Jalalabad na sexta-feira. Ele estava se virando para lá e para cá, na cadeira de couro com rodinhas que ficava atrás de sua escrivaninha, lendo um jornal. Baixou o jornal, tirou os óculos de leitura que eu tanto detestava — *baba* não era velho, não mesmo; e ainda tinha muitos anos de vida pela frente... Por que então precisaria usar aqueles óculos idiotas?

— Por que não? — respondeu ele. Ultimamente vinha concordando com tudo que eu pedisse. E não era só: duas noites antes, *ele* tinha vindo *me* perguntar se eu queria ir ver *El Cid*, com Charlton Heston, no cinema Aryana. — Quer chamar Hassan para ir conosco para Jalalabad?

Por que *baba* tinha que estragar tudo daquele jeito?

— Ele está *mareez* — disse eu. — Não anda se sentindo bem.

— É mesmo? — indagou *baba* parando de se remexer na cadeira. — O que é que ele tem?

Dei de ombros e me afundei no sofá perto da lareira.

— Pegou um resfriado, ou coisa do gênero. Ali disse que ele tem estado de molho, que passa quase o tempo todo dormindo.

— Não o tenho visto muito nesses últimos dias... — disse meu pai. — É só isso mesmo, um resfriado?

Não pude me impedir de ficar com ódio ao ver a ruga de preocupação que se formou na sua testa.

— É só um resfriado, sim. E então? Vamos na sexta, *baba*?

— Claro, claro — disse ele, se afastando da escrivaninha. — Que pena essa história com Hassan... Acho que você se divertiria muito mais se ele fosse conosco.

— Mas nós dois podemos nos divertir juntos — retruquei.

Ele sorriu. Piscou os olhos.

— Agasalhe-se bem — acrescentou.

PODERÍAMOS TER IDO MESMO SÓ NÓS DOIS — aliás, era exatamente isso que eu queria. Mas, na quarta-feira à noite, meu pai deu um jeito de convidar mais umas vinte pessoas. Ligou para seu primo Homayoun — na verdade, seu primo em segundo grau — e mencionou que estava indo para Jalalabad na sexta. Homayoun, que estudou engenharia na França e tinha uma casa em Jalalabad, disse que seria ótimo poder reunir todo mundo, que levaria as crianças e suas duas esposas; e, já que iríamos até lá, a prima Shafiqa, que tinha vindo de Herat com a família para visitá-los, talvez gostasse de ir junto; e, como ela estava hospedada na casa do primo Nader, em Cabul, ele e sua família também teriam de ser convidados, embora Homayoun e Nader estivessem meio brigados; e, se Nader fosse convidado, com certeza o seu irmão Faruq também teria que ser, caso contrário poderia ficar magoado e não convidar ninguém para o casamento da filha, no próximo mês; e...

Enchemos três caminhonetes. Eu fui junto com *baba*, Rahim Khan, *kaka* Homayoun — meu pai sempre dizia que as crianças devem chamar todos os homens mais velhos de *kaka*, tio, e todas as mulheres mais velhas de *khala*, tia. As duas filhas gêmeas de *kaka* Homayoun também vieram com a gente, assim como as suas duas esposas — a mais velha, que tinha uma cara de quem comeu e não gostou e as mãos cheias de verrugas; a mais moça, que sempre cheirava a perfume e dançava com os olhos fechados. Sentei no banco de trás, e fiquei tonto e enjoado, espremido entre as duas gêmeas de sete anos que não paravam de passar o braço na minha frente para dar tapas uma na outra. A viagem para Jalalabad leva duas horas, por estradas que vão serpenteando pelas montanhas, beirando grandes precipícios, e o meu estômago chacoalhava a cada curva que o carro fazia. Todo mundo estava conversando, falando alto e ao mesmo tempo, quase gritando, o que é o jeito típico de falar dos afegãos. Perguntei a uma das gêmeas — Fazila ou Karima, já que nunca consegui saber quem era quem — se não queria trocar de lugar comigo e me deixar ir na janela para pegar um pouco de ar fresco, dizendo-lhe que estava enjoado. Ela me deu a língua e disse que não. Eu disse que, então, estava bem, mas que, depois, ela não poderia reclamar se eu vomitasse no seu vestido. Um minuto mais tarde, lá estava eu olhando pela janela. Fiquei fitando aquela estrada cheia de altos e baixos, que ia subindo e descendo, enroscando a cauda no flanco da montanha; fui contando os caminhões de todas as cores que passavam por nós, carregados de indivíduos acocorados. Tentei fechar os olhos, deixar que o vento batesse no meu rosto, e abri a boca para engolir aquele ar puro. Mesmo assim não me senti melhor. De repente, alguém me cutucou. Era Fazila/Karima.

— O que foi? — perguntei.

— É que eu estava contando a eles sobre o campeonato — disse *baba*, lá do volante. *Kaka* Homayoun e suas esposas estavam sorrindo para mim do banco do meio.

— Devia haver bem uma centena de pipas no céu aquele dia — prosseguiu meu pai. — Não era mais ou menos isso, Amir?

— Acho que sim — murmurei.

— Umas cem pipas, Homayoun *jan*. Sem *laaf*. E, no fim do dia, a única que ainda estava voando era a de Amir. Ele tem a última pipa lá em casa, uma linda pipa azul. Hassan e Amir conseguiram apanhá-la juntos.

— Meus parabéns — disse *kaka* Homayoun.

Sua primeira esposa, a que tinha as tais verrugas, bateu palmas.

— Ora, muito bem, Amir *jan*, estamos todos muito orgulhosos de você! — exclamou ela.

A mais nova fez o mesmo e lá estavam as duas batendo palmas, uivando mil elogios, dizendo como eu tinha deixado todos eles orgulhosíssimos. Só Rahim Khan, sentado no banco do carona ao lado de *baba*, continuava calado. E me olhava de um jeito estranho.

— Encoste o carro, por favor, *baba* — disse eu.

— O quê?

— Estou enjoado — murmurei, me inclinando no banco e espremendo as filhas de *kaka* Homayoun.

Fazila/Karima fez cara de nojo.

— Encoste o carro, *kaka*! Ele está ficando todo amarelo! Não quero que vomite no meu vestido novo! — berrou ela.

Baba tratou de encostar o carro, mas não deu tempo. Alguns minutos depois, estava sentado em uma pedra, à beira da estrada, enquanto eles deixavam a caminhonete toda aberta para arejá-la. *Baba* fumava com *kaka* Homayoun que mandava Fazila/Karima parar de chorar; ele lhe compraria um outro vestido em Jalalabad. Fechei os olhos e virei o rosto para o sol. Manchas miúdas iam se formando por detrás das minhas pálpebras, como mãos brincando de fazer figuras de sombra na parede. Elas rodopiavam, se fundiam e formavam uma só imagem: a calça de veludo cotelê marrom de Hassan jogada em uma pilha de tijolos naquele beco.

A CASA DE *KAKA* HOMAYOUN EM JALALABAD era branca, tinha dois andares e uma varanda que dava para um grande jardim murado, todo plantado de macieiras e caquizeiros. Havia vários arbustos que o jardineiro podava no verão, formando figuras de animais, e uma piscina de ladrilhos cor de esmeralda. Com os pés pendurados, sentei na borda da piscina inteiramente vazia a não ser por uma camada de neve lamacenta no fundo. Os filhos de *kaka* Homayoun estavam brincando de esconde-esconde do outro lado do jardim. As mulheres estavam na cozinha e dava para sentir o cheiro das cebolas fritas, como dava para ouvir os "pff-pff" de uma panela de pressão, além de música e de risos. *Baba*, Rahim Khan, *kaka* Homayoun e *kaka* Nader estavam fumando na varanda. *Kaka* Homayoun dizia que tinha trazido o projetor para mostrar os *slides* da sua viagem à França. Já fazia dez anos que ele tinha voltado de Paris e continuava a exibir aqueles *slides* idiotas...

Não devia estar me sentindo desse jeito... *Baba* e eu finalmente éramos amigos. Tínhamos ido ao zoológico alguns dias antes, para ver Marjan, o leão, e ele atirou uma pedrinha no urso quando não tinha ninguém olhando. Depois, fomos comer *kabob* no Dadkhoda, em frente ao cinema Park. Comemos *kabob* de carneiro com *naan* fresquinho, saído do *tandoor*. E meu pai ficou me contando histórias das suas viagens à Índia e à Rússia, falando das pessoas que conheceu por lá, como aqueles dois em Bombaim, que não tinham nem braços nem pernas, mas estavam casados há quarenta e sete anos, e tinham criado onze filhos. Aquilo tudo deveria ter sido bem divertido: passar um dia assim com *baba* e ficar ouvindo as suas histórias. Finalmente, eu estava tendo o que desejei durante todos esses anos. Só que agora, que tinha conseguido o que queria, estava me sentindo tão vazio quanto aquela piscina maltratada onde os meus pés balançavam.

Ao pôr-do-sol, as esposas e as meninas serviram o jantar — arroz, *kofta* e *qurma* de galinha. Jantamos do modo tradicional, sentados em almofadas à volta da sala, com toalhas espalhadas pelo chão, cada grupo de quatro ou cinco pessoas comendo com as mãos a comida servida na mesma travessa. Não estava com fome, mas, mesmo assim, sentei para jantar junto com meu pai, *kaka* Faruq e os dois filhos de *kaka* Homayoun. *Baba*, que tinha tomado uns dois uísques antes do jantar, continuava falando do campeonato de pipas, dizendo como eu tinha suplantado todos os demais, como tinha voltado para casa com a última pipa cortada. Só se ouvia a sua voz possante na sala. As pessoas erguiam a cabeça, me davam parabéns. *Kaka* Faruq me deu um tapinha nas costas com a mão limpa. Senti como se tivesse levado uma facada no olho.

Mais tarde, bem depois da meia-noite, meu pai e seus primos, que tinham passado algumas horas jogando pôquer, foram se deitar.

Os homens ficaram na mesma sala em que tínhamos jantado, em colchões dispostos no chão, paralelos uns aos outros. As mulheres foram para o andar de cima. Uma hora se passou e eu ainda não tinha conseguido pegar no sono. Fiquei me revirando para um lado e para o outro, ouvindo os meus parentes resmungando, suspirando e roncando enquanto dormiam. Sentei no colchão. Uma réstia de luar penetrava pela janela.

— Fiquei olhando enquanto Hassan estava sendo violentado — disse eu em voz alta, sem me dirigir a ninguém em particular. Meu pai se remexeu dormindo. *Kaka* Homayoun soltou um grunhido. Parte de mim tinha esperanças que alguém tivesse acordado e ouvido o que eu disse, porque, assim, não precisaria mais viver com aquela mentira. Mas ninguém acordou e, no silêncio que se seguiu à minha frase, compreendi a natureza exata da minha nova maldição: teria que passar o resto da vida convivendo com a impunidade.

Lembrei do sonho de Hassan, aquele em que nadávamos no lago. "Não tem monstro nenhum aí," era o que tinha dito, "só água". Mas ele estava enganado a este respeito. Tinha um monstro no lago, sim. Ele agarrou Hassan pelos quadris e o arrastou para o fundo tenebroso. Esse monstro era eu.

Foi a partir dessa noite que passei a ter insônia.

Não voltei a falar com Hassan até meados da semana seguinte. Tinha comido muito pouco no almoço e Hassan estava tirando a mesa. Comecei a subir a escada, me dirigindo para o meu quarto, quando ele me perguntou se eu não queria ir lá para a colina. Respondi que estava cansado. Ele também parecia cansado: tinha emagrecido e dois círculos escuros tinham se formado em torno dos seus olhos inchados. Mas, quando perguntou novamente, aceitei, embora com relutância.

Caminhamos até o topo da colina, com as botas deslizando na neve enlameada. Nenhum dos dois disse coisa alguma. Sentamos debaixo do nosso pé de romã e me dei conta de que tinha cometido um erro. Nunca devia ter vindo até a colina. Lá estavam as palavras que eu tinha gravado no tronco da árvore, com a faca de Ali, "Amir e Hassan: sultões de Cabul"... Simplesmente, não conseguia olhar para elas agora.

Ele me pediu para ler uma história do *Shahnamah* e eu lhe disse que tinha mudado de idéia. Que tudo o que queria era voltar para o meu quarto. Hassan desviou os olhos e deu de ombros. Descemos a colina exatamente do jeito que tínhamos subido: em silêncio. E, pela primeira vez na vida, eu mal podia esperar pela chegada da primavera.

Minhas lembranças do resto do inverno de 1975 são bem pouco nítidas. Lembro que ficava razoavelmente feliz quando *baba* estava em casa. Comíamos juntos, saíamos para ver um filme, visitar *kaka* Homayoun ou *kaka* Faruq. Às vezes, Rahim Khan vinha nos ver, e meu pai deixava eu me sentar com eles no escritório para tomar chá. Até me pediu que lesse algumas das minhas histórias para ele. Isso era bom e cheguei a acreditar que fosse durar para sempre. E *baba* também acreditou, acho eu. Mas não devíamos ter acreditado. Durante pelo menos alguns meses depois do campeonato, meu pai e eu mergulhamos em uma doce ilusão, passamos a ver um ao outro como nunca tínhamos feito antes. Na verdade, estávamos nos enganando, achando que um brinquedo feito de papel de seda, cola e bambu podia de algum modo preencher o abismo que existia entre nós.

Mas quando *baba* saía — e ele saía muito — eu ficava trancado no quarto. Lia um livro a cada dois dias, escrevia histórias, aprendia a desenhar cavalos. Ouvia Hassan circulando pela cozinha de manhã, ouvia o tilintar dos talheres, o assobio da chaleira. Esperava ouvir o barulho da porta se fechando e só então descia para tomar café. No calendário, tracei um círculo marcando a data do reinício das aulas, e comecei a fazer a contagem regressiva.

Para meu desespero, Hassan continuou tentando fazer as coisas entre nós voltarem às boas. Lembro da última vez. Estava no meu quarto, lendo uma versão abreviada do *Ivanhoé* traduzido para o farsi, quando ele bateu à porta.

— O que é?

— Estou saindo para comprar *naan* — respondeu ele do outro lado da porta. — Estava pensando se você... se você não queria vir comigo...

— Acho que prefiro continuar lendo — respondi, esfregando as têmporas. Nos últimos tempos, sempre que Hassan estava por perto, eu ficava com dor de cabeça.

— Está fazendo sol — disse ele.

— Estou vendo.

— Pode ser divertido dar um passeio.

— Vá você.

— Gostaria que viesse comigo — insistiu ele. E se calou. Algo esbarrou na porta, talvez a sua testa. — Não sei o que foi que eu fiz, Amir *agha*. Queria que me dissesse. Não sei por que não brincamos mais juntos.

— Você não fez nada, Hassan. Agora, vá embora.

— Pode me dizer o que foi. Não vou fazer nunca mais.

Enterrei a cabeça no peito, apertando as têmporas com os joelhos como se fosse um torno.

— Vou lhe dizer o que não quero mais que faça — disse-lhe então, com os olhos bem fechados.

— Pode dizer.

— Quero que pare de me perturbar. Quero que vá embora — exclamei. Desejei que ele revidasse, que arrombasse a porta, que me dissesse poucas e boas. Assim, seria mais fácil; tudo ficaria melhor. Mas não fez nada disso e, quando abri a porta, minutos depois, ele já não estava ali. Desabei na cama, enfiei a cabeça debaixo do travesseiro, e chorei.

Depois disso, Hassan ficou circulando pelas beiradas da minha vida. Eu tomava todas as precauções para que os nossos caminhos se cruzassem o mínimo possível, planejando os meus dias neste sentido. Porque, quando ele estava por perto, o oxigênio desaparecia do aposento. Sentia o peito apertado e tinha dificuldade para respirar; ficava ali, sufocando na minha bolhazinha de atmosfera absolutamente abafada. Mas mesmo quando ele não estava por perto, estava presente. Estava nas roupas lavadas e passadas sobre a cadeira de assento de palhinha, nos chinelos aquecidos deixados diante da porta do meu quarto, na lenha que já ardia no fogareiro quando eu descia para tomar o meu café da manhã. Para onde quer que eu me virasse, lá estavam os sinais da sua lealdade, da sua maldita lealdade inabalável.

No começo da primavera, uns poucos dias antes do reinício das aulas, *baba* e eu estávamos plantando tulipas no jardim. Quase toda a neve tinha derretido e as colinas ao norte já ostentavam alguns trechos de grama. Era uma manhã fria e cinzenta; meu pai estava agachado ao meu lado, cavando a terra e plantando os bulbos que eu ia lhe passando. Estava dizendo que a maioria das pessoas acredita que a melhor época para plantar tulipas é o outono, e que isso não era verdade, quando eu o interrompi, sem mais nem menos, para lhe fazer uma pergunta.

— Você nunca pensou em contratar empregados novos?

Ele deixou cair o bulbo de tulipa que tinha nas mãos e enfiou a pazinha na terra. Tirou então as luvas de jardinagem. Tinha tomado um susto.

— *Chi?* O que foi que você disse?

— Estava só pensando...

— E por que eu ia querer fazer uma coisa dessas? — indagou ele secamente.

— Acho que não ia, não. Foi apenas uma pergunta — respondi já quase em um murmúrio. Estava realmente arrependido de ter dito aquilo.

— Tem a ver com você e Hassan? Sei que está acontecendo alguma coisa entre vocês dois, mas, seja lá o que for, é você mesmo quem tem que resolver tudo, e não eu. Não vou me meter nessa história.

— Me desculpe, *baba*.

Ele calçou as luvas outra vez.

— Cresci junto com Ali — disse, com os dentes cerrados. — Meu pai o levou para morar conosco, e gostava de Ali como se fosse seu próprio filho. Há quarenta anos que ele vive com a minha família. Há quarenta malditos anos. E agora você vem achar que vou simplesmente mandá-lo embora?

Virou-se para mim e o seu rosto estava tão vermelho quanto uma daquelas tulipas.

— Nunca encostei a mão em você, Amir, mas se disser isso novamente... — Desviou os olhos, abanando a cabeça. — Você me envergonha. E Hassan... Hassan não vai a lugar nenhum, está me entendendo?

Baixei a cabeça e peguei um punhado daquela terra fria. Deixei então que escorresse por entre os meus dedos.

— Perguntei se está me entendendo... — rosnou ele.

— Estou, *baba* — disse eu, me encolhendo.

— Hassan não vai a lugar nenhum — repetiu ele, rispidamente. Abriu uma nova cova com a pazinha, golpeando a terra com mais força que o necessário. — Vai continuar morando aqui conosco, pois esta é a casa dele. É o seu lar e nós somos a sua família. Nunca mais me faça uma pergunta dessas!

— Pode deixar, *baba*. Me desculpe.

Acabamos de plantar as tulipas em silêncio.

Fiquei aliviado quando as aulas recomeçaram na semana seguinte. Alunos, com cadernos novos e lápis apontados, caminhavam pelo pátio, chutando poeira, conversando em grupinhos, esperando pelo apito dos monitores das turmas. *Baba* pegou a estrada de terra que levava até o portão. A escola era um velho prédio de dois andares, com janelas quebradas e corredores de chão de pedra, mal iluminados, onde se viam trechos de um amarelo pálido, a tinta original, em meio a pedaços descascados que deixavam aparecer o reboco das paredes. A maioria dos meninos ia a pé para o colégio, e não eram poucos os olhares invejosos que o Mustang preto de meu pai atraía. Deveria ter ficado radiante de orgulho quando ele me deixou diante do portão — meu velho eu ficaria —, mas tudo o que consegui sentir foi um certo constrangimento. Fiquei encabulado e com uma sensação de vazio. *Baba* foi embora sem se despedir.

Evitei a costumeira comparação de cicatrizes entre os meninos que empinavam pipas e fui direto para a forma. A sineta tocou e, em fila, dois a dois, fomos para a sala de aula que seria a nossa. Sentei na última fileira. Quando o professor de farsi distribuiu os nossos livros de textos, rezei para que ele passasse toneladas de dever de casa.

A escola me dava um pretexto para passar horas e horas no meu quarto. E, por algum tempo, tirava da minha cabeça o episódio ocorrido naquele inverno; aquilo que eu tinha *deixado* acontecer. Durante umas semanas, fiquei mergulhado em gravidade e *momentum*, átomos e células, guerras anglo-afegãs, em vez de ficar pensando em Hassan e no que tinha acontecido com ele. Mas minha cabeça acabava sempre voltando para aquele beco. Para a calça de veludo cotelê marrom jogada na pilha de tijolos. Para o sangue que pingava, manchando a neve de um vermelho escuro, quase negro.

Em uma tarde preguiçosa e enevoada, no começo daquele verão, chamei Hassan para vir comigo até o topo da colina. Disse que queria ler para ele uma nova história que tinha escrito. Ele estava estendendo roupas no quintal e vi como ficou impaciente pelo jeito meio atabalhoado com que acabou a tarefa que fazia.

Subimos a colina falando sobre coisas banais. Ele perguntou do colégio, quis saber o que eu estava estudando, e falei dos meus professores, principalmente do professor de matemática, aquele malvado que castigava os alunos que ficavam conversando enfiando uma vareta metálica entre os seus dedos e, depois, apertando bem. Hassan estremeceu ao ouvir isso e disse que esperava que eu nunca tivesse de passar por essa experiência. Respondi que, até agora, tinha tido sorte, sabendo muito bem que aquilo não era absolutamente uma questão de sorte. Eu também ficava conversando na aula. Mas, como meu pai era rico e todos o conheciam, acabava sendo poupado do tratamento com vareta metálica.

Sentamos junto ao muro do velho cemitério, à sombra do pé de romã. Dentro de um ou dois meses, tufos de mato amarelo e ressecado estariam cobrindo a colina, mas, este ano as chuvas da primavera duraram mais que de costume, penetrando pelo início do verão, e, com isso, a grama ainda estava toda verde, salpicada de flores do campo. Lá embaixo, via-se Wazir Akbar Khan, com as suas casas pintadas de branco e os telhados achatados brilhando ao sol, e as roupas penduradas na corda pelos quintais, que dançavam ao vento como borboletas.

Colhemos bem uma dúzia de romãs. Desdobrei a história que tinha trazido, virei a primeira página, mas, depois, pus as folhas no chão. Fiquei de pé e peguei uma romã já passada que tinha caído da árvore.

— O que você faria se eu desse com isso na sua cabeça? — perguntei, jogando o fruto nas mãos, para cima e para baixo.

O sorriso de Hassan desapareceu. Ele parecia mais velho do que eu imaginava. Aliás, mais velho não, *velho*. Seria possível? Linhas marcavam o seu rosto moreno, e vincos contornavam os seus olhos e a sua boca. Eu bem que poderia ter pegado uma faca e escavado ali aquelas linhas com as minhas próprias mãos.

— O que você faria? — repeti.

Hassan ficou sem cor. Perto dele, o vento soprava as folhas grampeadas da história que eu tinha prometido ler. Atirei a romã em cima dele. Ela bateu em cheio no seu peito com um jorro de polpa vermelha. O grito que ele deu estava cheio de surpresa e de dor.

— Bata em mim! — exclamei.

Hassan ficou olhando para a mancha no seu peito e para mim.

— Levante daí! Bata em mim! — disse eu.

Hassan levantou mesmo, mas ficou parado, atordoado como um homem que é arrastado para o oceano por uma onda repentina quando, minutos antes, estava passeando calmamente pela praia.

Atirei outra romã em cima dele; desta vez, no ombro. O suco espirrou em seu rosto.

— Revide! — exclamei. — Revide, seu maldito!

Queria mesmo que ele fizesse isso. Queria que me desse o castigo que eu estava pedindo. Talvez, assim, pudesse finalmente dormir de noite. Talvez, assim, as coisas pudessem voltar a ser como antes entre nós. Mas Hassan não fez nada e continuei atirando frutas nele sem parar.

— Você é um covarde! — gritei. — Apenas um maldito covarde!

Não sei quantas vezes o atingi. Tudo o que sei é que, quando finalmente parei, exausto e ofegante, Hassan estava todo lambuzado de vermelho, como se tivesse passado diante de um pelotão de fuzilamento. Caí de joelhos, cansado, sem forças, frustrado.

Foi então que Hassan apanhou uma romã e veio andando na minha direção. Abriu a fruta e a esmagou na própria testa.

— Pronto! — disse ele, com voz rouca, e com o suco vermelho escorrendo pelo rosto como se fosse sangue. — Está satisfeito agora? Está se sentindo melhor?

Depois, virou as costas e começou a descer a colina.

Deixei as lágrimas rolarem livremente e, de joelhos, fiquei balançando o corpo para frente e para trás.

— O que é que vou fazer com você, Hassan? O que é que vou fazer com você?

Quando as lágrimas secaram, porém, e comecei a me arrastar colina abaixo, já sabia qual a resposta para essa pergunta.

FIZ TREZE ANOS NO VERÃO DE 1976, o penúltimo de um Afeganistão de paz e anonimato. As coisas entre mim e *baba* já estavam esfriando novamente. Acho que tudo começou com aquele estúpido comentário que fiz no dia em que estávamos plantando tulipas, aquela história de contratar empregados novos. Me arrependi de ter dito aquilo — me arrependi de verdade —, mas acho que, mesmo que não tivesse dito nada, o nosso pequeno interlúdio de felicidade ia se acabar de qualquer jeito. Talvez não tão depressa assim, mas ia acabar. No final do verão, o barulho do garfo e da faca arranhando o prato tinha substituído as conversas à mesa, e meu pai tinha voltado a se retirar para o escritório depois do jantar. E a fechar a porta. Já eu recomecei a folhear Hafez e Khayyam, a roer as unhas quase até o sabugo, a escrever histórias. Guardava todas elas empilhadas debaixo da cama, deixando-as ali porque, afinal, nunca se sabe... Mas duvidava que *baba* algum dia voltasse a me pedir que lesse uma delas para ele.

O lema de meu pai sobre dar festas era o seguinte: convide o mundo inteiro, ou não será uma festa. Lembro de percorrer com os olhos a lista de convidados, uma semana antes da minha festa de aniversário, e não conseguir identificar pelo menos três quartos dos quatrocentos e tantos *kakas* e *khalas* que viriam me trazer presentes e me dar parabéns por estar completando treze anos de vida. Depois me dei conta de que não era exatamente por mim que toda aquela gente viria. O aniversário era meu, mas eu sabia muito bem quem era a verdadeira estrela daquele espetáculo.

Durante vários dias, a nossa casa foi um contínuo entra-e-sai de gente contratada por *baba*. Salahuddin, o açougueiro, veio trazendo um novilho e dois carneiros, e se recusou a receber pagamento por qualquer dos três animais. Ele próprio os abateu no quintal, perto de um choupo. "O sangue faz bem para a árvore", lembro de ter ouvido ele dizer enquanto a grama ao redor do choupo ia se tingindo de vermelho. Homens que eu não conhecia subiram nos carvalhos com rolos de fios cheios de lâmpadas e metros e metros de extensão. Outros armaram várias mesas pelo quintal, cobrindo cada uma delas com uma toalha. Na véspera da festança, Del-Muhammad, um amigo de meu pai que era dono de uma casa de *kabob* em Shar-e-Nau, veio trazendo sacos de especiarias. Como aconteceu com o açougueiro, Del-Muhammad — ou Dello, como *baba* o chamava — se recusou a ser pago pelos seus serviços. Disse que meu pai já tinha feito muito por sua família. Enquanto ele estava marinando as carnes, Rahim Khan cochichou em meu ouvido que foi *baba* quem emprestou o dinheiro para Dello abrir o seu restaurante. E se recusou a receber o pagamento da dívida até o dia em que Dello apareceu na entrada lá de casa, dirigindo uma Mercedes, e disse que só sairia dali depois que *baba* tivesse aceitado o tal dinheiro.

Sob vários aspectos — ou, pelo menos, aqueles a partir dos quais essas coisas são julgadas —, a festança do meu aniversário foi um tremendo sucesso. Nunca tinha visto a casa tão lotada. Convidados, com copos de bebida nas mãos, conversavam pelos corredores, fumavam pelas escadas, paravam recostados nas portas. Sentavam-se onde quer que encontrassem um lugar vazio, como as bancadas da cozinha, o saguão e até mesmo o vão da escada. No quintal dos fundos, amontoavam-se sob as luzes azuis, vermelhas e verdes das lâmpadas que pendiam das árvores, com os rostos iluminados pela claridade dos archotes de querosene espetados por todo canto. Meu pai tinha mandado armar um palco na varanda que dava para o jardim e vários alto-falantes foram instalados aqui e ali. No palco, Ahmad Zahir tocava harmônio e cantava diante de uma multidão de corpos dançantes.

Eu tinha de ir cumprimentar cada convidado pessoalmente. *Baba* fazia questão que fosse assim, pois, no dia seguinte, ninguém sairia por aí dizendo que ele não tinha sabido educar o filho. Beijei milhares de rostos, abracei gente inteiramente desconhecida, agradeci a todos pelos presentes que me davam. Meu rosto já estava doendo por causa do sorriso forçado.

A certa altura, estava parado com *baba* no quintal, perto do bar, quando ouvi alguém dizer "Feliz aniversário, Amir". Era Assef, acompanhado dos pais. O pai dele, Mahmud, era um sujeito baixo e magro, de pele morena e rosto afilado. A mãe, Tanya, era uma mulher miúda e agitada, que sorria demais e piscava demais. Assef estava ali, entre os dois, bem mais alto que ambos, sorrindo, com os braços passados nos ombros de um e de outro. Veio se aproximando de nós como se fosse *ele* que tivesse trazido *os pais* à festa; invertendo os papéis, como se aqueles dois fossem os seus filhos. Uma espécie de vertigem percorreu todo o meu corpo. *Baba* lhes agradeceu por terem vindo.

— Eu mesmo escolhi o seu presente — disse Assef. O rosto de Tanya se repuxou e seus olhos foram de Assef para mim. Sorriu, de um jeito nada convincente, e piscou. Fiquei me perguntando se meu pai teria notado.

— Continua jogando futebol, Assef *jan*? — perguntou *baba*. Ele sempre quis que Assef e eu fôssemos amigos.

Assef sorriu. Era assustador ver como conseguia fazer o seu sorriso parecer autêntico.

— Claro que sim, *kaka jan*.

— Ponta-direita, se bem me lembro?

— Na verdade, passei a jogar como centroavante esse ano — respondeu Assef. — A gente tem mais chance de fazer gols nessa posição. Na semana que vem vamos jogar com o Mekro-Rayan. Deve ser um jogo bem legal. Eles têm alguns bons jogadores.

Baba assentiu.

— Sabe que eu também joguei de centroavante quando era jovem?

— Aposto que ainda consegue jogar se quiser — disse Assef. E brindou meu pai com uma piscadela amigável.

Baba retribuiu a piscadela.

— Pelo que vejo, seu pai lhe ensinou as suas célebres táticas lisonjeiras — disse ele, dando uma cotovelada no pai de Assef e, por pouco, não derrubando o homenzinho no chão. O riso de Mahmud foi quase tão convincente quanto o sorriso de Tanya e, de repente, me passou pela cabeça a idéia de que, em certa medida, talvez o filho os amedrontasse. Tentei fingir que sorria, mas tudo o que consegui fazer foi erguer um pouquinho os cantos da boca. Meu estômago estava se revirando só de ver o meu pai todo enturmado com Assef.

Então, ele olhou para mim.

— Wali e Kamal também estão aqui. Não perderiam o seu aniversário por nada no mundo — disse ele com o riso escondido pouco abaixo da superfície.

Assenti em silêncio.

— Estamos pensando em organizar uma partida de vôlei lá em casa amanhã — prosseguiu ele. — Quem sabe você não vem? Se quiser, pode levar o Hassan.

— Parece divertido — disse *baba* radiante. — O que acha, Amir?

— Não gosto muito de vôlei — murmurei. Vi o brilho desaparecer dos olhos de meu pai, e um silêncio desconfortável se instalou entre nós.

— Sinto muito, Assef *jan* — disse *baba* dando de ombros. E aquilo doeu: meu pai, pedindo desculpas por mim.

— Imagine, não tem problema — retrucou Assef. — Mas o convite está de pé, Amir *jan*. De todo modo, ouvi dizer que gosta de ler e, por isso, trouxe um livro para você. Um dos meus favoritos. — E, estendendo um embrulho de presente, acrescentou: — Feliz aniversário.

Ele estava usando uma camisa de algodão e uma calça social azul, com uma gravata de seda vermelha e mocassins pretos bem engraxados. Cheirava a água-de-colônia, e o cabelo louro estava todo penteado para trás. Por fora, era a própria encarnação do sonho de todo pai: um garoto alto, forte, bem vestido e com boas maneiras, talentoso e de boa aparência, sem falar de sua habilidade para fazer brincadeiras com os adultos. Mas, para mim, eram os olhos que o traíam. Quando os fitava, a fachada desmoronava, deixando ver algo da loucura que se escondia ali atrás.

— Não vai pegar, Amir? — Ouvi *baba* perguntando.

— Hã?

— O seu presente — disse ele irritado. — Assef *jan* está lhe dando um presente.

— Ah, é claro — balbuciei.

Peguei o embrulho das mãos de Assef e baixei os olhos. Adoraria estar sozinho no meu quarto, com os meus livros, longe de toda essa gente.

— Bem? — indagou *baba*.

— O quê?

E, aí, ele falou bem baixinho, como sempre fazia quando eu o deixava embaraçado em público.

— Não vai agradecer a Assef *jan*? Foi muita consideração da parte dele.

Queria que *baba* parasse de se referir a ele desse jeito. Quantas vezes tinha me chamado de "Amir *jan*"?

— Obrigado — disse eu.

A mãe de Assef me olhou como se quisesse me dizer algo, mas não fez nada, e foi só nesse momento que me dei conta de que os pais de Assef não tinham dito uma palavra sequer. Antes que pudesse ficar mais sem jeito e deixar meu pai ainda mais embaraçado — mas principalmente para me livrar de Assef e do seu sorriso —, fui embora dali.

— Obrigado por terem vindo — disse eu.

Fui me esgueirando por entre aquele monte de convidados e saí pelo portão de ferro fundido. Duas casas adiante, havia um grande terreno baldio. Ouvi *baba* dizer a Rahim Khan que um juiz tinha comprado aquele lote e um arquiteto já estava trabalhando no projeto. Mas, por enquanto, o terreno estava vazio, a não ser pela lama, pelas pedras e pelo mato.

Rasguei o papel que embrulhava o presente de Assef e espiei a capa do livro à luz da lua. Era uma biografia de Hitler. Atirei aquilo em uma moita.

Encostei no muro do vizinho e fui escorregando até o chão. Fiquei sentado ali por algum tempo, apertando os joelhos junto ao peito, olhando para as estrelas, esperando a noite acabar.

— Você não deveria estar recebendo os convidados? — perguntou uma voz familiar. Era Rahim Khan que vinha caminhando pela calçada até onde eu estava.

— Ninguém precisa de mim para isso. Esqueceu que *baba* está lá? — disse eu.

O gelo no copo de Rahim Khan tilintou quando ele se sentou ao meu lado.

— Não sabia que você bebia — acrescentei.

— Pois bebo — respondeu ele. E me deu uma cutucada de brincadeira. — Mas só em ocasiões muito especiais.

— Obrigado — disse eu, sorrindo.

Ergueu o copo na minha direção e tomou um gole. Acendeu um cigarro, um daqueles cigarros paquistaneses sem filtro que *baba* e ele estavam sempre fumando.

— Já lhe contei que quase me casei certa vez?

— Verdade? — indaguei eu, meio divertido com a idéia de Rahim Khan se casando. Sempre pensei nele como o *alter ego* caladão de meu pai, como o meu mentor em termos de escrita, o meu amigo, alguém que nunca esquecia de me trazer uma lembrança, um *saughat*, quando voltava de uma viagem ao exterior. Mas como marido? Como pai?

— Verdade — disse ele. — Eu tinha dezoito anos. Ela se chamava Homaira. Era uma hazara, filha dos empregados dos nossos vizinhos. Era linda como uma *pari*, com cabelos castanho-claros, grandes olhos cor de avelã... e tinha aquele riso... Ainda posso ouvi-lo de vez em quando. — Ficou brincando com o copo. — Nós nos encontrávamos às escondidas, na plantação de macieiras de meu pai, sempre depois da meia-noite, quando todos já tinham ido dormir. Passeávamos sob as árvores e eu segurava a sua mão... Estou deixando você sem jeito, Amir *jan*?

— Um pouco — respondi.

— Mas pode deixar que não vai morrer por isso... — disse ele, dando outra tragada no cigarro. — E tínhamos um sonho. Faríamos uma grande festa de casamento, convidando todos os amigos e parentes, desde Cabul até Kandahar. Eu compraria uma casa bem grande para nós dois, com amplas janelas e um pátio azulejado. Plantaríamos árvores frutíferas no jardim e cultivaríamos todo tipo de flores, e teríamos também um gramado para os nossos filhos poderem brincar. Às sextas-feiras, depois da *namaz* na mesquita, todo mundo viria almoçar lá em casa, e comeríamos no jardim, debaixo das cerejeiras, bebendo água fresca tirada do poço. Depois, tomaríamos chá com docinhos, vendo os nossos filhos brincarem com os primos...

Tomou um longo gole de uísque. Tossiu.

— Devia ter visto a cara de meu pai quando toquei no assunto com ele. Minha mãe chegou até mesmo a desmaiar. Minhas irmãs tiveram que jogar água em seu rosto. Começaram a abaná-la e ficaram me olhando como se eu tivesse lhe cortado a garganta. Antes que meu pai pudesse detê-lo, meu irmão Jalal já tinha ido apanhar o rifle de caça. — Rahim Khan deu uma risada amarga. — Éramos Homaira e eu contra o mundo inteiro. E ouça o que lhe digo, Amir *jan*: no final, o mundo sempre sai ganhando. As coisas são assim, pura e simplesmente...

— Mas o que foi que aconteceu?

— Naquele mesmo dia, meu pai pôs Homaira e sua família em um lotação, e os mandou embora para Hazarajat. Nunca mais voltei a vê-la.

— Puxa, sinto muito — disse eu.

— Provavelmente, foi melhor assim — retrucou Rahim Khan dando de ombros. — Ela teria sofrido. Minha família jamais a aceitaria como uma de nós. Você não pode mandar alguém engraxar os seus sapatos em um dia e, no dia seguinte, passar a chamar essa pessoa de "irmã" — prosseguiu ele, e, virando-se para mim, acrescentou: — Sabe, Amir *jan*, pode me contar o que quiser. Quando quiser.

— Sei disso — respondi meio hesitante.

Ele ficou me olhando por um bom tempo, como se estivesse esperando alguma coisa, com os olhos negros e profundos sugerindo a existência de um segredo tácito entre nós. Por um instante, estive a ponto de falar mesmo. Quase lhe contei tudo. Mas o que ele ia pensar de mim? Ia me odiar, e com toda razão.

— Tome — disse ele entregando-me algo. — Já estava quase me esquecendo. Feliz aniversário.

Era um caderno com uma capa de couro marrom. Passei os dedos pelos pespontos dourados que acompanhavam suas bordas. Senti o cheiro do couro.

— É para as suas histórias — acrescentou ele.

Ia abrir a boca para agradecer quando ouvimos um estrondo e explosões de luz iluminaram o céu.

— Fogos de artifício!

Voltamos correndo para casa e vimos todos os convidados de pé no quintal, olhando para o céu. As crianças berravam e gritavam a cada estrondo e a cada assobio. As pessoas explodiam em aplausos cada vez que um foguete chiava e estourava em buquês de fogo.

A intervalos de poucos segundos, o quintal se iluminava com clarões vermelhos, verdes e amarelos.

Em um desses momentos, vi algo que nunca vou esquecer: Hassan servindo bebidas a Assef e Wali, em uma bandeja de prata. A luz se apagou. Depois, novo chiado e novo estrondo, trazendo outro clarão de luz alaranjada: Assef estava rindo, batendo no peito de Hassan com o punho cerrado.

E então voltou a bendita escuridão.

NOVE

Na manhã seguinte, sentado no meio do quarto, fui abrindo os pacotes de presentes, um atrás do outro. Não sei por que me dei o trabalho de fazer isso, já que só passava os olhos em cada um deles, sem o menor entusiasmo, antes de empilhar tudo em um canto. A pilha ia aumentando: uma câmera Polaroid, um rádio transistor, um trem elétrico cheio de nove-horas — e muitos envelopes fechados contendo dinheiro. Sabia que nunca ia gastar aquele dinheiro ou ouvir aquele rádio, e o trem elétrico jamais circularia pelos trilhos no chão do meu quarto. Não queria nada daquilo — era tudo dinheiro sujo. *Baba* jamais teria feito uma festa daquelas para mim se eu não tivesse ganhado o campeonato.

Ele me deu dois presentes. Um deles certamente ia deixar todas as crianças do bairro morrendo de inveja: uma Schwinn Stingray novinha em folha, a rainha das bicicletas. Só uns poucos garotos em toda Cabul tinham uma Stingray nova e, agora, eu era um deles. Ela tinha o guidom bem alto, com punhos de borracha pretos, e o célebre selim em forma de banana. Os raios das rodas eram dourados e a estrutura metálica do quadro, vermelha, como uma maçã do amor. Ou como sangue. Qualquer outro garoto teria montado imediatamente naquela bicicleta e saído para dar uma volta no quarteirão. Eu teria feito a mesma coisa alguns meses atrás.

— E aí, gostou? — perguntou meu pai, recostado na porta do meu quarto. Respondi com um sorriso acanhado e um rápido "Obrigado". Adoraria ter podido demonstrar um pouco mais de entusiasmo.

— Que tal sairmos para dar uma volta? — disse *baba*. Aquilo era um convite, mas não muito animado.

— Mais tarde, talvez. Agora estou um pouco cansado — respondi.

— Claro — disse ele.

— *Baba?*

— O que foi?

— Obrigado pelos fogos de artifício — disse eu. Era um agradecimento, mas não muito animado.

— Vá descansar um pouco — respondeu ele, dirigindo-se para o seu quarto.

O outro presente que meu pai me deu — e este, ele não ficou rondando para me ver abrir — foi um relógio de pulso. Tinha um mostrador azul com ponteiros de ouro em forma de relâmpagos. Esse aí eu nem experimentei. Botei lá na pilha de brinquedos no canto do quarto. Só o caderno de couro que Rahim Khan me deu não foi parar naquela pilha de presentes. Era o único que eu não sentia como sendo dinheiro sujo.

Sentei na beirada da cama, virei e revirei o caderno nas mãos, lembrei de Rahim Khan falando de Homaira, dizendo que, afinal de contas, aquela história de seu pai ter mandado ela embora pode ter sido a melhor solução. "Ela teria sofrido", disse ele. Como nas vezes em que o projetor de *kaka* Homayoun emperrava em um *slide*, a mesma imagem ficava aparecendo sem parar na minha mente: Hassan, cabisbaixo, servindo bebidas a Assef e Wali. Talvez fosse mesmo o melhor a fazer. Diminuir o seu sofrimento. E o meu também. Seja como for, uma coisa estava bem clara: um de nós dois tinha que ir embora.

No final daquela tarde, levei a Schwinn para a sua primeira e última saída. Dei umas duas voltas no quarteirão e voltei para casa. Fui até o quintal dos fundos, onde Hassan e Ali estavam limpando a sujeira da festa da noite anterior. Copos de papel, guardanapos amarrotados e garrafas de refrigerante vazias estavam espalhados por todo canto. Ali estava dobrando as cadeiras e botando todas elas encostadas no muro. Quando me viu, acenou com a mão.

— *Salaam*, Ali — disse eu, acenando também.

Ele ergueu um dedo, fazendo sinal para eu esperar um pouco, e foi até a casinha onde morava. Logo depois saiu de lá com alguma coisa nas mãos.

— Ontem à noite, Hassan e eu não tivemos oportunidade de lhe dar isso — disse ele me entregando um embrulho. — É coisa simples e não é um presente digno de você, Amir *agha*. Mesmo assim, esperamos que goste. Feliz aniversário.

Comecei a sentir um nó na garganta.

— Obrigado, Ali — murmurei.

Adoraria que não tivessem comprado nada para mim. Abri o embrulho e vi um *Shahnamah* novinho em folha, encadernado, com ilustrações acetinadas abaixo das passagens. Em uma delas, Ferangis fitava o filho recém-nascido, Kai Khosrau. Noutra, via-se Afrasiyab montado em seu cavalo, espada em punho, à frente de seu exército. E, é claro, Rostam ferindo mortalmente seu filho, o guerreiro Sohrab.

— É lindo! — exclamei.

— Hassan disse que o seu está velho e meio rasgado, e que estão até faltando algumas páginas — prosseguiu Ali. — Neste aqui, todas as gravuras são feitas à mão, a bico-de-pena — acrescentou ele, todo orgulhoso, olhando para aquele livro que nem ele nem o filho eram capazes de ler.

— É maravilhoso! — disse eu.

Era mesmo. E desconfiava que não devia ter sido nada barato. Quis dizer a Ali que não era o livro que era indigno, mas *eu* mesmo. Montei outra vez na bicicleta.

— Agradeça a Hassan por mim — disse.

Acabei deixando o livro na pilha de presentes do canto do quarto. Mas não conseguia tirar os olhos dele. Decidi, então, escondê-lo debaixo de tudo. Naquela noite, antes de ir dormir, perguntei a *baba* se ele tinha visto o meu relógio novo em algum lugar.

Na manhã seguinte, fiquei esperando no quarto até que Ali tivesse acabado de tirar a mesa do café na cozinha. Esperei que terminasse de lavar a louça e secar a bancada. Fiquei na janela para ver quando ele e Hassan sairiam para fazer as compras no *bazaar*, empurrando o carrinho vazio.

Então, fui até a pilha de presentes e peguei alguns envelopes com dinheiro e o meu relógio de pulso. Saí do quarto pé ante pé. Parei diante da porta do escritório de meu pai e fiquei à escuta. Ele tinha passado a manhã toda ali dentro, dando uns telefonemas. Nesse momento, estava falando com alguém sobre um carregamento de tapetes que devia chegar na próxima semana. Desci a escada, atravessei o quintal e entrei na casa de Ali e Hassan, perto da nespereira. Levantei o colchão de Hassan e pus ali debaixo o meu relógio novo e um punhado de notas de afeganes.

Esperei mais uma meia hora. Depois, bati à porta do escritório e disse o que esperava que fosse a última de uma longa lista de mentiras vergonhosas.

Pela janela do meu quarto, vi Ali e Hassan empurrando o carrinho carregado de carne, *naan*, frutas e legumes pela alameda de entrada. Vi meu pai saindo de casa e caminhando para ir ao encontro deles. Vi suas bocas se mexendo, dizendo palavras que eu não conseguia ouvir. *Baba* apontou para a casa e Ali assentiu com um gesto de cabeça. Separaram-se. *Baba* entrou em casa novamente enquanto Ali seguia Hassan até a cabana do quintal.

Minutos depois, meu pai veio bater à porta do meu quarto.

— Venha até o meu escritório — disse ele. — Vamos sentar e resolver essa história de uma vez.

Fui para o escritório e sentei em um dos sofás de couro. Em meia hora, ou mais, Hassan e Ali vieram ao nosso encontro.

AMBOS TINHAM CHORADO; PODIA VER isso por causa dos seus olhos vermelhos e inchados. Pararam diante de *baba*, de mãos dadas, e fiquei me perguntando como e quando eu tinha me tornado capaz de provocar tamanha dor.

Meu pai foi direto ao assunto:

— Você roubou esse dinheiro? Roubou o relógio de Amir, Hassan? — perguntou ele.

A resposta foi uma única palavra, dita em voz baixa e rouca:

— Roubei.

Tomei um susto. Foi como se tivessem me dado uma bofetada. Senti o coração apertado e quase deixei escapar a verdade. Depois, compreendi: aquele era o sacrifício final que Hassan fazia por mim. Se ele tivesse dito não, *baba* teria acreditado, porque todos nós sabíamos que Hassan não mentia nunca. E, se *baba* acreditasse nele, eu é que seria acusado. Teria que dar explicações e todos ficariam sabendo quem eu realmente era. Meu pai jamais poderia me perdoar. E, com isso, pude compreender outra coisa também: Hassan sabia. Sabia que eu tinha visto tudo o que aconteceu naquele beco; sabia que eu estava parado lá e não tinha feito nada. Sabia que tinha sido traído e estava me salvando mais uma vez; a última, quem sabe. Naquele momento, eu o amei; mais do que jamais amei qualquer outra pessoa, e quis dizer a todos que *eu* é que era a serpente oculta na grama, o monstro no fundo do lago. Não merecia aquele sacrifício; era um mentiroso, um impostor, e um ladrão. E teria feito isso mesmo, se não fosse o fato de uma parte de mim estar feliz. Feliz porque logo, logo tudo aquilo estaria terminado. Meu pai os mandaria embora; haveria algum sofrimento, mas a vida poderia continuar. Era isso que eu queria: seguir em frente, esquecer, começar uma vida nova. Queria ter condições de respirar novamente.

Só que *baba* me deixou atônito ao dizer "Eu o perdôo".

Como, *perdoar*? Mas roubar não era o único pecado que não tinha perdão; o denominador comum entre todos os pecados? "Quando você mata um homem, está roubando uma vida. Está roubando da esposa o direito de ter um marido, roubando dos filhos um pai. Quando mente, está roubando de alguém o direito de saber a verdade. Quando trapaceia, está roubando o direito à justiça. Não há ato mais infame do que roubar." *Baba* não tinha me posto no colo e dito essas palavras? Como, então, podia simplesmente perdoar Hassan? E se podia perdoar isso, por que, então, não podia me perdoar por não ser o filho que ele sempre quis ter? Por que...

— Estamos indo embora, *agha sahib* — disse Ali.

— O quê? — exclamou *baba* empalidecendo.

— Não podemos continuar morando aqui — acrescentou Ali.

— Mas eu o perdoei, Ali. Você não ouviu?

— É impossível para nós continuar vivendo aqui, *agha sahib*. Estamos indo embora.

Ali chegou mais perto de Hassan, passando o braço nos ombros do filho. Era um gesto protetor e eu bem sabia de quem ele o estava protegendo. Olhou para mim e, por aquele olhar frio e que não podia perdoar, fiquei sabendo que Hassan tinha lhe contado tudo. Tinha lhe contado o que Assef e seus amigos fizeram com ele; tinha lhe contado sobre a pipa e sobre mim. Era esquisito, mas fiquei feliz vendo que alguém sabia exatamente quem eu era. Já estava cansado de fingir.

— Não me importo com o dinheiro, nem com o relógio — disse *baba*, com os braços abertos, as palmas das mãos voltadas para cima.

— Não entendo por que você está fazendo isso... O que significa "impossível"?

— Lamento muito, *agha sahib*, mas já arrumamos as nossas coisas. Nossa decisão está tomada.

Meu pai ficou parado e um lampejo de dor percorreu o seu rosto.

— Não cuidei para que nunca lhes faltasse nada, Ali? Não fui sempre bom com você e com Hassan? Você é o irmão que nunca tive, Ali, e sabe disso. Por favor, não faça isso comigo.

— Não torne as coisas ainda mais difíceis, *agha sahib* — disse Ali.

Sua boca se contorceu e, por um momento, achei que fosse uma careta. Foi então que compreendi todo o alcance da dor que eu estava causando, a profundidade da tristeza que estava fazendo todos eles sentirem, pois nem o rosto paralisado de Ali tinha sido capaz de esconder aquele sentimento. Fiz um esforço e olhei para Hassan, mas ele estava de cabeça baixa, ombros encurvados, torcendo e retorcendo um fio solto na bainha da sua camisa.

Baba agora pedia:

— Mas, pelo menos, me diga por quê. Preciso saber!

Ali não contou nada, como também não tinha protestado quando Hassan confessou ter roubado. Nunca saberei exatamente por quê, mas podia imaginar os dois chorando naquele casebre escuro, Hassan pedindo a ele que não me entregasse. Mas não era capaz de imaginar o esforço que Ali deve ter sido obrigado a fazer para cumprir uma promessa como essa.

— Pode nos levar até a rodoviária?

— Você está proibido de fazer isso! — gritou meu pai. — Proibido! Ouviu bem?

— Com todo respeito, *agha sahib*, o senhor não pode me proibir nada — retrucou Ali. — Já não trabalhamos mais aqui.

— E para onde vão? — indagou *baba* com a voz embargada.

— Para Hazarajat.

— Para a casa do seu primo?

— Isso mesmo. Pode nos levar até a rodoviária, *agha sahib*?

Então vi *baba* fazer uma coisa que nunca tinha visto antes: chorar. Fiquei um pouco assustado vendo um adulto soluçar assim. Afinal, pais não choram...

— Por favor... — insistia ele, mas Ali já estava se encaminhando para a porta, com Hassan em seu encalço. Nunca vou me esquecer do jeito de *baba* ao dizer aquilo; da dor, do medo que havia em seu pedido.

EM CABUL É RARO CHOVER NO VERÃO. Em geral, o que se vê é o céu azul, bem lá no alto, e o sol como ferro em brasa a nos queimar a nuca. Os regatos onde Hassan e eu jogávamos pedrinhas durante toda a primavera secavam, e os riquixás levantavam poeira do chão ao passar pelas ruas. As pessoas iam à mesquita fazer as dez *raka'ts* do meio-dia e, depois, tratavam de se recolher onde quer que houvesse alguma sombra, para fazer a sesta e esperar que o tempo começasse a refrescar mais para o fim da tarde. O verão significava longos dias suarentos na escola, dentro das salas lotadas e pouco arejadas, aprendendo a recitar *ayats* do Corão, lutando com aquelas exóticas palavras do árabe que eram de dar nó na língua. Significava apanhar moscas com a mão enquanto o mulá prosseguia com sua lengalenga e o vento quente trazia o cheiro de merda das latrinas que ficavam do outro lado do pátio, além de levantar poeira em torno da mísera cesta de basquete fincada no chão de terra.

Mas choveu na tarde em que meu pai levou Ali e Hassan até a rodoviária. Com trovoadas e tudo. E o céu se tingiu de cinza-chumbo. Em poucos minutos, desceu uma verdadeira cortina de chuva e, nos meus ouvidos, só havia o ruído contínuo da água que caía.

Baba se ofereceu para levá-los até Bamiyan, mas Ali recusou. Pela vidraça turva e encharcada da janela do meu quarto, eu o vi carregando a única mala que continha todos os seus pertences, levando-a até o carro de *baba*, que estava parado esperando do lado de fora do portão. Hassan ia levando nas costas os colchões enrolados e amarrados com uma corda. Tinha deixado todos os seus brinquedos no casebre vazio — foi o que descobri no dia seguinte —, empilhados em um canto exatamente como eu tinha feito com os presentes de aniversário no meu quarto.

Grossas gotas de chuva escorriam pela vidraça. Vi meu pai fechar o porta-malas. Já encharcado, dirigiu-se para o lugar do motorista. Encostou-se no carro e disse algo a Ali, que estava no banco de trás, talvez um último esforço desesperado para fazê-lo mudar de idéia. Conversaram assim por um instante, *baba* ficando cada vez mais ensopado, pingando, com um braço apoiado na capota. Quando se reergueu, porém, vi naqueles ombros encurvados que a vida que eu conhecia desde que nasci tinha terminado. Ele entrou no carro. Os faróis se acenderam, lançando dois fachos de luz através da chuva. Se fosse um daqueles filmes indianos que Hassan e eu víamos juntos, eu agora correria lá para fora, com os pés descalços chapinhando no chão molhado. Iria atrás do carro, gritando para que parassem. Tiraria Hassan do banco de trás e lhe diria que sentia muito, muito mesmo, e as minhas lágrimas se misturariam à chuva que caía. Ficaríamos ali, abraçados, debaixo daquele aguaceiro. Mas aquilo não era um filme indiano. Estava mesmo arrependido, mas não chorei, nem saí correndo atrás deles. Vi o carro de meu pai se afastar, levando consigo aquela pessoa para quem a primeira palavra pronunciada, ao aprender a falar, foi o meu nome. Ainda vi de relance, pela última vez, o vulto de Hassan afundado no banco de trás, antes que o carro dobrasse à esquerda naquela esquina onde tantas vezes tínhamos jogado bolas de gude.

Me afastei da janela e tudo o que vi então foi a chuva caindo pelas vidraças, que mais pareciam prata derretida.

DEZ

QUEM SE SENTOU DIANTE DE NÓS FOI UMA MOÇA. Estava usando um vestido verde-oliva e tinha a cabeça coberta por um xale preto bem enrolado em volta do rosto para se proteger da friagem da noite. Começava a rezar cada vez que o caminhão sacolejava ou passava por um buraco na estrada, exclamando *"Bismillah!"* a cada tranco ou solavanco do veículo. O marido, um homem forte, de calças largas e turbante azul-celeste, embalava um bebê com um dos braços e, com a mão livre, ia desfiando as contas de oração. Os seus lábios se moviam em uma prece silenciosa. Havia outros passageiros, uns dez ao todo, entre os quais meu pai e eu, sentados ali dentro, com a mala entre as pernas, apinhados entre essa gente estranha, debaixo da coberta de lona da carroceria de um velho caminhão russo.

Minhas entranhas já vinham se contorcendo desde que deixamos Cabul, pouco depois das duas da manhã. *Baba* nunca diria uma coisa dessas, mas eu tinha certeza que considerava os meus enjôos em viagens como mais uma das minhas tantas fraquezas — percebi isso pela cara constrangida que fez nas vezes em que o meu estômago se contraiu de tal forma que cheguei a gemer. Quando o sujeito forte com as contas de oração — o marido da mulher que rezava — perguntou se eu estava ficando enjoado, respondi que achava que sim. *Baba* olhou para o outro lado. O homem levantou uma ponta da lona e bateu na janela do motorista, pedindo-lhe que parasse. Mas o motorista, Karim, um moreno magricela com cara de falcão e um bigodinho fino como um lápis, fez que não com a cabeça.

— Estamos perto demais de Cabul — respondeu ele. — Diga-lhe para segurar o estômago.

Meu pai resmungou alguma coisa bem baixinho. Quis lhe dizer que sentia muito, mas, de repente, a minha boca ficou cheia de água e, lá do fundo da garganta, começou a subir um gosto de bile. Virei de costas, ergui a lona e vomitei pela lateral do caminhão em movimento. Atrás de mim, *baba* pedia desculpas aos outros passageiros. Como se ficar enjoado fosse um crime. Como se alguém de dezoito anos não pudesse mais ficar enjoado. Vomitei ainda duas vezes até que Karim concordou em parar, principalmente para evitar que eu empesteasse o caminhão, seu instrumento de trabalho. Karim era um contrabandista de gente — nessa época, um negócio bastante lucrativo —, transportando pessoas que saíam da Cabul ocupada pelos *shorawi* e deixando-as em relativa segurança no Paquistão. Estava nos levando para Jalalabad, que fica a cerca de cento e setenta quilômetros a sudeste de Cabul, e onde o seu irmão, Toor, que tinha um caminhão bem maior, estava esperando, com um segundo comboio de refugiados, para nos conduzir através do Passo Khyber até a cidade de Peshawar.

Estávamos a alguns quilômetros a oeste das cataratas Mahipar quando Karim encostou na lateral da estrada. Mahipar — que significa "peixe voador" — é um pico elevado, com um desfiladeiro que domina a barragem da hidrelétrica construída pelos alemães em 1967. *Baba* e eu tínhamos vindo de carro até essa montanha milhares de vezes, quando íamos para Jalalabad, a cidade dos ciprestes e das plantações de cana-de-açúcar onde os afegãos costumam ir passar as férias de inverno.

Pulei da traseira do caminhão e fui cambaleando para o acostamento da estrada. Minha boca ficou cheia de água, sinal da ânsia de vômito que estava por vir. Mal e mal, consegui chegar à beira do penhasco que dominava o vale profundo agora oculto pela escuridão. Inclinado para frente, com as mãos nos joelhos, fiquei esperando pela bile. Em algum lugar, um galho de árvore estalou, uma coruja piou. Um vento frio e brando balançava os arbustos espalhados pelo barranco, fazendo farfalhar a sua folhagem. E, lá do fundo, subia o ruído distante da água que rolava pelo vale.

Parado ali na beira da estrada, lembrei de como tínhamos deixado a casa onde passei a vida toda, como se estivéssemos saindo para comer alguma coisa: pratos sujos de *kofta* empilhados na pia da cozinha; roupas na cesta de vime que ficava no saguão; camas por fazer; os ternos de *baba* pendurados nos cabides. As tapeçarias continuavam nas paredes da sala de visitas e os livros de minha mãe ainda estavam amontoados nas estantes do escritório de *baba*. Os vestígios da nossa fuga eram bastante sutis: o retrato do casamento de meus pais tinha desaparecido, bem como a velha foto desbotada de meu avô, com o rei Nader Shah, de pé, junto do veado morto. Faltavam algumas peças de roupas nos armários. O caderno de couro que Rahim Khan tinha me dado cinco anos antes também sumiu.

Pela manhã, Jalaluddin — nosso sétimo empregado em cinco anos — com certeza ia pensar que tínhamos saído para dar uma volta. Não contamos nada para ele. Já não se podia confiar em mais ninguém em Cabul: em troca de dinheiro, ou sob ameaça, todo mundo entregava todo mundo, vizinhos delatavam vizinhos, filhos delatavam pais, irmão entregava irmão, empregado entregava patrão, amigo entregava amigo. Lembrei do cantor Ahmad Zahir, que tinha tocado harmônio na festa do meu aniversário de treze anos. Ele saiu de carro com uns amigos e, mais tarde, alguém encontrou o seu corpo na beira da estrada, com uma bala na nuca. Os *rafiqs*, os camaradas, estavam por toda parte e tinham dividido Cabul em dois grupos: aqueles que bisbilhotavam a vida alheia e aqueles que não faziam isso. O problema era que ninguém sabia quem pertencia a qual desses grupos. Um comentário qualquer, feito para o alfaiate enquanto se experimenta um terno, podia levá-lo ao calabouço do Poleh-Charkhi.

Reclame do toque de recolher, em uma conversa com o açougueiro e, quando der por si, estará atrás das grades, de cara para o cano de um Kalashnikov. Até mesmo durante o jantar, na privacidade das suas casas, as pessoas tinham que pensar muito antes de falar, pois os *rafiqs* estavam também nas salas de aula, ensinando as crianças a espionar os próprios pais, dizendo-lhes a que tipo de assunto deviam prestar atenção e a quem ir contar o que sabiam.

O que é que eu estava fazendo naquela estrada, no meio da noite? Devia estar na cama, debaixo das minhas cobertas, tendo, ao meu lado, um livro cheio de páginas com as pontas dobradas. Isso tinha de ser um sonho. Só podia ser. Quando acordasse, amanhã de manhã, chegaria na janela e não haveria nenhum soldado russo de cara amarrada patrulhando as calçadas, nem tanques circulando para cima e para baixo pelas ruas da minha cidade, com aquelas torres girando feito dedos acusadores; não haveria escombros, nem toque de recolher, nem veículos do exército russo rodando pelos mercados e transportando militares de um lado para o outro. Ouvi então, às minhas costas, *baba* e Karim conversando, entre uma tragada e outra, sobre as providências a serem tomadas em Jalalabad. Karim garantia que o seu irmão tinha um caminhão bem grande, "excelente, de primeiríssima qualidade", e que a viagem até Peshawar seria coisa absolutamente corriqueira.

— Ele pode levar vocês até lá de olhos fechados — afirmou Karim.

Continuou dizendo que ele e o irmão conheciam os soldados russos e afegãos que trabalhavam nos postos de controle, e que tinham feito um trato "lucrativo para ambas as partes". Não era sonho. De repente, como se obedecendo a uma deixa, o ruído estridente de um MiG passando sobre nossas cabeças se fez ouvir. Karim jogou o cigarro fora e tirou um revólver da cintura. Apontou a arma para o céu, fez gestos como se estivesse atirando, cuspiu e xingou o avião russo.

Pensei em Hassan e me perguntei onde estaria. Aconteceu então o inevitável. Vomitei em uma moita e o barulho que fiz foi abafado pelo ruído ensurdecedor do MiG.

ENCOSTAMOS NO POSTO DE CONTROLE de Mahipar vinte minutos mais tarde. Nosso motorista desligou o motor do caminhão e desceu para cumprimentar as vozes que se aproximavam. Pés esmagavam casca-lho. Disseram-se algumas palavras, breves e sussurradas. Surgiu a luz de um isqueiro. "*Spassiba*."

Novamente o isqueiro. Alguém riu, um riso estridente que me as-sustou. A mão de *baba* se apoiou com força na minha coxa. O homem que ria começou a cantar, uma versão um tanto incompreensível e desafinada de uma velha cantiga de casamento afegã, entoada com forte sotaque russo:

Ahesta boro, Mah-e-man, ahesta boro.

Vá devagar, minha linda lua, vá devagar.

Saltos de botas ressoaram no asfalto. Alguém entreabriu a lona que cobria a carroceria do caminhão e pudemos ver três rostos. Um deles era Karim, os outros dois eram soldados, um afegão, o outro, um russo sorridente, com cara de buldogue e um cigarro pendendo do canto da boca. Atrás deles, uma lua esbranquiçada suspensa lá no céu. Karim e o soldado afegão trocaram algumas palavras em *pashtu*. Consegui entender pouca coisa — algo sobre Toor e o seu azar. O soldado russo meteu a cabeça na traseira do caminhão. Continuava cantarolando aquela cantiga e tamborilava na borda da carroceria. Mesmo com a pálida luz da lua, pude ver o olhar um tanto baço que lançava a cada um dos passageiros. Apesar do frio, o suor lhe escorria pela testa. Os seus olhos se detiveram na mulher que usava o xale preto. Disse algo em russo a Karim, sem deixar de fitá-la. Karim lhe deu uma resposta curta, em russo, e ele replicou de modo mais breve ainda. O soldado afegão também disse alguma coisa, em voz baixa, parecendo ponderar. Mas o russo gritou algo que fez os dois outros homens estremecerem. Pude sentir que meu pai se chegava mais para perto de mim. Karim pigarreou e baixou a cabeça. Disse que o soldado queria meia hora com a mulher, ali na traseira do caminhão.

A moça cobriu o rosto com o xale e caiu em prantos. O garotinho sentado no colo do pai também começou a chorar. O rosto do marido ficou tão pálido quanto a lua lá no alto. Pediu então a Karim que falasse com o "Senhor Soldado *sahib*" para que tivesse um pouco de compaixão; quem sabe não tinha uma irmã ou mãe; talvez até uma esposa. O russo ouviu o que Karim lhe disse e berrou um monte de palavras.

— É o preço que ele está pedindo para nos deixar passar — disse Karim, que não conseguia ter forças para olhar o marido da moça nos olhos.

— Mas já pagamos um preço bem razoável. Ele está levando um bom dinheiro nisso — retrucou o marido.

Karim e o russo falaram ainda um pouco mais.

· — Ele está dizendo... está dizendo que todo preço inclui um imposto.

Foi quando meu pai fez menção de se levantar. E, agora, era minha vez de segurar a sua perna. Mas ele tirou a minha mão, conseguindo se desvencilhar. Quando ficou de pé, encobriu a luz da lua.

— Quero que pergunte uma coisa a esse homem — disse ele, dirigindo-se a Karim, mas olhando diretamente para o oficial russo. — Pergunte a ele se não tem vergonha na cara.

Os dois se falaram.

— Ele disse que isso é uma guerra. Não há vergonha na guerra.

— Pois diga-lhe que ele está redondamente enganado. A guerra não nega a decência. Pelo contrário, *exige* isso, muito mais que os tempos de paz.

"Você precisa ser sempre o herói?", pensei eu com o coração aos pulos. "Não pode deixar as coisas correrem soltas, ao menos uma vez na vida?" Mas sabia que não; uma atitude como essa não estava em sua natureza. O problema é que a sua natureza ia fazer com que fôssemos todos mortos.

O soldado russo disse algo a Karim, com um sorriso retorcendo os seus lábios.

— *Agha sahib* — disse Karim —, esses *roussi* não são como a gente. Não têm a mínima idéia do que seja respeito, honra.

— O que foi que ele disse?

— Que vai ter tanto prazer em lhe meter uma bala quanto em...

Karim se afastou, mas fez um aceno com a cabeça para a moça que tinha deixado o soldado tão interessado. O russo jogou fora o cigarro inacabado e sacou o revólver. "Então é aqui que *baba* vai morrer?", pensei eu. "Vai ser desse jeito." Mentalmente, comecei a rezar uma oração que tinha aprendido no colégio.

— Diga-lhe que vai ter que me dar milhares de tiros para que eu permita que uma indecência como essas aconteça — disse meu pai.

A minha cabeça reviveu aquele dia de inverno, há seis anos. Eu, parado na esquina do beco, espiando. Kamal e Wali mantendo Hassan deitado no chão. Os músculos do traseiro de Assef se contraindo e relaxando, os seus quadris se movendo para frente e para trás. Que grande herói eu tinha sido, só porque estava louco para ter aquela pipa! Às vezes eu também me perguntava se era mesmo filho daquele homem.

O russo com cara de buldogue ergueu o revólver.

— *Baba*, por favor, sente-se — disse eu, puxando-o pela manga da camisa. — Acho que esse sujeito pretende mesmo atirar em você.

Ele, porém, afastou a minha mão.

— Não lhe ensinei nada? — exclamou. E, voltando-se para o soldado sorridente: — Diga-lhe que é melhor ele me matar com o primeiro tiro. Porque, se eu não morrer, vou picá-lo em pedacinhos. Maldito seja o seu pai!

O sorriso do soldado russo não diminuiu em momento algum enquanto ouvia a tradução do que meu pai tinha dito. Destravou o revólver. Mirou o peito de *baba*. Com o coração pulando na garganta, escondi o rosto entre as mãos.

O revólver disparou.

"Pronto. Acabou. Tenho dezoito anos e estou sozinho. Não me resta mais ninguém no mundo. *Baba* morreu e, agora, tenho que enterrá-lo. Onde vou enterrá-lo? Para onde vou depois?"

Mas o turbilhão de pensamentos inacabados que girava em minha mente estancou quando entreabri os olhos e meu pai ainda estava de pé à minha frente. Vi um segundo oficial russo junto com os outros. Era do cano do seu revólver apontado para o alto que saía fumaça. O soldado que pretendia atirar em *baba* já tinha guardado a arma no coldre. Estava se afastando, arrastando os pés. Nunca tive tanta vontade de chorar e de rir ao mesmo tempo.

O segundo oficial russo, um indivíduo grisalho e troncudo, falou conosco em um farsi meio arrevesado. Pediu desculpas pelo comportamento do colega.

— A Rússia os mandou para cá para lutar — disse ele. — Mas não passam de garotos e, quando chegam aqui, descobrem o prazer das drogas. — Lançou ao oficial mais jovem um olhar consternado, como um pai exasperado com a má conduta do filho. — Esse aí está viciado agora. Tenho tentado detê-lo...

E fez sinal para que fôssemos embora.

Minutos depois, o caminhão estava saindo do posto de controle. Ouvi uma risada e, a seguir, a voz do primeiro soldado, pastosa e desafinada, cantando aquela velha canção de casamento.

Seguimos viagem em silêncio por cerca de quinze minutos, até que, de repente, o marido da moça se levantou e fez algo que já tinha visto muitos outros fazerem antes: beijou a mão de meu pai.

O azar de Toor. Não era isso que eu tinha ouvido naquela conversa lá em Mahipar?

Chegamos a Jalalabad cerca de uma hora antes do nascer do sol. Karim nos levou rapidamente do caminhão até uma casa térrea, que ficava no cruzamento de duas estradas de terra ladeadas por outras casas como ela, pés de acácia e lojas fechadas. Ergui a gola do casaco, tentando me proteger do frio, enquanto corríamos para a tal casa carregando os nossos pertences. Por alguma razão, lembro de ter sentido cheiro de rabanetes.

Quando já estávamos todos no aposento vazio e mal iluminado, Karim trancou a porta da frente e fechou os lençóis esfarrapados que faziam as vezes de cortinas. Depois, respirou fundo e nos deu a má notícia: seu irmão, Toor, não poderia nos levar para Peshawar. Pelo que sabia, o motor do seu caminhão tinha estourado na semana passada, e ele ainda estava esperando as peças para o conserto.

— Na semana *passada*? — exclamou alguém. — Se já sabia disso, por que nos trouxe até aqui?

Com o canto do olho, percebi um movimento rápido. Depois, foi como se alguma coisa tivesse passado correndo pela sala. O que vi a seguir foi Karim ser jogado de encontro à parede, com os pés calçados de sandálias pendurados a mais de meio metro do chão. Agarrando o seu pescoço estavam as mãos de *baba*.

— Vou lhe dizer por quê — esbravejou ele. — Porque foi pago para fazer essa parte do percurso. Era só isso que lhe interessava.

Karim fazia uns sons guturais como se estivesse sufocando. Do canto da sua boca escorria uma saliva espessa.

— Solte ele, *agha*, o senhor vai matá-lo — disse um dos passageiros.

— É exatamente o que pretendo fazer — replicou meu pai.

O que ninguém ali sabia era que ele não estava brincando. Karim começou a ficar vermelho e a espernear. *Baba* continuou apertando o seu pescoço até que a jovem mãe, aquela que tinha deixado o russo todo interessado, lhe implorou que parasse.

Quando meu pai finalmente o soltou, Karim despencou lá do alto e ficou se revirando no chão, tentando desesperadamente respirar. A sala mergulhou em silêncio. Há menos de duas horas, *baba* tinha se disposto a levar um tiro em nome da honra de uma mulher que sequer conhecia. Agora, quase estrangulou um homem até a morte, e teria estrangulado para valer se não fossem as súplicas da mesma mulher.

Ouvimos um barulho na porta. Não, não era naquela porta, era lá embaixo.

— O que é isso? — indagou alguém.

— São os outros — balbuciou Karim, ofegante. — No porão.

— Há quanto tempo estão esperando aí? — perguntou meu pai, parado junto dele.

— Há duas semanas.

— Pensei ter ouvido você dizer que o caminhão quebrou na semana passada...

— Deve ter sido na semana anterior — disse Karim com a voz rouca, esfregando a garganta.

— Quanto tempo?

— O quê?

— Quanto tempo ainda vai demorar para as peças chegarem? — rosnou *baba*.

Karim estremeceu, mas não disse nada. Fiquei feliz porque ali dentro estava escuro. Não queria ver o olhar assassino no rosto de meu pai.

Um fedor de umidade, de coisa mofada, penetrou por minhas narinas adentro quando Karim abriu a porta que dava para a velha escada de madeira do porão. Descemos em fila indiana. Os degraus rangeram sob o peso de *baba*. Parado naquele lugar frio, senti que vários olhos piscando no escuro me observavam. Podia ver vultos amontoados pelo cômodo, formas projetadas nas paredes pela luz fraca de duas lamparinas de querosene. Um murmúrio se fez ouvir pelo porão; menos distinto ainda, havia o ruído de água pingando em algum lugar e um outro barulho, um som rascante.

Baba suspirou às minhas costas, e pôs as malas no chão.

Karim disse que não levaria mais de dois dias até que o caminhão fosse consertado. Aí, então, seguiríamos viagem para Peshawar. Para a liberdade. Para a segurança.

Aquele porão foi a nossa casa durante toda a semana seguinte e, na terceira noite, descobri de onde vinha aquele som rascante. Eram ratos.

Quando os meus olhos se acostumaram à escuridão, contei uns trinta refugiados ali embaixo. Ficávamos sentados, um bem junto do outro, encostados nas paredes; comíamos biscoitos, pão com tâmaras e maçãs. Na primeira noite, todos os homens rezaram em conjunto. Um dos refugiados perguntou a meu pai por que não se juntava a eles.

— Deus vai nos salvar a todos. Por que não reza para ele?

Baba aspirou uma pitada de rapé. Esticou as pernas.

— O que vai nos salvar são oito cilindros e um bom carburador.

Desde então o resto dos homens se calou de uma vez por todas em termos de Deus.

Foi depois da primeira noite que descobri que duas das pessoas escondidas ali junto conosco eram Kamal e seu pai. Fiquei bastante chocado ao vê-lo sentado naquele porão, a uns poucos metros de distância de onde eu estava. Mas quando os dois vieram para mais perto de nós e vi o rosto de Kamal, vi *de verdade*...

Ele tinha murchado — não havia outra palavra para descrever aquilo. Fitou-me com os olhos vazios e não havia neles o menor sinal de que tivessem me reconhecido. Os seus ombros estavam encurvados, e as suas bochechas, caídas, como se estivessem cansadas demais para aderir aos ossos que ficavam ali atrás. O pai dele, que era dono de um cinema em Cabul, estava contando a *baba* que, há três meses, uma bala perdida tinha atingido a sua esposa no templo, matando-a. Depois, começou a falar de Kamal. Só pude ouvir uns fragmentos do que ele dizia: "Nunca deveria ter deixado ele ir sozinho... sempre tão bonito, sabe... eram quatro... tentou lutar... Deus... pegaram ele... sangrando lá embaixo... as calças dele... nunca mais falou... fica só olhando fixo..."

O CAMINHÃO NÃO VIRIA. Foi o que nos disse Karim, depois que já tínhamos passado uma semana naquele porão infestado de ratos. O caminhão não tinha conserto.

— Mas há uma outra possibilidade — acrescentou, erguendo a voz acima dos gemidos. Um primo dele tinha um caminhão-tanque e já havia transportado gente algumas vezes. Estava em Jalalabad e talvez pudesse nos levar a todos.

Todo mundo decidiu ir, exceto um casal mais idoso.

Partimos naquela mesma noite, *baba* e eu, Kamal e o pai, os outros todos. Karim e o primo, um homem meio calvo, de cara quadrada, chamado Aziz, nos ajudaram a entrar no tanque de combustível. Um a um, íamos trepando no estribo traseiro do caminhão, subíamos a escadinha de acesso e deslizávamos para dentro do tanque. Lembro que meu pai parou no meio da escada, pulou de novo para o chão e tirou a caixa de rapé do bolso. Esvaziou a caixinha e apanhou um punhado de terra no meio da estrada que não era asfaltada. Beijou a terra. Encheu com ela a caixinha. Voltou a guardá-la no bolso da camisa, bem junto do coração.

PÂNICO.

Você abre a boca. Abre tanto que as mandíbulas chegam a estalar. Manda que os seus pulmões puxem o ar, AGORA; você está precisando de ar, precisando AGORA. Mas as suas vias respiratórias ignoram o seu comando. Entram em colapso, se estreitam, se contraem e, de repente, você está respirando através de um canudinho de refrigerante. A sua boca se fecha e os seus lábios se enrugam, e tudo que você consegue fazer é soltar um som rouco, estrangulado. As suas mãos tremem e se contorcem. Em algum lugar, as comportas se abriram e uma enxurra-da de suor frio transborda, encharcando todo o seu corpo. Você quer gritar. Gritaria, se pudesse. Mas, para gritar, é preciso respirar.

Pânico.

Era bem escuro lá no porão. Mas o tanque do caminhão era um verdadeiro breu. Olhei para a esquerda, para a direita, para cima, para baixo, abanei as mãos diante dos olhos, e o máximo que conse-gui foi ter uma vaga noção de movimento. Pisquei os olhos; pisquei de novo. Absolutamente nada. O ar ali dentro não era normal: era espesso demais, quase sólido. E o ar não é para ser uma coisa sólida. Quis estender os braços, estilhacei o ar em mil caquinhos que se en-fiaram pela minha traquéia abaixo. Ainda por cima, tinha o fedor da gasolina. Os meus olhos estavam ardendo, como se alguém tivesse virado as minhas pálpebras pelo avesso e esfregado limão nelas. A cada respiração, o meu nariz pegava fogo. "Você pode morrer em um lugar como este", pensei. Um grito já vinha subindo pela minha garganta. Subindo, subindo...

E, de repente, um pequeno milagre. Meu pai deu um puxão na manga da minha camisa e surgiu uma luzinha verde na escuridão. Luz! O relógio de pulso de *baba*. Fiquei com os olhos pregados na-queles ponteiros de um verde fluorescente. Estava com tanto medo de perdê-los que nem ousava piscar.

Pouco a pouco, fui me dando conta do que havia à minha volta. Ouvi gemidos e preces murmuradas. Ouvi um choro de criança e a mãe que a acalmava baixinho. Alguém teve ânsia de vômito. Alguém amaldiçoou os *shorawi*. O caminhão ia sacolejando, de um lado para o outro, para cima e para baixo. Cabeças se chocavam contra o metal.

— Pense em alguma coisa boa — cochichou *baba* em meu ouvido. — Em alguma coisa feliz.

Alguma coisa boa. Alguma coisa feliz. Deixei que a minha mente vagasse. Deixei que as lembranças fossem vindo.

Sexta-feira à tarde, em Paghman. Um campo de relva verde, sal-picado de amoreiras em flor. Hassan e eu parados ali, com as pernas enterradas no mato até os tornozelos. Eu estou puxando a linha, o carretel vai girando nas mãos calejadas de Hassan, e ambos temos os olhos voltados para a pipa lá no céu. Não trocamos uma palavra; não porque não tenhamos nada a dizer, mas porque não precisamos dizer nada — é assim que acontece com as pessoas para quem a outra é a lembrança mais remota; com pessoas que mamaram do mesmo leite. Um vento faz o mato ondular e Hassan libera o carretel. A pipa rodopia, mergulha, se firma. As nossas sombras gêmeas dançam naquela relva ondulante. Vindo de algum lugar, além da mureta de tijolos que fica do outro lado do campo, ouvimos vozes e risos, e o barulhinho de um chafariz. E música, algo antigo e familiar. Acho que é "*Ya Mowlah*", tocada nas cordas do *rubab*. Por cima do muro, alguém nos chama, dizendo que está na hora de ir tomar chá com bolo.

Não me lembrava que mês era, nem mesmo que ano. Só sei que aquela lembrança vivia dentro de mim como um pedaço gostoso de passado, perfeitamente encapsulado; uma pincelada de cores naquela tela cinzenta e árida que as nossas vidas tinham se tornado.

O RESTO DA VIAGEM SÃO APENAS PEDAÇOS esparsos de lembranças que vêm e vão, em sua maioria constituídos de sons e de cheiros: o ronco dos MiGs passando por sobre nossas cabeças; os *staccatos* de artilharia; um burro zurrando em algum lugar; o tilintar de sinos e o balido de carneiros; cascalho esmagado pelos pneus do caminhão; um bebê choramingando no escuro; o fedor de gasolina, vômito e merda.

Depois, o que me lembro mesmo é da luz ofuscante do amanhecer quando saí daquele tanque de combustível. Lembro de ter virado o rosto para o céu, semicerrando os olhos, respirando como se o mundo estivesse com falta de ar. Deitei na beira da estrada de terra, perto de um riacho pedregoso, e fiquei olhando para o céu acinzentado da manhã, dando graças pelo ar, dando graças pela luz, dando graças por estar vivo.

— Agora, estamos no Paquistão, Amir — anunciou meu pai, de pé junto de mim. — Karim disse que vai pedir um ônibus para nos levar até Peshawar.

Virei de bruços, sem me levantar da terra fria, e vi as nossas malas de ambos os lados dos pés de *baba*. Pelo V invertido formado pelas suas pernas, vi o caminhão parado na beira da estrada e os outros refugiados descendo pela escada traseira. Mais adiante, a estrada seguia em meio a campos que mais pareciam lençóis de chumbo sob aquele céu cinzento e ia desaparecer por detrás de uma fileira de colinas arredondadas. A meio caminho, passava por um mísero vilarejo encarapitado no topo de um morro estorricado.

Os meus olhos voltaram então para as nossas malas. Fiquei com pena de meu pai. Depois de tudo o que construiu, planejou, sonhou; depois do tanto que lutou e se esforçou para conseguir o que queria, era àquilo que toda a sua vida se resumia: um filho que era uma decepção, e duas malas.

Alguém estava gritando. Gritando, não, se lamentando. Vi os passageiros amontoados em um círculo, ouvi a agitação em suas vozes. Alguém disse a palavra "exalações". Alguém mais disse a mesma coisa. Os lamentos se transformaram em um berro dilacerante.

Baba e eu corremos até aquele amontoado de curiosos e abrimos caminho por entre eles. No meio do círculo, o pai de Kamal estava sentado no chão, com as pernas cruzadas, balançando o corpo para frente e para trás, beijando o rosto terroso do filho.

— Ele não está conseguindo respirar! O meu menino não está conseguindo respirar! — repetia ele aos prantos. Em seu colo, jazia o corpo sem vida de Kamal. A sua mão direita, aberta e frouxa, se sacudia ao ritmo dos soluços do pai. — O meu menino! Ele não está respirando! Allah, ajude-o a respirar!

Baba se ajoelhou ao seu lado e passou-lhe o braço nos ombros. Mas o pai de Kamal o afastou e investiu contra Karim, que estava parado ali ao lado, junto com o primo. Depois, tudo aconteceu tão depressa, e foi tão rápido que nem se pode dizer que tenha sido uma briga. Tomado de surpresa, Karim deu um grito e recuou. Vi um braço girando, uma perna chutando. Um minuto mais tarde, o pai de Kamal estava de pé, segurando na mão o revólver de Karim.

— Não me mate! — gritou Karim.

Mas, antes que alguém pudesse dizer ou fazer alguma coisa, o pai de Kamal enfiou o cano da arma na própria boca. Nunca vou me esquecer do eco daquele disparo. Nem do clarão de luz e do sangue espirrando.

Me curvei novamente e tentei vomitar na beira da estrada, mas não tinha nada no estômago.

ONZE

Fremont, Califórnia, década de 1980

BABA ADORAVA A *IDÉIA* da América.

Morar nos Estados Unidos lhe valeu uma úlcera.

Lembro de nós dois passeando pelo parque do lago Elizabeth, em Fremont, a algumas quadras do nosso apartamento, olhando os meninos que praticavam arremessos de beisebol e as meninas que riam e brincavam nos balanços. Ele aproveitava esses passeios para tentar me instruir em termos de política, alongando-se em dissertações chatíssimas.

— Só existem três povos nesse mundo que são homens de verdade, Amir — dizia ele. E os contava nos dedos: — os americanos, esses heróis fanfarrões; os britânicos e os israelenses. Todo o resto — e, ao dizer isso, costumava fazer um gesto com a mão, acompanhado de um "pfff" — não passa de velhotas mexeriqueiras.

A referência a Israel deixava os afegãos de Fremont enfurecidos e todos o acusavam de ser pró-judeus e, portanto, antiislã. Meu pai ia sempre se encontrar com eles no parque, para tomar chá com bolo de *rowt*, e os levava à loucura com as suas idéias sobre política.

— O que eles não conseguem entender — era o que me dizia mais tarde — é que isso não tem nada a ver com religião.

Na concepção de *baba*, Israel era uma ilha de "homens de verdade" em um mar de árabes que, de tão ocupados que estavam em lucrar com o petróleo, acabavam esquecendo de si mesmos.

— Israel faz isso, Israel faz aquilo — dizia ele, imitando o sotaque árabe. — Pois então, tomem alguma atitude a este respeito! Partam para a ação. Vocês são árabes. Pois tratem de ajudar os palestinos!

Detestava Jimmy Carter, a quem chamava "aquele dentuço cretino". Em 1980, quando ainda estávamos em Cabul, os Estados Unidos anunciaram que iam boicotar os Jogos Olímpicos de Moscou.

— Bah! — exclamou ele enojado. — Brejnev está massacrando os afegãos e tudo o que esse comedor de amendoim sabe dizer é "não vou nadar na sua piscina"...

Baba estava persuadido de que Carter tinha, deliberadamente, feito mais pelo comunismo do que Leonid Brejnev.

— Ele não é o homem ideal para comandar esse país. É como pôr um menino que nem sabe andar de bicicleta ao volante de um Cadillac novinho em folha — dizia. Segundo ele, os Estados Unidos e o mundo precisavam mesmo era de um homem enérgico. Um homem com quem todos pudessem contar; alguém que agisse em vez de ficar trocando apertos de mão. Esse alguém surgiu na pessoa de Ronald Reagan. E, quando Reagan apareceu na TV chamando os *shorawi* de "Império do Mal", meu pai foi para a rua e comprou um retrato do presidente sorrindo, com os polegares para cima. Mandou emoldurar o retrato para instalá-lo no corredor, pendurado bem ao lado da velha foto em preto-e-branco onde ele próprio aparecia, usando uma gravatinha fina, apertando a mão do rei Zahir Shah. Quase todos os nossos vizinhos em Fremont eram motoristas de ônibus, policiais, frentistas de postos de gasolina e mães solteiras vivendo com a ajuda da seguridade social; exatamente o tipo de trabalhadores que em breve estaria sufocando com a política econômica do governo Reagan que os obrigaria a apertar os cintos. Meu pai era o único republicano no prédio em que morávamos.

Mas a neblina da região da baía de San Francisco fazia os seus olhos arderem, o barulho do trânsito lhe dava dor de cabeça e o pólen o deixava tossindo. As frutas nunca eram doces o bastante, a água nunca era limpa o bastante, e onde estavam todas as árvores e espaços ao ar livre? Durante dois anos, tentei convencer *baba* a se inscrever no ESL, para melhorar o seu inglês arrevesado. Mas ele debochava da idéia.

— Quem sabe não vou soletrar direitinho a palavra *"cat"* e a professora vai me dar uma estrelinha cintilante? Assim, vou poder voltar correndo para casa e exibi-la para você — resmungava.

Em um domingo da primavera de 1983, fui até uma pequena livraria que vendia livros de segunda mão, perto do cinema indiano, quase na esquina da Amtrak com o Fremont Boulevard. Disse a *baba* que estaria de volta em cinco minutos e ele deu de ombros. Estava trabalhando em um posto de gasolina em Fremont e era seu dia de folga. Vi quando atravessou o Fremont Boulevard fora do sinal e entrou na Fast & Easy, a pequena mercearia do sr. e da sra. Nguyen, um casal vietnamita já mais idoso. Eram duas criaturas grisalhas e bem gentis; ela sofria do mal de Parkinson, ele tinha uma prótese na bacia.

— Agora, ele é como o "Homem de Seis Milhões de Dólares" — dizia ela, rindo com a boca banguela. — Lembra do "Homem de Seis Milhões de Dólares", Amir?

Então, o sr. Nguyen fazia uma cara fechada, imitando Lee Majors, e fingia correr em câmera lenta.

Estava folheando um velho exemplar de um romance de mistério de Mike Hammar quando ouvi gritos e barulho de vidro se quebrando. Larguei o livro e atravessei a rua correndo. Encontrei o casal abraçado atrás do balcão, colado na parede dos fundos e com o rosto lívido. Pelo chão, laranjas, um porta-revistas derrubado, um frasco de conserva quebrado e muitos cacos de vidro perto dos pés de meu pai.

Acabei descobrindo que *baba* não tinha dinheiro suficiente para comprar laranjas. Fez então um cheque, e o sr. Nguyen lhe pediu um documento de identidade.

— Ele está querendo ver a minha carteira de motorista — disse *baba* em farsi, aos berros. — Há quase dois anos que compramos essas malditas frutas e botamos dinheiro no bolso dele, e, agora, esse filho-da-mãe vem me pedir um documento!

— Não é nada pessoal, *baba* — disse eu, sorrindo para o casal Nguyen. — É praxe pedir um documento de identidade.

— Não quero mais o senhor por aqui — disse o sr. Nguyen, dando um passo à frente, para deixar a esposa atrás de si, e apontando para *baba* com a bengala. Virando-se então para mim, acrescentou: — Você é um bom rapaz, mas seu pai é louco. Não é mais bem-vindo na nossa loja.

— Ele está achando que sou um ladrão? — indagou *baba* erguendo a voz. Já tinha juntado gente do lado de fora. Todos estavam olhando para nós. — Afinal, que tipo de país é esse? Ninguém confia em ninguém!

— Vou chamar a polícia — disse a sra. Nguyen, mostrando só o rosto por detrás do marido. — Ou o senhor sai daqui ou chamo a polícia.

— Por favor, sra. Nguyen, não chame a polícia. Vou levá-lo para casa. Mas não chame a polícia, está bem? Por favor.

— Isso mesmo. Leve-o para casa. Boa idéia — disse o sr. Nguyen. Por detrás das lentes bifocais na armação metálica, os seus olhos não se afastavam de meu pai.

Saí porta afora levando *baba* comigo. No caminho, ele ainda chutou uma revista caída no chão. Depois de fazer ele me prometer que não iria mais lá, voltei à loja para pedir desculpas ao casal Nguyen. Disse-lhes que meu pai estava atravessando um período difícil. Dei o nosso endereço e o nosso telefone à sra. Nguyen, e lhe pedi que calculasse os prejuízos.

— Por favor, telefone assim que souber quanto é tudo. Faço questão de pagar, sra. Nguyen. Lamento muitíssimo.

Ela pegou o papel da minha mão e assentiu com um aceno de cabeça. Vi que as suas mãos tremiam mais que de costume e fiquei furioso com *baba* por deixar uma senhora idosa naquele estado.

— Meu pai ainda está se habituando à vida nos Estados Unidos — disse eu à guisa de explicação.

Gostaria de lhes contar que, em Cabul, pegávamos um galho de árvore e usávamos aquilo como se fosse um cartão de crédito. Hassan e eu levávamos aquele galhinho até a padaria. O padeiro ia fazendo marcas na vareta com uma faca e cada uma delas correspondia a um *naan* que ele tirava para nós das chamas que rugiam no *tandoor*. No fim do mês, meu pai lhe pagava pela quantidade de marcas feitas na vareta. Era só isso. Sem perguntas. Sem documentos de identidade.

Mas não disse nada. Agradeci ao sr. Nguyen por não ter chamado os tiras. Levei meu pai para casa. Ele ficou todo aborrecido, fumando na varanda, enquanto fui preparar arroz com guisado de pescoço de galinha. Já fazia um ano e meio que tínhamos desembarcado do Boeing vindo de Peshawar, e ele ainda estava se adaptando.

Naquela noite, comemos em silêncio. Depois de duas garfadas, *baba* empurrou o prato.

Olhei para ele, ali, do outro lado da mesa, com as unhas lascadas e sujas de graxa, as juntas esfoladas, e, nas roupas, os cheiros do posto: poeira, suor e gasolina. *Baba* era como aqueles viúvos que voltam a se casar, mas que não conseguem se livrar da esposa falecida. Sentia falta das plantações de cana-de-açúcar de Jalalabad e dos jardins de Paghman. Sentia falta do entra-e-sai das pessoas que freqüentavam a nossa casa, dos passeios pelo alvoroço das alamedas do *Shor Bazaar*, cumprimentando gente que o conhecia, mas que também tinha conhecido o seu pai e o seu avô; pessoas que compartilhavam com ele dos mesmos ancestrais, cujo passado estava interligado ao seu.

Para mim, os Estados Unidos eram o lugar onde podia enterrar as minhas lembranças.

Para meu pai, uma vida de luto pelas suas.

— Quem sabe não seria melhor voltarmos para Peshawar? — sugeri eu, olhando para o gelo que boiava no meu copo de água. Tínhamos ficado seis meses por lá, esperando que o serviço de imigração liberasse os nossos vistos. Nosso mísero apartamento de quarto-e-sala fedia a meias sujas e a mijo de gato, mas estávamos cercados de gente conhecida, pelo menos gente que meu pai conhecia. Ele convidava o corredor inteiro para jantar, em sua maioria afegãos à espera de vistos. Alguém acabava inevitavelmente trazendo um par de tablas e alguém mais, um harmônio. Preparava-se chá e qualquer pessoa que tivesse um pouco de voz cantava até o sol raiar. Ninguém mais ouvia o zumbido dos mosquitos e as palmas iam ficando cada vez mais exaltadas.

— Lá você era mais feliz, *baba*. Era mais parecido com a nossa terra — disse eu.

— Peshawar era bom para mim. Não para você.

— Aqui você trabalha tanto...

— Já não é tão ruim agora — disse ele, fazendo alusão ao fato de ter se tornado o gerente do posto no turno do dia.

Mas eu via como fazia caretas e esfregava os pulsos nos dias mais úmidos. Como o suor lhe banhava a testa quando estendia a mão para pegar o frasco de antiácido depois das refeições.

— Além disso — acrescentou —, não foi por mim que eu nos trouxe para cá, foi?

Estiquei o braço e pus a mão sobre a sua. Minha mão de estudante, limpa e macia, na sua mão de trabalhador, áspera e calejada. Lembrei de todos os caminhões, trens elétricos e bicicletas que comprou para mim lá em Cabul. Agora, era a América. Um último presente para Amir.

Fazia apenas um mês que tínhamos chegado aos Estados Unidos quando meu pai conseguiu um emprego no Washington Boulevard, como frentista em um posto de gasolina de propriedade de um afegão conhecido nosso. Na própria semana em que chegamos, ele começou a procurar emprego. Durante seis dias por semana, enfrentava turnos de doze horas pondo gasolina nos carros, acionando a caixa registradora, fazendo troca de óleo e lavando pára-brisas. Às vezes eu ia até lá levar o seu almoço. Via *baba*, com o rosto carregado e pálido sob a luz brilhante das lâmpadas fluorescentes, apanhando um maço de cigarros para um cliente que esperava do outro lado do balcão manchado de óleo. A sineta eletrônica da porta tilintava quando eu entrava e ele olhava para trás, acenava e sorria para mim, com os olhos lacrimejando de cansaço.

No dia mesmo em que foi contratado, fomos procurar a funcionária encarregada do nosso dossiê na seguridade social. A sra. Dobbins era uma mulher negra e gorda, com olhos brilhantes e covinhas quando sorria. Certa vez, disse que cantava na igreja, e acreditei, pois tinha uma voz que me fazia pensar em leite morno com mel. *Baba* pôs a pilha de tíquetes-alimentação em cima da escrivaninha, à sua frente.

— Obrigado, mas não quero isso — disse ele. — Trabalho sempre. Trabalhei no Afeganistão, trabalho nos Estados Unidos. Muito obrigado, sra. Dobbins, mas não gosto de dinheiro dado de graça.

A sra. Dobbins piscou, incrédula. Pegou os tíquetes-alimentação, olhou para meu pai e para mim como se estivéssemos brincando, ou "de gozação com ela", como dizia Hassan.

— Há quinze anos que trabalho com isso — disse ela — e nunca tinha visto alguém fazer uma coisa como essa.

E foi assim que *baba* pôs um fim àqueles momentos de humilhação, quando tínhamos que apresentar os tíquetes na caixa registradora, e, com isso, abrandou um dos seus maiores medos: que algum afegão o visse comprando comida com dinheiro dado de esmola. Ele saiu do escritório da previdência como um homem curado de um tumor.

NAQUELE VERÃO DE 1983, TERMINEI o segundo grau, aos vinte anos de idade e, com isso, era de longe o mais velho entre os estudantes que ficaram agitando os capelos naquele dia, ali no campo de futebol americano. Lembro que perdi meu pai de vista em meio àquele monte de famílias, *flashes* de máquinas fotográficas e becas azuis. Fui localizá-lo perto da linha das vinte jardas, com as mãos enfiadas nos bolsos e a câmera pendurada no pescoço. Desaparecia e voltava a aparecer por detrás das pessoas que se moviam entre nós: meninas vestidas de azul, gritando e chorando entre abraços, garotos comemorando ruidosamente com seus pais. A barba de *baba* estava ficando grisalha, os seus cabelos começavam a rarear nas têmporas, e, será que, lá em Cabul, ele não era mais alto? Estava usando um terno marrom — seu único terno, aquele mesmo que usava para ir a casamentos e enterros no Afeganistão — e a gravata vermelha que eu tinha comprado para lhe dar de presente esse ano, quando fez cinqüenta anos. Então ele me viu e acenou para mim. Fez sinal para que eu pusesse o capelo e tirou uma foto, com a torre do relógio da escola como pano de fundo. Sorri para ele — de uma certa forma, esse dia era mais dele do que meu. Depois, veio caminhando até onde eu estava, passou o braço em meu pescoço e me deu um único beijo na testa.

— Estou *moftakhir*, Amir — exclamou.

Orgulhoso. Os seus olhos brilharam quando disse isso e fiquei feliz por ser o ponto para onde aquele olhar se dirigia.

Naquela noite, ele me levou a um restaurante afegão especializado em *kabob*, que ficava em Hayward, e pediu uma quantidade enorme de comida. Disse ao dono do lugar que o filho dele estava indo para a universidade no outono. Tínhamos discutido rapidamente o assunto um pouco antes da formatura, e eu lhe disse que queria arranjar emprego. Trabalhar por algum tempo, juntar algum dinheiro e, quem sabe, ir para a universidade no ano que vem. Mas ele me lançou um daqueles seus olhares fulminantes e as palavras se evaporaram na minha boca.

Quando acabamos de jantar, *baba* me levou para um bar que ficava do outro lado da rua. O lugar era meio escuro e o cheiro acre de cerveja, que sempre detestei, transpirava das paredes. Homens usando bonés de beisebol e camisetas tipo regata jogavam sinuca; nuvens de fumaça de cigarros pairavam acima das mesas verdes, rodopiando na luz fluorescente. Todos os olhos se voltaram para nós, *baba* em seu terno marrom e eu de calça social e paletó esportivo. Sentamos nos bancos do bar, perto de um velho cujo rosto macilento ficava ainda mais pálido sob a luz azulada do letreiro de Michelob pendurado ali em cima. *Baba* acendeu um cigarro e pediu cerveja para nós dois.

— Estou felicíssimo esta noite — anunciou ele para quem quisesse ouvir. — Hoje vou beber com meu filho. E uma também para o amigo aqui — acrescentou, dando um tapinha nas costas do velho que levou a mão ao chapéu e sorriu. Não tinha os dentes de cima.

Baba esvaziou o copo com três goles e pediu mais uma cerveja. Já tinha tomado três enquanto eu, com o maior esforço, tinha tomado um quarto da minha. A essa altura, ele já tinha pedido um uísque para o velho e convidado uns quatro jogadores de sinuca para uma caneca de Budweiser. Os homens o cumprimentavam e batiam nas suas costas. Fizeram um brinde a ele. Alguém acendeu o seu cigarro. *Baba* afrouxou a gravata e deu ao velho um punhado de *quarters*. Apontou para o *jukebox*.

— Diga-lhe que pode pôr as suas músicas favoritas — disse ele, dirigindo-se a mim.

O velho assentiu com a cabeça e lhe bateu continência. Em poucos minutos, a música *country* ecoava pela sala e, assim, sem mais nem menos, *baba* tinha começado uma festa.

Lá pelas tantas, ele se levantou, ergueu o copo, respingando cerveja pelo chão recoberto de serragem, e berrou:

— Que a Rússia se foda!

O bar inteiro riu, e as sonoras gargalhadas ecoaram por toda parte. Então ele pagou mais uma rodada de canecas para todo mundo.

Quando resolvemos ir embora, ninguém queria vê-lo sair dali. Cabul, Peshawar, Hayward. "O mesmo velho *baba*", pensei, sorrindo.

Eu é que fui dirigindo o velho Buick Century amarelo-ocre de meu pai. Ele cochilou durante todo o trajeto, roncando como uma britadeira. Dava para sentir o cheiro de tabaco e de álcool, doce e pungente. Mas, quando parei o carro, sentou bem aprumado e disse, com voz rouca:

— Continue dirigindo até o fim do quarteirão.

— Por quê, *baba*?

— Ande, vá.

Mandou que eu estacionasse na extremidade sul da rua. Meteu a mão no bolso do casaco, tirando de lá um chaveiro.

— É esse aí — disse ele, apontando para o carro que estava bem à nossa frente. Era um Ford, modelo antigo, grande e largo, de uma cor escura que não pude distinguir à luz da lua. — Está precisando de pintura, e um dos rapazes lá do posto vai instalar amortecedores novos, mas funciona muito bem.

Peguei as chaves, atônito. Fiquei olhando para o carro e para ele.

— Vai precisar de um carro para ir para a universidade — disse ele.

Segurei a sua mão. Apertei com força. Os meus olhos estavam cheios de lágrimas, e achei ótimo que estivesse escuro e não desse para ver os nossos rostos.

— Obrigado, *baba*.

Saímos do carro e sentamos no Ford. Era um "Grand Torino". Azul-marinho, segundo meu pai. Dei a volta no quarteirão, testando os freios, o rádio, o pisca-pisca. Parei no estacionamento do nosso prédio e desliguei o motor.

— *Tashakor, baba jan* — disse eu.

Queria dizer mais, queria dizer a ele como estava emocionado com aquele seu gesto tão carinhoso; agradecer por tudo o que tinha feito por mim, e tudo o que continuava a fazer. Mas sabia que ia deixá-lo sem jeito. Em vez disso, repeti:

— *Tashakor*.

Ele sorriu e se recostou no banco, com a cabeça quase batendo no teto. Não dissemos nada. Só ficamos ali sentados, no escuro, ouvindo o barulhinho do motor esfriando, o ruído de uma sirene ao longe. Então, ele se virou para mim e disse:

— Gostaria que Hassan estivesse aqui conosco hoje.

Punhos de aço se fecharam apertando a minha garganta ao simples som do nome de Hassan. Baixei o vidro da janela. Fiquei esperando que aquelas mãos de aço afrouxassem a pressão que faziam.

IA ME MATRICULAR NO CURSO BÁSICO no próximo outono. Disse isso a *baba* no dia seguinte à festa de formatura. Ele estava tomando chá preto gelado e mastigando sementes de cardamomo, seu antídoto mais garantido contra a dor de cabeça da ressaca.

— Acho que vou fazer inglês — acrescentei. Estava tremendo por dentro, esperando a resposta dele.

— Inglês?

— Redação literária.

Ele pareceu refletir. Tomou um gole de chá.

— Quer dizer histórias. Você vai criar histórias...

Fiquei de olhos baixos, fitando os meus pés.

— Isso dá dinheiro, inventar histórias?

— Se você for bom — disse eu. — E se alguém o descobrir.

— E isso acontece mesmo, de alguém ser descoberto?

— Acontece.

Ele assentiu com um gesto.

— E o que vai fazer enquanto espera até ser bom e ser descoberto? Como vai ganhar dinheiro? Se você se casar, como vai sustentar a sua *khanum*?

Não conseguia erguer os olhos para fitá-lo.

— Vou... arranjar um emprego — balbuciei.

— Ah! — disse ele. — *Wah wah!* Então, se entendi bem, você vai estudar vários anos para ter um diploma e, depois, vai arranjar um emprego *chatti*, como o meu, o tipo de emprego que poderia perfeitamente arranjar hoje mesmo. E tudo isso apostando na chance remota de que o seu diploma possa um dia ajudá-lo a ser... descoberto. — Respirou fundo e tomou um gole do seu chá. Resmungou alguma coisa sobre faculdade de medicina, de direito, e "trabalho de verdade".

O meu rosto estava pegando fogo e me sentia imensamente culpado, culpado por me permitir fazer o que queria à custa da sua úlcera, das suas unhas pretas e dos seus pulsos doloridos. Mas ficaria firme, decidi. Não queria mais me sacrificar por *baba*. A última vez que fiz isso tinha sido a minha desgraça.

Ele suspirou e, desta vez, enfiou na boca um punhado de sementes de cardamomo.

Às vezes, sento ao volante do meu Ford, baixo os vidros das janelas e fico horas dirigindo; vou para um dos lados da baía, e, depois, para o outro; vou até a península, e volto. Dirijo pelas ruas margeadas de choupos do nosso bairro, em Fremont, onde pessoas que jamais tinham apertado mãos de reis moravam em míseras casas térreas com grades nas janelas; onde carros tão velhos quanto o meu vazavam óleo pelas ruas asfaltadas; onde brinquedos, pneus carecas e garrafas de cerveja sem rótulos se amontoavam nos gramados mal cuidados. Passo pelos parques arborizados que têm cheiro de cortiça; passo por centros comerciais que são grandes o bastante para comportar cinco torneios de *buzkashi* ao mesmo tempo. Vou dirigindo o meu Torino pelas colinas de Los Altos, passando bem devagar diante de mansões com grandes janelas panorâmicas e leões prateados guardando os portões de ferro, chafarizes com figuras de querubins nas bordas das alamedas impecáveis, e onde não se vêem Fords Torino pelas ruas. Mansões que fariam a casa de meu pai, em Wazir Akbar Khan, parecer uma cabana de criados.

Alguns sábados de manhã, acordava cedo, pegava a auto-estrada 17, em direção ao sul, e embicava o meu Ford pela estrada sinuosa das montanhas rumo a Santa Cruz. Parava perto do velho farol e ficava esperando o nascer do sol, sentado no carro e olhando a neblina que vinha subindo do mar. Enquanto vivia no Afeganistão, só tinha visto o oceano no cinema. Sentado, no escuro, ao lado de Hassan, sempre fiquei intrigado me perguntando se seria verdade o que tinha lido: que o ar do mar tinha cheiro de sal. Dizia para Hassan que algum dia íamos passear por uma praia cheia de algas marinhas; enfiaríamos os pés na areia e ficaríamos olhando a água ir se afastando dos nossos dedos. A primeira vez que vi o Pacífico, quase gritei. Ele era tão imenso e tão azul quanto os oceanos das telas do cinema da minha infância.

Às vezes, ao anoitecer, parava o carro e subia em um viaduto de uma via expressa. Com o rosto colado na cerca, tentava contar as luzinhas vermelhas das lanternas traseiras que iam se afastando, se estendendo até onde a minha vista alcançava. Eram BMWs. Saabs. Porsches. Carros que jamais tinha visto em Cabul, onde a maioria das pessoas dirigia Volgas russos, velhos Opels ou Paikans iranianos.

Já tinham se passado quase dois anos desde que chegamos aos Estados Unidos e eu ainda ficava deslumbrado com o tamanho desse país, com a sua imensidão. Além de cada via expressa, tinha outra via expressa; além de cada cidade, outra cidade; colinas além das montanhas e montanhas além das colinas, e, depois delas, mais cidades e mais gente.

Muito antes de o exército *roussi* invadir o Afeganistão; muito antes de suas aldeias serem queimadas e suas escolas destruídas; muito antes de se plantarem minas terrestres como sementes da morte e se enterrarem crianças debaixo de pilhas de pedras, Cabul já tinha se tornado uma cidade de fantasmas para mim. Uma cidade de fantasmas de lábio leporino.

Nos Estados Unidos era diferente. Aqui era como um rio, correndo, sem pensar no passado. Eu podia entrar nesse rio, deixar os meus pecados mergulhados lá no fundo, permitir que a água me levasse para algum lugar ao longe. Algum lugar onde não houvesse fantasmas, nem recordações, nem pecados.

E se não houvesse mais nenhuma outra razão, só essa já bastaria para eu adotar esse país.

No verão seguinte, o verão de 1984, quando fiz vinte e um anos, meu pai vendeu o seu velho Buick. Por quinhentos e cinqüenta dólares, comprou, de um velho afegão conhecido seu — que tinha sido professor de ciências em Cabul —, uma Kombi 1971 caindo aos pedaços. À tarde, todos os vizinhos se viraram para ver aquela velharia barulhenta passando pela rua e entrando no estacionamento do nosso prédio. *Baba* desligou o motor e deixou a Kombi ir deslizando silenciosamente até a nossa vaga. Afundamos nos bancos, rimos tanto que chegamos a chorar, e, o que era ainda mais importante, ficamos ali até termos a certeza de que os vizinhos não estavam mais olhando. Aquela Kombi era uma mísera carcaça de metal enferrujado, com janelas quebradas recobertas por sacos de lixo pretos, pneus carecas e o estofamento tão rasgado que dava para ver as molas. Mas o velho professor garantiu a meu pai que o motor e a transmissão estavam em ótimo estado e, quanto a isso, não tinha mentido.

Aos sábados, *baba* me acordava de madrugada. Enquanto ele estava se arrumando, eu passava os olhos nos classificados dos jornais locais e ia assinalando todos os anúncios das célebres "vendas de garagem". Traçávamos o nosso itinerário — primeiro, Fremont, Union City, Newark e Hayward; depois, San Jose, Milpitas, Sunnyvale e Campbell se desse tempo. Ele dirigia, tomando chá da garrafa térmica, e eu era o co-piloto. Parávamos naquelas garagens e comprávamos as quinquilharias que as pessoas não queriam mais. Pechinchávamos no preço de velhas máquinas de costura, Barbies com um olho só, raquetes de tênis de madeira, violões faltando cordas e velhos aspiradores Electrolux. Lá pelo meio da tarde, a traseira da Kombi estava repleta de objetos usados. No domingo de manhã, bem cedo, íamos então para San Jose, para a feirinha de antigüidades de Berryessa. Alugávamos uma barraca e vendíamos aquela tralha com uma pequena margem de lucro: um disco do Chicago, comprado na véspera por vinte e cinco centavos, podia ser vendido por um dólar, ou por quatro dólares, em um lote de cinco discos; uma máquina de costura Singer, bem danificada, comprada por dez dólares, podia, depois de alguma negociação, chegar a render vinte e cinco dólares.

Naquele verão, havia toda uma parte da feirinha que era ocupada por famílias do Afeganistão. Pelas alamedas do setor de objetos usados, o que se ouvia era música afegã. Havia um código tácito de conduta entre os afegãos da feira de antigüidades: você cumprimentava o sujeito da barraca em frente à sua, convidava-o para comer *bolani* de batata ou um pouco de *qabuli*, e ficava batendo papo. Dava *tassali*, pêsames pela morte de um parente, parabéns pelo nascimento de uma criança, e meneava a cabeça com ar consternado quando o assunto passava a ser o Afeganistão e os *roussi* — o que acabava inevitavelmente acontecendo. Todos, porém, evitavam falar do sábado. Pois o sujeito da barraca em frente podia ser aquele que você quase atropelou na véspera, na saída de uma via expressa, tudo porque queria chegar antes dele a uma "venda de garagem" bem promissora.

A única coisa que circulava mais que o chá por aquele setor da feirinha era o disse-me-disse afegão. Aquilo ali era o lugar onde as pessoas tomavam chá verde com *kolchas* de amêndoas e ficavam sabendo que a filha de fulano tinha terminado o noivado para fugir com um namorado americano; quem era *parchami* — comunista — lá em Cabul e quem tinha comprado uma casa com dinheiro recebido por debaixo do pano, embora continuasse inscrito na seguridade social. Chá, política e escândalos, estes eram os ingredientes de um domingo afegão na feirinha de antigüidades.

Às vezes, era eu que ficava na barraca, enquanto meu pai saía perambulando por ali, com as mãos respeitosamente junto ao peito, cumprimentando gente que conhecia de Cabul: mecânicos e alfaiates, que vendiam casacos de lã de segunda mão ou capacetes de bicicleta arranhados, lado a lado com ex-embaixadores, cirurgiões desempregados e professores universitários.

Em um domingo de julho de 1984, bem cedo pela manhã, enquanto meu pai ficou arrumando as coisas, fui comprar duas xícaras de café no estande da administração e, quando voltei, vi que ele estava conversando com um homem mais velho, de aparência bem distinta. Pus o café no pára-choque traseiro da Kombi, perto do adesivo "Reagan/Bush 84".

— Amir — disse *baba*, fazendo um gesto para que eu me aproximasse —, este é o general *sahib* Iqbal Taheri. Era um oficial condecorado lá em Cabul. Trabalhou no Ministério da Defesa.

Taheri... Por que será que aquele nome me parecia familiar?

O general riu como alguém habituado a freqüentar recepções formais, onde precisava rir na hora certa ouvindo piadas sem graça

contadas por personagens importantes. Tinha o cabelo grisalho cortado bem curto e penteado para trás, mostrando a testa lisa e morena, e
tufos brancos nas sobrancelhas cerradas. Cheirava a água-de-colônia
e usava um terno cinza-chumbo já lustroso das tantas vezes que foi
passado a ferro, e, em seu paletó, pendia a corrente de ouro de um
relógio de bolso.

— Que apresentação mais pomposa — disse ele, com uma voz
grave e refinada. — *Salaam, bachem.* Olá, meu menino.

— *Salaam*, general *sahib* — disse eu estendendo-lhe a mão.
Aquelas mãos esguias não combinavam absolutamente com a força
de seu aperto, como se houvesse aço escondido por baixo daquela
pele umedecida.

— Amir vai ser um grande escritor — disse *baba*. E custei a
acreditar que tivesse ouvido aquilo. — Acabou o primeiro ano da
faculdade e tirou "A" em todas as matérias.

— Do curso básico — emendei.

— *Mashallah* — disse o general Taheri. — Vai escrever sobre a
nossa terra? História, talvez? Economia?

— Escrevo ficção — respondi, pensando nos dez ou doze contos
escritos naquele caderno de capa de couro que Rahim Khan tinha me
dado, e perguntando a mim mesmo por que, de repente, estava me sentindo tão sem jeito por causa deles na presença daquele homem.

— Ah, um contador de histórias — disse o general. — Bem, as
pessoas precisam de histórias para se divertir em tempos tão difíceis
como esses. — Pôs a mão no ombro de *baba*, e voltou-se para mim.
— Por falar em histórias, seu pai e eu fomos caçar faisões em um dia
de verão em Jalalabad — disse ele. — Bons tempos, aqueles! Se não
me falha a memória, seu pai mostrou ter olhos tão argutos para as
caçadas quanto para os negócios.

Com a ponta da bota, *baba* chutou uma raquete de tênis que
estava em cima da nossa lona.

— Alguns negócios...

O general Taheri caprichou em um sorriso simultaneamente tris-
tonho e educado, soltou um suspiro e deu um tapinha afetuoso no
ombro de meu pai.

— *Zendagi migzara* — disse ele. A vida continua. E acrescentou,
olhando para mim: — Nós, afegãos, temos tendência a levar tudo a

um certo grau de exagero, *bachem*, e já vi muitos homens serem tolamente taxados de grandes. Mas com seu pai é diferente, ele pertence àquela minoria que realmente merece esse rótulo.

Esse breve discurso me soou exatamente como o seu terno: usado com muita freqüência e lustroso de uma forma nada natural.

— Você está me adulando — retrucou *baba*.

— Não estou, não — disse o general inclinando a cabeça para o lado e levando a mão ao peito em sinal de humildade. — Os rapazes e as moças precisam conhecer o legado de seus pais. — E, voltando-se para mim: — Você aprecia seu pai, *bachem*? Realmente o aprecia?

— *Balay*, general *sahib*, claro que sim — disse eu, desejando que ele parasse de me chamar de "meu menino".

— Então, meus parabéns, porque isso é efetivamente meio caminho andado para você se tornar um homem — disse ele sem nenhum vestígio de humor, ou de ironia, o cumprimento displicente dos arrogantes.

— Você esqueceu o seu chá, *padar jan* — disse uma voz feminina. Ela estava parada atrás de nós. Era uma linda jovem, esbelta, com cabelos negros aveludados, uma garrafa térmica aberta e um copinho de isopor nas mãos. Pisquei os olhos, com o coração aos pulos. Ela tinha sobrancelhas negras bem espessas, que chegavam a se unir acima do nariz, como as asas arqueadas de um pássaro em pleno vôo, e um gracioso nariz adunco como uma princesa da antiga Pérsia, talvez como o de Tahmineh, do *Shahnamah*, a esposa de Rostam e mãe de Sohrab. Os seus olhos, de um castanho bem escuro e protegidos por longos cílios recurvados, encontraram os meus. Detiveram-se ali por um momento. Tomaram outra direção.

— Quanta gentileza sua, minha querida — disse o general Taheri. Pegou o copinho das suas mãos. Antes que ela se virasse para ir embora, vi que tinha um sinal de nascença marrom, em forma de foice, na pele suave do rosto, bem acima do maxilar esquerdo. Foi andando para uma caminhonete de um cinza fosco, estacionada duas alamedas mais adiante, e pôs a garrafa térmica dentro do carro. O seu cabelo caiu todo para um lado quando ela se ajoelhou entre as caixas contendo velhos discos e livros.

— Minha filha, Soraya *jan* — disse o general Taheri. Respirou fundo, como quem está querendo mudar de assunto e consultou o relógio de ouro. — Bem, já é hora de ir e começar a arrumar as coisas.

Meu pai e o general se beijaram de ambos os lados do rosto e ele apertou a minha mão entre as suas.

— Desejo-lhe toda a sorte do mundo com as suas histórias — disse ele olhando bem nos meus olhos. E aquele olhar de um azul pálido não revelava nada dos pensamentos que poderiam estar por detrás dele.

Passei o resto do dia lutando comigo mesmo, tentando não ficar olhando o tempo todo para a tal caminhonete cinzenta.

FOI SÓ NO CAMINHO DE VOLTA PARA CASA que a idéia me ocorreu. Taheri. Sabia que já tinha ouvido aquele nome antes.

— Não tinha uma história qualquer sobre a filha de Taheri? — perguntei, tentando não demonstrar nenhum interesse especial.

— Você me conhece — disse *baba* avançando bem devagar naquela fila de carros que saíam da feirinha de antigüidades. — Conversas viram boatos e por aí vai...

— Mas tinha alguma coisa, não tinha? — insisti.

— Por que está perguntando isso? — indagou ele, me olhando de um jeito meio sonso.

Dei de ombros e me defendi com um sorriso.

— Só por curiosidade, *baba*.

— Tem certeza? É só isso mesmo? — perguntou ele, olhando bem nos meus olhos com um ar brincalhão. — Ou será que você ficou interessado nela?

Não consegui encará-lo.

— Ah, por favor, *baba*.

Ele sorriu. Passou com a Kombi pela saída da feira e foi se dirigindo para a auto-estrada 680. Por algum tempo, ficamos em silêncio.

— Tudo o que sei é que houve um homem e as coisas... não deram lá muito certo.

Disse isso em um tom sério, como se tivesse me revelado que ela tinha um câncer de mama.

— Ah...!

— Pelo que ouvi dizer, é uma moça decente, trabalhadora e muito gentil. Só que nenhum *khastegar*, nenhum pretendente veio bater à porta do general desde então — disse *baba* com um suspiro. — Pode ser injusto, mas o que acontece em poucos dias, às vezes até uma única vez, pode alterar o rumo da vida inteira, Amir — acrescentou ele.

DEITADO NA CAMA, NAQUELA NOITE, fiquei pensando na marca de nascença em forma de foice no rosto de Soraya Taheri; no seu nariz levemente adunco e no jeito como os seus olhos brilhantes tinham fitado os meus por uns breves instantes. O meu coração parecia que ia parar só de pensar nela. Soraya Taheri. Minha princesa da feirinha de antigüidades.

DOZE

No Afeganistão, a *yelda* é a primeira noite do mês de *jadi*, a primeira noite do inverno, e a mais longa do ano. Como mandava a tradição, Hassan e eu ficávamos acordados até mais tarde, com os pés enfiados debaixo do *kursi*, enquanto Ali atirava cascas de maçã no fogareiro e nos contava velhas histórias de sultões e de ladrões para passar o tempo dessa noite que era a mais comprida de todas. Foi por meio de Ali que fiquei conhecendo a tradição da *yelda*, daqueles meses enfeitiçados, que se precipitam para as chamas das velas, e dos lobos que sobem ao alto das montanhas em busca do sol. Ali jurava que quem comesse melancia na noite da *yelda* não sentiria sede durante o verão seguinte.

Quando fiquei mais velho, li nos meus livros de poesias que a *yelda* era a noite sem estrelas em que aqueles que sofrem por amor permanecem acordados, suportando a escuridão interminável e esperando que o nascer do sol traga consigo a pessoa amada. Depois que conheci Soraya Taheri, todas as noites da semana passaram a ser *yelda* para mim. E, quando chegavam as manhãs de domingo, pulava da cama já pensando no rosto de Soraya Taheri e naqueles seus olhos castanhos. Na Kombi de *baba*, ia contando os quilômetros que faltavam para vê-la sentada, descalça, arrumando as caixas de papelão cheias de enciclopédias amareladas, com os calcanhares brancos contrastando com o asfalto e as pulseiras de prata tilintando nos seus pulsos finos. Lembrava da sombra que seus cabelos projetavam no chão quando escorregavam por suas costas e pendiam como uma cortina de veludo. Soraya. A princesa da feirinha de antigüidades. O sol da manhã depois da minha *yelda*.

Inventava desculpas para ficar perambulando pelas aléias — coisa que meu pai aceitava com um risinho brincalhão — e poder passar diante da barraca dos Taheri. Acenava cumprimentando o general, eternamente vestido com aquele terno cinza lustroso de tanto ser passado a ferro, e ele respondia ao meu aceno. Às vezes se levantava da cadeira de diretor e conversávamos um pouco sobre os meus escritos, a guerra, as vendas do dia. Eu tinha de me controlar para não deixar que os meus olhos escapulissem e fossem vagar por perto de Soraya, que ficava sentada lendo um livro. Depois, nós nos despedíamos e eu me esforçava para não demonstrar que ficava chateado quando tinha de ir embora.

Às vezes ela estava lá sentada, sozinha, pois o general tinha ido para alguma outra fileira de barracas encontrar os conhecidos, e eu passava ao seu lado, fingindo não conhecê-la, mas morrendo de vontade de me aproximar. Outras vezes estava com uma senhora corpulenta, de pele muito pálida e cabelo pintado de ruivo. Prometi a mim mesmo que falaria com ela antes do fim do verão, mas as aulas recomeçaram, as folhas foram ficando vermelhas, amarelas, e, depois, caíram; vieram as chuvas do inverno, atormentando as articulações de *baba*; depois, novas folhas começaram a brotar e eu ainda não tinha tido coragem, *dil*, nem mesmo para olhá-la nos olhos.

O trimestre letivo de primavera terminou em fins de maio de 1985. Tive conceito "A" em todas as matérias, o que foi uma espécie de milagre, considerando-se que passava as aulas inteiras pensando no nariz levemente adunco de Soraya.

Em um domingo escaldante do verão, *baba* e eu estávamos na feirinha de antigüidades, sentados na nossa barraca, abanando o rosto com jornal. Embora nesse dia o sol estivesse ardente como ferro em brasa, a feira estava lotada e os negócios foram ótimos — era apenas meio-dia e meia e já tínhamos vendido cento e sessenta dólares. Fiquei de pé, estirei o corpo e perguntei se ele queria uma Coca-Cola. *Baba* respondeu que adoraria.

— Tome cuidado, Amir — acrescentou ele quando eu já estava me afastando.

— Cuidado com o quê, *baba*?

— Não sou nenhum *ahmaq*, portanto não venha bancar o idiota comigo!

— Não sei do que você está falando.

— Lembre-se disso — disse ele, com o dedo apontado para mim. — Um homem é pashtun até a raiz dos cabelos. Tem *nang* e *namoos*.

Nang. Namoos. Honra e orgulho. Os princípios do pashtun. Especialmente quando se tratava da castidade de uma esposa. Ou de uma filha.

— Vou apenas pegar umas bebidas para nós — insisti.

— Só não crie embaraços para mim. É tudo o que lhe peço.

— Pode deixar, *baba*. Pelo amor de Deus!

Ele acendeu um cigarro e recomeçou a se abanar.

Passei primeiro na barraca da administração. Depois, virei à esquerda e fui para o estande das camisetas onde, por cinco dólares, se pode mandar imprimir o rosto de Jesus, de Elvis, de Jim Morrison, ou dos três juntos, em uma camiseta de malha branca. Ouvi música de *mariachi* tocando e pude sentir o cheiro de picles e de carne na churrasqueira.

Avistei a caminhonete cinza dos Taheri a duas aléias da nossa, perto de um quiosque que vendia mangas no palito. Ela estava sozinha, lendo. Usava um vestido branco de verão que lhe batia nos tornozelos. E sandálias abertas. Tinha o cabelo puxado para trás, preso em um coque banana. Tudo o que pretendia era passar novamente por ali e achei que estivesse fazendo apenas isso. Só que, de repente, me vi parado junto da borda da toalha de mesa branca dos Taheri, olhando para Soraya sentada ali, em meio a ferros de frisar cabelo e gravatas usadas. Ela ergueu os olhos.

— *Salaam* — disse eu. — Desculpe se estou sendo *mozahem*. Não tinha a intenção de incomodá-la.

— *Salaam*.

— O general *sahib* veio hoje? — perguntei. Minhas orelhas estavam ardendo. Não conseguia olhá-la nos olhos.

— Ele foi por ali — disse ela, apontando para a direita. A pulseira escorregou até o seu cotovelo, prata sobre azeitona.

— Diga-lhe, por favor, que passei aqui para cumprimentá-lo.

— Digo, sim — respondeu ela.

— Muito obrigado — disse eu. — Ah, e meu nome é Amir. Talvez precise saber. Assim, pode dizer a ele. Que passei por aqui. Para... cumprimentá-lo.

— Claro.

Fiquei parado ali, meio inquieto. Pigarreei.

— Já vou indo. Desculpe ter incomodado.

— Não incomodou, não — disse ela.

— Que ótimo! — Levei a mão à cabeça, em um aceno, e sorri ligeiramente. — Então, vou indo. — Já não tinha dito isso antes? — *Khoda hafez*.

— *Khoda hafez*.

Saí andando, mas parei e me virei. Antes que acabasse perdendo a coragem, disse:

— Posso perguntar o que está lendo?

Ela pareceu espantada.

Prendi a respiração. De repente, senti os olhares de todos os afegãos da feirinha de antigüidades se voltarem para nós. Imaginei o silêncio se instalando no ar. Lábios parando no meio de uma frase. Cabeças se virando. Olhos se apertando no maior interesse.

O que era *isso*?

Até aquele instante, o nosso encontro poderia ser interpretado como uma indagação respeitosa, a mesma coisa que um homem pedindo a outro informações sobre algum lugar. Mas, agora, acabava de lhe fazer uma pergunta e, se ela respondesse, estaríamos... bem, estaríamos conversando. Eu, um *mojarad*, um rapaz solteiro, e ela, uma jovem também solteira. E, ainda por cima, alguém que tinha uma *história*. Era algo que beirava perigosamente a condição de assunto para fofocas, e da melhor qualidade. Línguas venenosas iam começar a se agitar. E ela é que ia ter de agüentar o impacto desse veneno, não eu — conhecia muito bem o sistema afegão de dois pesos e duas medidas que favorecia o meu sexo. Ninguém diria "Viu que ele estava conversando com ela?", mas sim "Xiii! Viu como ela não o largava? Mas que *lochak*!".

Pelos padrões afegãos, minha pergunta tinha sido audaciosa. Com isso, tinha me traído, não deixando a menor dúvida quanto ao interesse que sentia por ela. Mas eu era homem e o único risco que corria era o orgulho ferido. E feridas como essas têm cura. Já as reputações, não. Será que ela ia aceitar o meu desafio?

Soraya virou o livro deixando a capa de frente para mim. Era *O morro dos ventos uivantes*.

— Já leu? — perguntou ela.

Fiz que sim com a cabeça. Podia sentir o meu coração pulsando acelerado por detrás dos meus olhos.

— É uma história triste — comentei.

— Histórias tristes dão bons livros — disse ela.

— É verdade.

— Ouvi dizer que você escreve.

Como podia saber? Será que o pai tinha lhe contado? Talvez ela tenha perguntado alguma coisa. Descartei imediatamente ambas as possibilidades por serem absurdas. Pais e filhos podem falar abertamente sobre mulheres. Mas nenhuma garota afegã — pelo menos nenhuma garota afegã decente e *mohtaram* — perguntaria algo a seu pai sobre um rapaz. E nenhum pai, principalmente um pashtun, com *nang* e *namoos*, conversaria com a filha sobre um *mojarad*, pelo menos não até que o indivíduo em questão se tornasse um *khastegar*, um pretendente; que tivesse feito tudo como manda o figurino, pedindo ao próprio pai que fosse bater à porta daquela casa.

Por incrível que pareça, me ouvi perguntando:

— Gostaria de ler uma das minhas histórias?

— Gostaria — respondeu ela.

Agora, podia notar que ela estava meio constrangida. Dava para ver isso pelo jeito com que seus olhos começaram a ir de um lado a outro, talvez procurando o general. E me perguntei o que ele diria se me visse ali, conversando com a sua filha por um tempo bastante inconveniente.

— Vou ver se trago uma para você um dia desses — disse eu. Estava prestes a acrescentar mais alguma coisa quando avistei, caminhando pela aléia, aquela mulher que já tinha visto uma vez com Soraya. Ela vinha trazendo um saco plástico cheio de frutas. Quando nos viu, os seus olhos saltaram de Soraya para mim e novamente para Soraya. E ela sorriu.

— Amir *jan*, que bom vê-lo por aqui! — exclamou, depositando a sacola sobre a toalha. As suas sobrancelhas brilhavam por causa do suor. O cabelo ruivo, penteado como um capacete, reluzia ao sol, e dava para ver o seu couro cabeludo em certos pontos onde o cabelo tinha rareado. Ela tinha olhos verdes e miúdos, que desapareciam no rosto redondo como um repolho, jaquetas nos dentes e os dedos roliços feito salsichas. Um "Allah" de ouro repousava em seu colo, mas o cordão se perdia nas rugas e pregas do pescoço.

— Sou Jamila, a mãe de Soraya *jan*.

— *Salaam, khala jan* — disse eu todo sem jeito, como acontecia tantas vezes em rodas de afegãos, porque ela me conhecia e eu não tinha a menor idéia de quem ela era.

— Como vai seu pai? — indagou.

— Bem, obrigado.

— Sabe, seu avô, o juiz Ghazi *sahib*? O tio dele e o meu avô eram primos — disse ela. — Como pode ver, somos parentes. — Sorriu, com aquele sorriso cheio de jaquetas, e pude perceber que o canto direito da sua boca ficava um tanto descaído. Os seus olhos voltaram a se mover para Soraya e, depois, para mim.

Certa vez, perguntei a *baba* por que a filha do general Taheri ainda não tinha se casado.

— Falta de pretendentes — disse ele. E logo corrigiu. — Falta de pretendentes aceitáveis. — E não disse mais nada, pois sabia muito bem como uma simples conversa podia ser fatal para as perspectivas de uma moça conseguir fazer um bom casamento. Os homens afegãos, principalmente os de famílias respeitáveis, eram criaturas inconstantes. Um sussurro aqui, uma insinuação ali, e eles batiam asas como pássaros assustados. Assim, casamento vai, casamento vem, e ninguém cantou "*Ahesta boro*" para Soraya, ninguém pintou as palmas das suas mãos com hena, ninguém segurou o Corão acima da sua cabeça, e foi o general Taheri que dançou com ela em todos os casamentos a que compareceram.

Agora, essa mulher, essa mãe estava ali, com uma ansiedade de dar pena, um sorriso meio torto e uma esperança mal disfarçada nos olhos. Fiquei um pouco constrangido com a posição de poder que me cabia simplesmente porque ganhei na loteria genética que determinou o meu sexo.

Nunca seria capaz de ler as idéias escondidas por trás dos olhos do general, mas sabia muito bem o que se passava na cabeça da mulher dele: se porventura tivesse que enfrentar um adversário nessa história, qualquer que fosse ela, esse adversário não seria a mãe de Soraya.

— Sente-se, Amir *jan* — disse ela. — Soraya, pegue uma cadeira para ele, *bachem*. E lave um desses pêssegos. Estão frescos e bem doces.

— Não, obrigado — retruquei. — Preciso ir andando. Meu pai está esperando por mim.

— Ah! — exclamou *khanum* Taheri, nitidamente impressionada por ver que eu tinha escolhido a atitude mais educada e recusado a sua proposta. — Então, tome. Ao menos leve isso — acrescentou ela enfiando um punhado de *kiwis* e alguns pêssegos em um saco de papel, e insistindo para que eu os aceitasse. — Cumprimente seu pai por mim. E volte para nos ver.

— Volto, sim. Obrigado, *khala jan* — disse eu. Com o rabo do olho, vi que Soraya estava olhando para o outro lado.

— Pensei que você tivesse ido apanhar umas Cocas — disse *baba*, pegando o saco de pêssegos de minha mão. Ficou me olhando de um jeito simultaneamente sério e brincalhão. Já estava tratando de inventar alguma desculpa quando ele mordeu um pêssego e fez um gesto com a mão. — Deixe para lá, Amir. Só não esqueça do que eu lhe disse.

ESSA NOITE, DEITADO NA CAMA, fiquei pensando nos raios de sol dançando nos olhos de Soraya e nas suaves depressões que havia sobre as suas clavículas. Reproduzi mentalmente a nossa conversa milhares de vezes. Ela tinha dito "Ouvi dizer que você escreve" ou "Ouvi dizer que você é escritor"? Como teria sido? Empurrei as cobertas e fiquei olhando para o teto, desanimado diante da perspectiva de seis intermináveis noites de *yelda* até poder vê-la de novo.

CONTINUEI FAZENDO A MESMA COISA por algumas semanas. Esperava que o general saísse para dar uma volta e, então, passava diante da barraca dos Taheri. Se *khanum* Taheri estivesse lá me oferecia um chá com *kolcha* e ficávamos conversando sobre a Cabul dos velhos tempos, as pessoas que conhecíamos, a sua artrite. Com toda certeza, ela tinha notado que a minha chegada sempre coincidia com as ausências do seu marido, mas nunca demonstrou nada.

— Ah, por pouco você pegava seu *kaka* aqui — dizia.

Na verdade, gostava quando *khanum* Taheri estava lá, e não só por causa do seu jeito acolhedor; Soraya ficava mais relaxada, mais falante se a mãe estivesse por perto. Como se a presença dela legitimasse o que quer que estivesse acontecendo entre nós — embora, é claro, não tanto quanto se fosse o general. Mas ter *khanum* Taheri como *chaperon* fazia com que os nossos encontros fossem, se não à prova de fofocas, ao menos não tão dignos delas, embora o fato de ela ficar meio que me bajulando deixasse Soraya visivelmente constrangida.

Um dia, Soraya e eu estávamos sozinhos em sua barraca, conversando. Ela estava me falando da faculdade, de como estava estudando para as matérias do curso básico do Ohlone College, em Fremont.

— O que você pretende fazer? — perguntei.

— Quero ser professora — respondeu ela.

— Verdade? Por quê?

— Sempre quis. Quando morávamos na Virgínia, me diplomei no ESL e, agora, dou aulas na biblioteca pública uma noite por semana. Minha mãe também era professora, dava aulas de farsi e de história na escola secundária Zarghoona, para meninas, em Cabul.

Um homem barrigudo com boné de caçador ofereceu três dólares por um par de castiçais de cinco dólares, e Soraya deixou que ele os levasse. Jogou o dinheiro em uma caixinha de balas que estava a seus pés. Olhou para mim com ar encabulado.

— Queria lhe contar uma história — disse ela. — Mas estou um pouco sem graça.

— Conte.

— É que é meio bobo.

— Conte, por favor — insisti.

Ela riu.

— Bem, quando estava na terceira série, em Cabul, meu pai contratou uma mulher chamada Ziba para trabalhar lá em casa. Ela tinha uma irmã no Irã, em Mashad, e, como era analfabeta, me pediu que escrevesse umas cartas para a sua irmã de vez em quando. E, depois que ela respondesse, eu leria as suas cartas para Ziba. Um dia, perguntei se ela não gostaria de aprender a ler e a escrever. Ela abriu um sorriso de orelha a orelha, apertando os olhos, e disse que adoraria fazer isso. Então, depois que eu terminava o dever de casa, íamos sentar à mesa da cozinha e comecei a lhe ensinar o *Alef-beh*. Lembro que, às vezes, no meio do dever de casa, olhava para a cozinha e via Ziba mexer a carne na panela de pressão e, depois, sentar e pegar o lápis para fazer os exercícios que eu tinha passado na noite anterior.

"Só sei dizer que, em um ano, Ziba já estava lendo livros infantis. Sentávamos no quintal e ela lia para mim as histórias de Dara e Sara. Devagar, mas certinho. Passou a me chamar *moalem* Soraya, professora Soraya. — Riu novamente. — Sei que parece bobagem de criança, mas, a primeira vez que Ziba escreveu sozinha uma carta, descobri que não havia nada que eu quisesse tanto quanto ser professora. Estava muito orgulhosa dela e sentia que tinha feito algo que realmente valia a pena, entende?"

— Claro — menti. Fiquei pensando em como tinha usado os meus conhecimentos para ridicularizar Hassan. Como implicava com aquela história das palavras que ele não conhecia.

— Meu pai quer que eu vá estudar direito; minha mãe fica sempre insinuando que eu devia fazer medicina, mas vou ser professora. Não é um trabalho muito bem pago por aqui, mas é o que quero fazer.

— Minha mãe também era professora — disse eu.

— Eu sei — disse ela. — Minha mãe me contou.

E o seu rosto enrubesceu por ter deixado escapar aquele comentário, já que, com isso, ficava claro que as duas falavam de mim quando eu não estava presente. E precisei fazer um esforço imenso para me impedir de sorrir.

— Trouxe uma coisa para você. — Tirei o maço de páginas dobradas do bolso de trás. — Como prometi. — E lhe entreguei um dos meus contos.

— Ah! você se lembrou — exclamou ela radiante. — Obrigada! — Mal tive tempo de perceber que ela tinha dito "*tu*" pela primeira vez, e não "*shoma*", o tratamento formal que usava normalmente, porque, de repente, o seu sorriso se extinguiu. A cor lhe fugiu do rosto e notei que os seus olhos estavam fitando um ponto qualquer às minhas costas. Virei a cabeça. E me vi cara a cara com o general Taheri.

— Amir *jan*. Nosso aspirante a contador de histórias. Que prazer — disse ele com um breve sorriso.

— *Salaam*, general *sahib* — respondi eu, sentindo a boca seca.

Passou por mim, indo direto para a barraca.

— Que lindo dia, não é? — observou, com o polegar enfiado no bolso do paletó e a outra mão estendida para Soraya, que lhe entregou as folhas de papel. — Dizem que vai chover essa semana. Difícil de acreditar, não é? — acrescentou, jogando as páginas dobradas na lata de lixo. Voltou-se para mim e pôs a mão em meu ombro com brandura. Saímos andando juntos.

— Sabe, *bachem* — prosseguiu o general —, aprendi a gostar de você. É um rapaz decente, acredito realmente que seja, mas... — suspirou e fez um gesto com a mão — mesmo os rapazes decentes precisam que a gente lhes refresque a memória. Portanto, é meu dever lembrar que, aqui nessa feira, você está entre seus iguais. — Parou. Seus olhos inexpressivos penetraram pelos meus. — Veja bem, aqui *todo mundo* é contador de histórias. — Sorriu revelando dentes absolutamente regulares. — Transmita os meus respeitos a seu pai, Amir *jan*.

Deixou cair a mão. Sorriu novamente.

— O QUE FOI? — INDAGOU BABA. Estava recebendo o dinheiro de uma senhora idosa que acabava de comprar um cavalinho de balanço.

— Não foi nada — respondi. E sentei em um velho aparelho de TV. Mas acabei lhe contando.

— Ah, Amir... — disse ele com um suspiro.

Logo descobri, porém, que não poderia passar muito tempo remoendo o que tinha acontecido.

Porque um pouco mais tarde, nessa mesma semana, meu pai pegou um resfriado.

TUDO COMEÇOU COM UMA TOSSE SECA e o nariz escorrendo. Depois, a coriza melhorou, mas a tosse persistia. Ele tossia, levava o lenço à boca e o enfiava de novo no bolso. Fiquei insistindo para que fosse ver aquilo, mas ele se recusava terminantemente. *Baba* odiava médicos e hospitais. Que eu saiba, a única vez que procurou um médico foi quando pegou malária na Índia.

Então, duas semanas mais tarde, eu o surpreendi cuspindo catarro sanguinolento no vaso sanitário.

— Há quanto tempo isso vem acontecendo? — perguntei.

— O que vamos ter para o jantar? — indagou ele à guisa de resposta.

— Vou levá-lo ao médico.

Embora *baba* fosse gerente, o dono do posto de gasolina nunca lhe propôs um seguro-saúde, e ele, em sua inconseqüência, não insistiu. Levei-o, então, ao hospital do condado, em San Jose. O médico pálido e de olhos inchados que nos recebeu se apresentou como residente de segundo ano.

— Ele parece mais jovem que você e mais doente que eu — resmungou meu pai.

O residente nos mandou ao térreo para fazer um raio-X do tórax. Quando a enfermeira nos trouxe de volta, ele estava preenchendo um formulário.

— Leve isso ao balcão de recepção — disse ele fazendo rabiscos apressados.

— O que é isso? — perguntei.

— Um formulário de encaminhamento. — *Rabisca, rabisca.*

— Para quê?

— Setor de pneumologia.

— O que é isso?

Ele me olhou de relance. Ajeitou os óculos. Recomeçou a rabiscar.

— Ele tem uma mancha no pulmão direito. Quero que examinem para ver o que é.

— Uma mancha? — perguntei, e, de repente, a sala tinha ficado pequena demais.

— Câncer? — indagou *baba* como quem não quer nada.

— É possível. Seja como for, é suspeito — murmurou o médico.

— O senhor não pode nos explicar melhor? — indaguei.

— Na verdade, não. Primeiro, é preciso fazer a tomografia computadorizada e, depois, ir ver o pneumologista. — Estendeu para mim o tal formulário de encaminhamento. — Você disse que seu pai fuma, não é?

— É.

Ele assentiu com a cabeça. Olhou para mim, para *baba* e para mim de novo.

— Vão lhes telefonar em duas semanas.

Quis lhe perguntar como ele achava que eu poderia conviver com aquela palavra, "suspeito", por duas semanas inteiras. Como eu poderia comer, trabalhar, estudar? Como é que ele podia me mandar para casa com aquela palavra?

Mas peguei o formulário e o entreguei onde ele tinha mandado. Naquela noite, esperei até meu pai ir dormir e, então, dobrei um cobertor para usar como tapete de oração. Inclinando a cabeça até o chão, recitei os versículos já meio esquecidos do Corão — versículos que o mulá tinha nos feito decorar lá em Cabul —, e pedi a misericórdia de um Deus que nem sabia ao certo se existia. Nesse momento, fiquei com inveja do mulá; com inveja da sua fé e da sua certeza.

Duas semanas se passaram e ninguém telefonou. E, quando eu liguei para lá, disseram-me que tinham perdido o tal formulário. Será que eu tinha mesmo entregado o papel? Telefonariam, então, em três semanas. Fiz o maior escarcéu e acabei conseguindo reduzir os prazos: uma semana para fazer a tomografia e duas para a consulta com o médico.

Tudo estava indo bem com o pneumologista, dr. Schneider, até que meu pai lhe perguntou de onde ele era. Quando ele disse que era da Rússia, *baba* perdeu as estribeiras.

— Desculpe-nos, doutor — disse eu, empurrando *baba*, tentando afastá-lo dali. O dr. Schneider sorriu e recuou, ainda com o estetoscópio na mão.

— *Baba*, li a biografia do dr. Schneider na sala de espera. Ele nasceu em Michigan. *Michigan!* Nos Estados Unidos. É muito mais americano do que você e eu jamais seremos...

— Não quero saber onde ele nasceu. Ele é *roussi*! — esbravejou *baba* fazendo uma careta como se tivesse dito um palavrão. — Os pais dele eram *roussi*. Os avós eram *roussi*. Juro pela memória de sua mãe que vou lhe quebrar o braço se ele tentar encostar a mão em mim!

— Os pais do dr. Schneider fugiram dos *shorawi*. Você não está entendendo? Eles eram refugiados!

Mas *baba* não queria nem saber. Às vezes acho que a única coisa que ele amava tanto quanto sua falecida esposa era o Afeganistão, seu falecido país. Quase gritei, tamanha a frustração que sentia. Em vez disso, suspirei e voltei ao consultório do dr. Schneider.

— Sinto muito, doutor. Não vai dar.

O outro pneumologista, dr. Amani, era iraniano e meu pai o aprovou. O dr. Amani, um homem de fala macia, com um bigode recurvado e uma basta cabeleira grisalha, disse que tinha examinado a tomografia e que seria preciso fazer um procedimento chamado broncoscopia, para colher massa pulmonar para um exame patológico. Marcou o tal exame para a semana seguinte. Agradeci e ajudei *baba* a sair do consultório pensando que teria de passar uma semana inteira convivendo com essa palavra nova, "massa", que ainda era mais sinistra do que "suspeito". Adoraria que Soraya estivesse ali comigo.

Acontece que, como Satã, o câncer tem muitos nomes. O de *baba* se chamava "carcinoma aveno-celular". Em estado avançado. Inoperável. Ele pediu ao dr. Amani que fizesse um prognóstico. O médico mordeu o lábio e usou a palavra "grave".

— Por certo, há a quimioterapia — acrescentou ele. — Mas será apenas um paliativo.

— O que significa isso? — perguntou meu pai.

— Significa que não vai alterar em nada o desfecho. Vai apenas retardá-lo — respondeu o médico com um suspiro.

— Aí está uma resposta franca, dr. Amani. E lhe agradeço por isso — disse *baba*. — Mas não quero saber desse tratamento.

O seu rosto tinha o mesmo ar decidido que vi naquele dia em que botou os tíquetes-alimentação em cima da escrivaninha da sra. Dobbins.

— Mas, *baba*...

— Não me conteste na frente dos outros, Amir. Não faça isso nunca. Quem você pensa que é?

A CHUVA MENCIONADA PELO GENERAL TAHERI, na feirinha de antigüidades, só foi aparecer algumas semanas mais tarde, mas, quando saímos do consultório do dr. Amani, os carros que passavam respingavam água suja nas calçadas. Meu pai acendeu um cigarro. Fumou até chegarmos ao carro e, depois, durante todo o trajeto para casa.

Quando estava enfiando a chave na fechadura da porta do prédio, eu lhe disse:

— Gostaria que você pensasse na possibilidade da quimioterapia, *baba*.

Ele pôs as chaves no bolso, tirou-me da chuva puxando-me para debaixo do toldo listrado da portaria. Me apertou contra o peito com a mão que segurava o cigarro.

— *Bas!* — exclamou. — Já tomei minha decisão.

— E quanto a mim, *baba*? O que é que eu vou fazer? — indaguei, com os olhos cheios de lágrimas.

O seu rosto molhado de chuva mostrou uma expressão de desagrado. Era a mesma cara que fazia quando, em criança, eu caía, esfolava os joelhos e chorava. Naquela época, ficava assim porque eu chorava; agora, ficou assim porque eu estava chorando.

— Você está com vinte e dois anos, Amir! Já é adulto! Você... — abriu a boca, fechou-a, voltou a abri-la, reconsiderou. Sobre as nossas cabeças, a chuva tamborilava no toldo de lona. — Está querendo saber o que vai acontecer com você. É isso que venho tentando lhe ensinar durante todos esses anos: a nunca precisar fazer essa pergunta.

Abriu a porta. Voltou-se novamente para mim.

— E tem mais uma coisa. Que ninguém fique sabendo disso, está me ouvindo? Ninguém. Não quero piedade de quem quer que seja.

Dizendo isto, desapareceu no vestíbulo mal iluminado. Passou o resto do dia fumando um cigarro atrás do outro diante da TV. Não conseguia saber o que ou quem ele estava desafiando. A mim? O dr. Amani? Ou quem sabe esse Deus em quem nunca acreditou?

POR ALGUM TEMPO, NEM O CÂNCER conseguiu afastar *baba* da feirinha de antigüidades. Aos sábados fazíamos a nossa peregrinação pelas "vendas de garagem": ele como motorista; eu como co-piloto. E armávamos a nossa barraca aos domingos. Lâmpadas de latão. Luvas de beisebol. Casacos de esqui com o fecho ecler quebrado. Meu pai cumprimentava os conhecidos lá da nossa terra e discutia com os compradores por coisa de um ou dois dólares. Como se esses detalhes tivessem alguma importância. Como se o dia em que eu ia ficar órfão não estivesse se aproximando mais e mais a cada vez que desmontávamos a barraca.

Às vezes o general Taheri e sua esposa passavam por lá. O general, sempre um diplomata, me saudava com um sorriso e estendia ambas as mãos para me cumprimentar. Mas havia uma nova reserva na atitude de *khanum* Taheri. Uma reserva que só era quebrada pelos sorrisos meio tortos e dissimulados, e os olhares furtivos como que pedindo desculpas que ela me lançava quando o general estava prestando atenção em outra coisa.

Lembro desse tempo como um período de várias "primeiras vezes". A primeira vez que ouvi meu pai gemer no banheiro. A primeira vez que vi sangue no seu travesseiro. Em cerca de três anos na gerência do posto de gasolina, ele nunca tinha ligado avisando que estava doente. Esta foi mais uma das tais primeiras vezes.

Esse ano, na época da festa de Halloween, *baba* ia ficando tão cansado lá pelo meio das tardes de sábado que permanecia ao volante enquanto eu saía do carro e regateava para comprar algum traste. Quando o Dia de Ação de Graças estava se aproximando, ele já estava exausto antes do meio-dia. Quando começaram a aparecer os trenós nos gramados diante das casas e a neve falsa nos pinheiros verdes, *baba* passou a ficar em casa e eu saía dirigindo a Kombi para cima e para baixo na península.

Às vezes, na feirinha de domingo, alguns afegãos conhecidos nossos comentavam que ele estava emagrecendo. No início, essas observações eram elogiosas. Alguns chegaram até a lhe perguntar qual o segredo da sua dieta. Mas as perguntas e os elogios pararam quando a perda de peso não parou. Quando os quilos foram diminuindo e diminuindo. Quando o seu rosto ficou encovado. As suas têmporas murcharam. E os seus olhos afundaram nas órbitas.

Então, em um domingo frio, pouco depois do Ano-Novo, *baba* estava vendendo um abajur a um filipino atarracado enquanto eu revirava a Kombi à procura de uma manta para cobrir as suas pernas.

— Ei, alguém! Esse homem está precisando de ajuda! — gritou o filipino alarmado.

Virei e vi meu pai caído no chão. Os seus braços e as suas pernas se debatiam.

— *Komak!* — gritei. — Alguém me ajude! — E corri até lá. *Baba* estava espumando e a sua barba já estava encharcada. Os seus olhos estavam revirados, inteiramente brancos.

Várias pessoas correram na nossa direção. Ouvi alguém dizer a palavra "ataque". Alguém mais gritou: "Chamem uma ambulância!" Ouvi passos apressados. O céu escureceu quando uma multidão nos cercou.

De repente, aquela espuma foi ficando vermelha. Ele estava mordendo a língua. Ajoelhei ao seu lado, segurei os seus braços e disse:

— Estou aqui, *baba*. Estou aqui. Você vai ficar bem. Estou aqui do seu lado. — Como se pudesse livrá-lo daquelas convulsões. Mandar que elas deixassem o meu *baba* em paz. Senti alguma coisa molhada nos meus joelhos. Vi que ele tinha urinado. — Shhh, *baba jan*, estou aqui. O seu filho está bem aqui.

O MÉDICO, UM HOMEM DE BARBA BRANCA e inteiramente careca, me fez sair do quarto.

— Quero examinar as tomografias de seu pai junto com você — disse ele. Pôs as chapas em um visor que ficava no corredor e, com a borracha da ponta do seu lápis, foi mostrando as imagens do câncer de *baba*, como um policial que mostra o retrato falado do assassino à família da vítima. Naquelas imagens, o cérebro de meu pai parecia uma série de cortes transversais feitos em uma noz enorme crivada de umas coisas cinzentas que mais pareciam bolas de tênis.

— Como pode ver, já houve metástase — disse o doutor. — Ele terá de tomar esteróides para reduzir a dilatação do cérebro e medicamentos anticonvulsivos. Particularmente, recomendo radiação paliativa. Sabe o que significa?

Respondi que sim. Estava ficando entendido em assuntos relativos ao câncer.

— Então, está tudo certo — disse ele. Checou o bipe. — Agora, preciso ir, mas, se tiver qualquer dúvida, é só bipar para entrar em contato comigo.

— Obrigado.

Passei a noite toda sentado em uma cadeira junto da cama de *baba*.

NA MANHÃ SEGUINTE, A SALA DE ESPERA perto do saguão de entrada estava repleta de afegãos. O açougueiro de Newark. Um engenheiro que tinha trabalhado com meu pai na construção do orfanato. Um a um, foram entrando no quarto e cumprimentando *baba*, todos falando bem baixinho. Desejavam que se recuperasse logo. Nesse momento, ele estava acordado. Meio grogue e exausto, mas acordado.

Um pouco mais tarde, na mesma manhã, chegaram o general Taheri e sua esposa. Soraya vinha logo atrás. Nossos olhos se encontraram e se desviaram ao mesmo tempo.

— Como está, meu amigo? — disse o general Taheri segurando a mão de meu pai.

Baba fez um gesto indicando o soro que pendia do seu braço. Esboçou um ligeiro sorriso. O general lhe sorriu também.

— Não deviam ter se incomodado. Todos vocês — disse ele com voz rouca.

— Não é incômodo nenhum — retrucou *khanum* Taheri.

— Não é mesmo. O mais importante agora é saber se estão precisando de algo — disse o general. — De nada mesmo? Podem me pedir o que for necessário, como se eu fosse um irmão.

Lembrei de algo que meu pai tinha dito uma vez sobre os pashtuns. "Podemos ser cabeças-duras, e sei muito bem que somos orgulhosos demais. Na hora da necessidade, porém, pode acreditar: não há ninguém melhor para se ter ao nosso lado que um pashtun."

Baba fez que não com a cabeça deitada no travesseiro.

— Só o fato de terem vindo até aqui já me deixa muito feliz — disse ele.

O general sorriu e apertou a sua mão.

— E você, como vai, Amir *jan*? Está precisando de alguma coisa?

O jeito que ele me olhava, o carinho que havia em seus olhos...

— Não, obrigado, general *sahib*. Estou...

Senti um nó na garganta e os meus olhos se encheram de lágrimas. Saí do quarto quase correndo.

Fui chorar no corredor, perto daquele visor luminoso onde, na véspera, tinha visto o rosto do assassino.

A porta se abriu e Soraya saiu do quarto. Parou perto de mim. Usava um moletom verde e calça *jeans*. E estava de cabelo solto. Quis encontrar algum consolo em seus braços.

— Sinto muito, Amir — disse ela. — Todos nós estávamos sabendo que havia algo errado, mas não podíamos imaginar que fosse isso.

Enxuguei os olhos com as mangas da camisa.

— Ele não queria que ninguém soubesse.

— Está precisando de alguma coisa?

— Não — respondi, tentando sorrir.

Ela pôs a mão sobre a minha. Era a primeira vez que nos tocávamos. Segurei aquela mão. Trouxe para o meu rosto. Até os meus olhos. E, depois, a soltei.

— É melhor você voltar lá para dentro — disse. — Senão, seu pai vai acabar vindo atrás de mim.

Ela sorriu e concordou.

— É melhor mesmo. — E se virou para entrar no quarto.

— Soraya!

— O quê?

— Estou feliz por você ter vindo. Significa... tudo para mim.

BABA TEVE ALTA DOIS DIAS DEPOIS. Trouxeram um especialista em radiação oncológica para conversar sobre as possibilidades de um tratamento com essa técnica. Ele recusou. Vieram me pedir que tentasse falar com ele para convencê-lo. Mas vi a expressão que havia em seu rosto. Agradeci, assinei os formulários e levei *baba* para casa no meu Ford Torino.

Naquela mesma noite, ele estava deitado no sofá, coberto com uma manta de lã. Trouxe-lhe chá quente e amêndoas torradas. Passei os braços por suas costas e ergui o seu tronco com a maior facilidade. Os ossos dos seus ombros pareciam asas de pássaro sob os meus dedos. Puxei o cobertor de volta para cobri-lo até o peito, onde se viam as costelas desenhadas sob a pele fina e macilenta.

— Quer mais alguma coisa, *baba*?

— Não, *bachem*. Muito obrigado.

Sentei ao seu lado.

— Então, quem sabe você não faria uma coisa para mim? Se não estiver cansado demais.

— O que é?

— Queria que você fosse *khastegari*. Que pedisse ao general Taheri a mão da filha dele em casamento.

Os seus lábios ressecados se entreabriram em um sorriso. Um pontinho de verde em uma folha murcha.

— Tem certeza? — indagou ele.

— Como nunca tive em toda a minha vida.

— Já pensou bastante sobre o assunto?

— *Balay, baba*.

— Então, passe o telefone. E traga também o meu caderninho.

— Agora? — perguntei espantado.

— Quando seria, então?

— Tudo bem — disse eu sorrindo. Fui apanhar o telefone e o caderninho preto onde *baba* tinha anotado os números dos seus amigos afegãos. Ele procurou o dos Taheri. Discou. Levou o fone ao ouvido. E o meu coração fazia piruetas dentro do peito.

— Jamila *jan*? *Salaam alaykum* — disse ele. Identificou-se. Fez uma pausa. — Bem melhor, obrigado. Foi tão gentil terem vindo me ver... — Ficou ouvindo. Assentiu com a cabeça. — Não vou esquecer, obrigado. O general *sahib* está? — Pausa. — Obrigado.

Piscou o olho para mim. Por alguma razão, eu estava com vontade de rir. Ou de gritar. Levei a mão à boca e a mordi. *Baba* riu baixinho, pelo nariz.

— General *sahib, salaam alaykum*... Estou, sim, muito melhor... *Balay*... Muita gentileza sua. Estou ligando, general *sahib*, para saber se posso fazer uma visita ao senhor e a *khanum* Taheri amanhã de

manhã. É um assunto importante... É... Às onze horas está ótimo.
Até lá, então. *Khoda hafez.*

Desligou. Olhamos um para o outro. Caí na risada. E *baba*
também.

BABA MOLHOU O CABELO, PENTEANDO-O todo para trás. Ajudei-o a vestir uma camisa branca e, quando dei o nó da sua gravata, reparei o
espaço sobrando entre o botão do colarinho e o seu pescoço. Pensei
em todos os espaços vazios que *baba* ia deixar atrás de si depois que
se fosse, e fiz um esforço enorme para pensar em outra coisa. Ele
não tinha ido embora. Ainda não. E esse era um dia para pensar em
coisas boas. O paletó do terno marrom, aquele mesmo que ele tinha
usado na minha formatura, ficou dançando no seu corpo — *baba* já
não conseguia preenchê-lo todo. Tive de dobrar as mangas. Depois,
me agachei e amarrei os cadarços dos seus sapatos.

Os Taheri moravam em uma casa térrea de uma das áreas residenciais de Fremont, conhecida por abrigar uma grande quantidade de
afegãos. Tinha aquelas janelas salientes, telhado pontudo e a porta
da frente dando para uma varandinha onde vi vasos plantados com
gerânios. A caminhonete cinzenta do general estava estacionada na
entrada.

Ajudei meu pai a sair do carro e voltei para o volante. Ele se inclinou na janela do lado do carona.

— Fique em casa — disse. — Telefono para você daqui a uma
hora.

— Está certo, *baba* — respondi. — Boa sorte.

Ele sorriu.

Eu fui embora. Pelo retrovisor, vi *baba* caminhando um tanto
trôpego até a porta da casa para cumprir uma última obrigação
paterna.

FIQUEI ANDANDO DE UM LADO PARA O OUTRO da sala lá de casa, esperando
pelo telefonema de meu pai. Quinze passos no comprimento. Dez e
meio na largura. E se o general dissesse que não? E se me detestas-
se? Vira-e-mexe, ia até a cozinha para olhar as horas no relógio do
forno.

Pouco antes do meio-dia, o telefone tocou. Era *baba*.

— E aí?

— O general concordou.

Soltei uma baforada de ar. Sentei. Minhas mãos estavam tremendo.

— Concordou?

— É, mas Soraya *jan* está lá em cima, no quarto. Quer falar com você antes.

— Tudo bem.

Baba disse alguma coisa para alguém e, depois, veio o clique indicando que ele tinha posto o fone no gancho.

— Amir? — disse a voz de Soraya.

— *Salaam*.

— Meu pai disse que sim.

— Eu sei — respondi. Sacudi as mãos. Estava sorrindo. — Estou tão feliz que nem sei o que dizer.

— Também estou feliz, Amir... Mal posso acreditar que isso esteja acontecendo.

— Eu sei — exclamei, rindo.

— Ouça... — disse ela. — Quero lhe contar uma coisa. Uma coisa que você precisa saber antes de...

— Seja lá o que for, não me importa.

— Você precisa saber. Não quero começar algo já com segredos. E é melhor que fique sabendo por mim mesma.

— Se vai se sentir melhor assim, então conte. Mas saiba que isso não vai alterar nada.

Houve uma longa pausa do outro lado da linha.

— Quando morávamos na Virgínia, fugi com um afegão. Tinha dezoito anos nessa época... era rebelde... uma idiota, e... ele estava metido com drogas... Vivemos juntos por quase um mês. Todos os afegãos da Virgínia comentavam o assunto.

"*Padar* acabou nos encontrando. Apareceu na nossa porta e me mandou voltar para casa. Eu estava histérica. Gritando. Berrando. Dizendo que o odiava...

"Mas voltei para casa e... — ela estava chorando. — Desculpe.

— Ouvi quando pôs o fone em algum lugar. Assoou o nariz. — Desculpe — disse ela ao voltar, com a voz rouca. — Quando cheguei em casa, vi que minha mãe tinha tido um AVC, que o lado direito do seu rosto tinha ficado paralisado e... me senti tão culpada... Ela não merecia isso.

"Logo depois, *padar* decidiu que nos mudaríamos para a Califórnia." — Ela se calou.

— Como é o seu relacionamento com seu pai agora? — perguntei.

— Sempre tivemos as nossas diferenças, e continuamos tendo, mas sou muito grata a ele por ter ido me buscar naquele dia. Acredito mesmo que ele me salvou. — Voltou a se calar. — E então, não está aborrecido com o que lhe contei?

— Um pouco — respondi. Eu lhe devia a verdade. Não podia mentir para ela, dizendo que o meu amor-próprio, meu *iftikhar*, não estava ferido pelo fato de ela ter vivido com um homem ao passo que eu jamais tinha levado uma mulher para a cama. Aquilo me incomodava um pouco, mas tinha pensado muito a este respeito durante semanas, antes de pedir que *baba* fosse *khastegari*. E, no final das contas, a pergunta que acabava sempre se impondo era: como é que eu, entre todas as pessoas, poderia punir alguém pelo seu passado?

— Incomoda o suficiente para fazer você mudar de idéia? — perguntou ela.

— Não, Soraya. Nem de longe — respondi. — Nada do que você disse muda coisa alguma. Quero me casar com você.

Ela começou a chorar.

Fiquei com inveja. O seu segredo não existia mais. Tinha sido dito. Era coisa resolvida. Abri a boca e quase lhe contei como tinha traído Hassan, mentido, mandado ele embora e destruído a relação de quarenta anos que existia entre *baba* e Ali. Mas não disse nada. Comecei a achar que, em muitos aspectos, Soraya Taheri era uma pessoa melhor que eu. Coragem era apenas um deles.

TREZE

Na noite seguinte, quando chegamos à casa dos Taheri para o *lafz*, a cerimônia em que os pais dos noivos empenham a palavra, tive de estacionar o Ford do outro lado da rua, pois tudo por ali já estava abarrotado de carros. Estava usando um terno azul-marinho que comprei na véspera, depois de deixar meu pai em casa após o *khastegari*. Verifiquei a gravata no retrovisor.

— Você está *khoshteep* — disse ele. Lindo.

— Obrigado, *baba*. Você está bem? Acha que está em condições de enfrentar o que temos pela frente?

— Se estou em condições? Hoje é o dia mais feliz da minha vida, Amir — respondeu ele com um sorriso cansado.

Através da porta fechada, podíamos ouvir gente falando, rindo, e música afegã tocando baixinho — parecia um *ghazal* clássico, executado por Ustad Sarahang. Toquei a campainha. Por detrás das cortinas da janela do vestíbulo surgiu um rosto que logo desapareceu. Ouvi uma voz de mulher dizendo "Eles chegaram!". Pararam as conversas. Alguém desligou o som.

Khanum Taheri veio abrir a porta.

— *Salaam alaykum* — disse ela, radiante. Percebi que tinha feito permanente no cabelo e estava usando um vestido preto, longo e muito elegante. Quando entrei no vestíbulo, os seus olhos se encheram de lágrimas.

— Nem bem você pôs os pés aqui em casa, Amir *jan*, e eu já estou chorando... — disse ela.

Beijei a sua mão, seguindo à risca as instruções que *baba* tinha me dado na véspera.

Pelo corredor todo iluminado, ela nos conduziu até a sala de visitas. Nas paredes revestidas com lambris de madeira, vi retratos das pessoas que passariam a ser a minha nova família. *Khanum* Taheri bem jovem, com o cabelo todo armado, e o general — como pano de fundo, as cataratas do Niágara; *khanum* Taheri usando uma espécie de cafetã e o general, sem a calvície e de cabelo preto, vestindo um paletó de lapela estreita e gravata bem fininha; Soraya prestes a entrar em uma montanha-russa de madeira, acenando e sorrindo, e o sol refletindo nos aros metálicos do aparelho em seus dentes. Uma foto do general, envergando o seu uniforme de gala, e apertando a mão do rei Hussein, da Jordânia. Um retrato de Zahir Shah.

A sala de visitas estava cheia, com uns vinte e tantos convidados sentados em cadeiras dispostas ao longo das paredes. Quando meu pai entrou, todos se levantaram. Demos a volta na sala — ele na frente, andando bem devagarinho; eu, atrás — para cumprimentar todo mundo. O general — com o indefectível terno cinza — e *baba* se abraçaram, dando tapinhas nas costas um do outro. Ambos disseram *"salaam"* em voz baixa, em um tom respeitoso.

O general estendeu os braços e me segurou pelos ombros, com um sorriso decidido, como que dizendo "Agora, sim! Esse é o jeito certo — o jeito afegão — de se fazerem essas coisas, *bachem*". E nos beijamos três vezes no rosto.

Meu pai e eu nos sentamos naquela sala lotada, um ao lado do outro, defronte do general e de sua esposa. A respiração de *baba* estava um tanto ofegante e ele ficou enxugando o suor da testa e da cabeça com o lenço. Quando viu que eu estava olhando, deu um sorriso forçado.

— Estou ótimo — declarou.

Como manda a tradição, Soraya não estava presente.

Por alguns minutos, todos continuaram conversando, até que o general pigarreou. A sala ficou em silêncio e todos baixaram os olhos, fitando as próprias mãos, em uma atitude respeitosa. O general acenou então com a cabeça na direção de meu pai.

Baba também limpou a garganta. Quando começou a falar, não conseguia dizer uma frase completa sem fazer uma pausa para tomar fôlego.

— General *sahib*, *khanum* Jamila *jan*... é com toda humildade que meu filho e eu... estamos aqui em sua casa hoje. Vocês são... pessoas de bem... de famílias conhecidas e respeitáveis, e... de ascendência honrosa. Estou aqui apenas com o maior *ihtiram*... e o mais profundo respeito por vocês, pelo nome de sua família e pela memória... dos seus antepassados. — Fez uma pausa. Tomou fôlego. Enxugou a testa. — Amir *jan* é o meu único filho... meu filho único, e tem sido muito bom para mim. Espero que se mostre... merecedor da sua bondade. Peço-lhes que concedam a Amir *jan* e a mim mesmo... a honra de aceitarem o meu filho em sua família.

O general assentiu com gentileza.

— Nós é que nos sentimos honrados em acolher o filho de um homem como você em nossa família — disse ele. — A sua reputação é bem conhecida por todos nós. Eu era um humilde admirador seu já em Cabul, e continuo sendo hoje em dia. É uma honra para nós podermos unir sua família com a nossa.

"Quanto a você, Amir *jan*, eu o recebo de braços abertos em minha casa, como um filho, como o marido de minha filha que é a luz, a *noor* dos meus olhos. A sua dor será a nossa dor; a sua alegria, a nossa alegria. Espero que possa vir a considerar sua *khala* Jamila e eu mesmo como seus segundos pais, e rezo para que você e nossa querida filha Soraya *jan* sejam muito felizes. Vocês dois têm a nossa bênção."

Todos aplaudiram e, a este sinal, as cabeças se voltaram para o corredor. Era o momento que eu estava esperando ansiosamente.

Soraya apareceu, vestindo um magnífico traje tradicional afegão, de mangas longas, cor de vinho enfeitado de dourado. *Baba* segurou a minha mão e a apertou. *Khanum* Taheri começou a chorar. Lentamente, Soraya veio até onde nós estávamos, seguida por um cortejo de jovens parentas.

Beijou as mãos de meu pai. Finalmente, sentou ao meu lado, com os olhos baixos.

Os aplausos se tornaram ainda mais fortes.

DE ACORDO COM A TRADIÇÃO, A FAMÍLIA de Soraya ficava encarregada de organizar a festa de noivado, a *shirini-khori*, ou a cerimônia do "comer os doces". Depois, viria um período de noivado, que devia durar alguns meses. Só então haveria o casamento, que ficaria por conta de meu pai.

Todos concordamos que Soraya e eu íamos dispensar a *shirini-khori*. Como todo mundo sabia muito bem por quê, ninguém precisou efetivamente expor os motivos: *baba* não teria alguns meses de vida.

Enquanto se faziam os preparativos para o casamento, Soraya e eu nunca saíamos sozinhos, pois, já que ainda não estávamos casados, e nem mesmo tínhamos tido uma *shirini-khori*, isso não era considerado adequado. Tinha que me contentar então em ir jantar na casa dos Taheri, com *baba*. Sentar defronte de Soraya à mesa e ficar imaginando como seria sentir a cabeça dela no meu peito, o perfume do seu cabelo, beijá-la, fazer amor com ela...

Baba gastou trinta e cinco mil dólares, praticamente a totalidade das suas economias, no *awroussi*, a cerimônia do casamento. Alugou um grande salão de banquetes em Fremont — o proprietário era um afegão conhecido seu de Cabul, que lhe deu um desconto considerável. Também foi ele quem comprou as *chilas*, as nossas alianças de casamento, e o anel de brilhantes que escolhi. Comprou ainda o meu *smoking* e o tradicional terno verde para o *nika*, a cerimônia do juramento.

De toda aquela loucura dos preparativos para a noite do casamento — felizmente *khanum* Taheri e suas amigas se encarregaram de quase tudo —, só me lembro de uns poucos momentos aqui e ali.

Lembro de nosso *nika*. Soraya e eu estávamos sentados em volta da mesa, ambos vestidos de verde — a cor do islã, mas também a cor da primavera e dos novos começos. Eu estava de terno e Soraya (a única mulher naquela mesa) usava um vestido de mangas compridas, com um véu. Meu pai, o general Taheri (desta vez de *smoking*) e vários tios de Soraya também estavam sentados ali junto conosco. Soraya e eu mantínhamos os olhos baixos, em uma atitude solene de respeito. Mas, de vez em quando, olhávamos um para o outro disfarçadamente. O mulá fez perguntas às testemunhas e leu passagens do Corão. Pronunciamos os nossos juramentos. Assinamos as certidões. Um dos tios de Soraya, lá da Virgínia, Sharif *jan*, irmão de *khanum* Taheri, se levantou e pigarreou. Soraya já tinha me dito que ele morava nos Estados Unidos há mais de vinte anos, trabalhava no serviço de imigração e era casado com uma americana. Mas também era poeta. O homenzinho franzino, com cara de pássaro e uma basta cabeleira, leu um imenso poema dedicado a Soraya que tinha sido escrito em um daqueles papéis de carta de hotel.

— *Wah wah*, Sharif *jan*! — exclamaram todos quando ele terminou.

Lembro de ir andando até o palco, agora de *smoking*, e Soraya usando um *pari* branco, com um véu. Estávamos de mãos dadas. *Baba* ia caminhando ao meu lado, um tanto trôpego, enquanto o general e a esposa iam ao lado de Soraya. Um cortejo de tios, tias e primos nos acompanhou no trajeto até o salão, atravessando um mar de convidados que batiam palmas, e piscando diante do *flash* das máquinas fotográficas. Um dos primos de Soraya, filho de Sharif *jan*, ficou segurando um Corão acima das nossas cabeças enquanto íamos avançando devagar. Dos alto-falantes vinha o som da cantiga nupcial, "*Ahesta boro*", a mesma que aquele soldado russo tinha cantado lá no posto de controle de Mahipar, na noite em que *baba* e eu saímos de Cabul:

Transforme a manhã em uma chave e atire-a no poço
Vá devagar, minha linda lua, vá devagar.

Deixe que o sol da manhã esqueça de se erguer a leste
Vá devagar, minha linda lua, vá devagar.

Lembro que sentei no sofá instalado no palco como se fosse um trono, segurando a mão de Soraya, diante de uns trezentos rostos, ou quase isso, todos olhando para nós. Fizemos *ayena masshaf*, que é quando nos entregam um espelho e põem um véu sobre as nossas cabeças para que, sozinhos, possamos contemplar a imagem um do outro. Olhando o rosto sorridente de Soraya naquele espelho, na privacidade momentânea que o véu nos proporcionava, sussurrei para ela, pela primeira vez, que a amava. E o seu rosto ficou vermelho, como se tivesse sido tingido com hena.

Tenho uma vaga lembrança das travessas coloridas com *chopan kabob*, *sholeh-goshti* e arroz com laranja azeda. Vejo *baba* sentado no sofá, entre nós dois, sorrindo. Lembro de homens, encharcados de suor, dançando a tradicional *attan*, formando uma roda, pulando, girando cada vez mais rápido ao ritmo febril da tabla, até que a grande maioria não agüentava mais e acabava saindo da roda. Lembro de ter desejado que Rahim Khan estivesse lá.

E lembro de ter me perguntado se Hassan também teria se casado. E se tivesse, que rosto teria contemplado no espelho por baixo do véu. Que mãos pintadas de hena teria segurado.

Por volta das duas horas da manhã, a festa se transferiu do salão de banquetes para o apartamento de meu pai. O chá voltou a rolar e a música tocou até que os vizinhos chamaram a polícia. Mais tarde, naquela mesma noite, menos de uma hora antes do nascer do sol, e depois que os convidados tinham finalmente ido embora, Soraya e eu nos deitamos juntos pela primeira vez. A vida toda, tinha estado cercado de homens. Nessa noite, descobri a ternura de uma mulher.

Foi Soraya que sugeriu que ela viesse morar com *baba* e comigo.

— Pensei que você preferisse que tivéssemos uma casa só para nós — disse eu.

— Com *kaka jan* doente como está? — retrucou ela. Seus olhos me diziam que aquela não era a maneira ideal de se começar um casamento. Eu a beijei.

— Obrigado — disse.

Soraya passou a cuidar de meu pai com a maior dedicação. Preparava o chá e as torradas para ele de manhã, e o ajudava a se levantar e a se deitar. Dava-lhe os remédios para dor, lavava as suas roupas, e, toda tarde, lia para ele a seção internacional do jornal. Fazia o seu prato favorito, *shorwa* de batata, embora ele mal conseguisse comer algumas colheradas, e o levava para dar uma voltinha no quarteirão todos os dias. E, quando ele não pôde mais se levantar da cama, tomava o cuidado de virá-lo de hora em hora, para evitar que se formassem escaras.

Um dia, cheguei da farmácia com as pílulas de morfina. Assim que fechei a porta, vi de relance Soraya tratando de esconder algo bem depressa debaixo do cobertor de *baba*.

— Ei, eu vi! O que é que vocês dois estavam fazendo? — perguntei.

— Nada — respondeu Soraya sorrindo.

— Mentirosa. — Levantei o cobertor. — O que é isso? — indaguei, muito embora tivesse entendido tudo desde o instante em que pus as mãos no caderno encapado de couro. Passei os dedos por aquelas bordas debruadas de dourado. Lembrei dos fogos de artifício na noite em que Rahim Khan me deu esse caderno de presente, na noite da festa do meu aniversário de treze anos; lembrei dos clarões zumbindo e explodindo em buquês vermelhos, verdes e amarelos.

— Não consigo acreditar que você possa escrever assim... — disse Soraya.

Meu pai fez um esforço para erguer a cabeça do travesseiro.

— A idéia foi minha. Espero que você não se importe.

Devolvi o caderno a Soraya e saí do quarto. *Baba* detestava me ver chorando.

QUANDO ESTÁVAMOS FAZENDO UM MÊS de casados, os Taheri, Sharif, sua mulher, Suzy, e várias tias de Soraya vieram jantar em nosso apartamento. Soraya preparou *sabzi challow*, arroz branco com espinafre e carneiro. Depois do jantar, todos nós tomamos chá verde e fomos jogar cartas divididos em grupos de quatro. Soraya e eu jogamos com Sharif e Suzy na mesinha de centro, perto do sofá onde *baba* estava deitado e coberto com uma manta de lã. Ele ficou olhando e me viu brincar com Sharif, viu que Soraya e eu estávamos de mãos dadas, viu quando ajeitei uma mecha do seu cabelo que tinha se soltado. Eu podia perceber que ele sorria por dentro, um sorriso tão grande quanto os céus de Cabul nas noites em que os choupos farfalhavam e o barulho dos grilos se espalhava pelos jardins.

Pouco antes da meia-noite, ele nos pediu para levá-lo para a cama. Soraya e eu passamos seus braços em nossos ombros e, com os nossos, envolvemos suas costas. Depois que o deitamos, Soraya apagou a lâmpada da mesinha de cabeceira. Ele pediu que nos abaixássemos e deu um beijo em cada um.

— Volto logo com a sua morfina e um copo de água, *kaka jan* — disse Soraya.

— Essa noite não precisa — disse ele. — Não estou com dor hoje.

— Então, está bem — respondeu ela. Cobriu-o com o cobertor. Fechamos a porta.

Baba nunca mais acordou.

TODAS AS VAGAS DO ESTACIONAMENTO da mesquita de Hayward estavam ocupadas. No gramado um tanto falhado que ficava nos fundos do prédio, vários carros e furgões tinham parado onde quer que houvesse uma vaga. As pessoas tinham que ir três ou quatro quarteirões adiante da mesquita para conseguir um lugar para estacionar.

O setor masculino da mesquita era um amplo salão quadrado, recoberto de tapetes afegãos e colchões bem fininhos dispostos em linhas paralelas. Filas de homens entravam ali, deixando os sapatos na porta, e vinham se sentar de pernas cruzadas sobre os colchonetes. Um mulá cantava *surrahs* do Corão ao microfone. Eu me sentei perto da entrada, no lugar tradicionalmente reservado à família do morto. O general Taheri se sentou ao meu lado.

Pela porta aberta, podia ver filas de carros chegando, com o sol refletindo nos pára-brisas. As pessoas iam descendo dos carros: homens usando ternos escuros, mulheres trajando vestidos pretos, e todas elas com a cabeça coberta com o tradicional *hijab* branco.

Enquanto as palavras do Corão ressoavam pela sala, lembrei da velha história de *baba* enfrentando um urso negro lá no Baluquistão.

Meu pai passou a vida inteira enfrentando ursos. Perdeu a jovem esposa. Teve de criar um filho sozinho. Precisou abandonar a sua querida terra natal, o seu *watan*. Conheceu a pobreza. A indignidade. Até que, afinal, apareceu um urso que ele não conseguiu derrotar. Mas, mesmo então, perdeu sem deixar de ditar as regras.

Depois de cada seqüência de orações, grupos de pessoas faziam fila e vinham me cumprimentar antes de sair. Apertei todas aquelas mãos, como era de praxe. Muitos deles eu mal conhecia. Sorria educadamente, agradecia a todos por suas palavras, ouvia o que quer que tivessem a dizer sobre *baba*.

— ...me ajudou a construir minha casa em Taimani...

— ...o abençoe...

— ...ninguém mais a quem recorrer e ele me emprestou...

— ...me arranjou um emprego... mal me conhecia...

— ...como um irmão para mim...

Ouvindo-os falar, percebi como boa parte de quem eu era, boa parte do que eu era tinha sido definido por *baba* e pelas marcas que ele deixou na vida das pessoas. Durante toda a minha vida, fui "o filho de *baba*". Agora, ele tinha ido embora. Nunca mais poderia me mostrar o caminho a seguir. E eu ia ter que descobrir isso sozinho.

Essa idéia me deixou aterrorizado.

Um pouco mais cedo, durante o sepultamento, no pequeno setor muçulmano do cemitério, fiquei olhando enquanto baixavam o corpo de *baba* no túmulo. O mulá e um outro homem começaram a discutir sobre qual seria o *ayat* do Corão mais adequado para se recitar naquela ocasião. A coisa podia ter ficado feia se o general Taheri não houvesse interferido. O mulá acabou escolhendo um *ayat* e o recitou lançando olhares furiosos ao outro indivíduo. Vi quando atiraram a primeira pá de terra na sepultura. Então, fui embora. Saí andando para o outro lado do cemitério. Sentei à sombra de um bordo vermelho.

Agora, as últimas pessoas presentes já tinham vindo me dar os pêsames e não havia mais ninguém na mesquita, a não ser o mulá desligando o microfone e embrulhando o Corão em um pano verde. O general e eu saímos ao sol do fim de tarde. Descemos a escada, passando por grupos de homens que fumavam. Ouvi trechos das suas conversas, um jogo de futebol em Union City na semana que vem, um novo restaurante afegão em Santa Clara. Era a vida que continuava, deixando *baba* para trás.

— Como você está, *bachem*? — perguntou o general Taheri.

Cerrei os dentes. Engoli as lágrimas que tinham me ameaçado durante todo o dia.

— Vou procurar Soraya — respondi.

— Está bem.

Fui andando para o lado feminino da mesquita. Soraya estava de pé na escada, junto com a mãe e duas outras senhoras que lembrava de ter visto no dia do nosso casamento. Acenei. Ela disse alguma coisa à mãe e veio ao meu encontro.

— Podemos andar um pouco? — perguntei.

— Claro — disse ela, pegando a minha mão.

Saímos andando em silêncio por um caminho de cascalho sinuoso cercado de arbustos. Sentamos em um banco e ficamos olhando para um casal mais idoso que se ajoelhou diante de um túmulo, pouco mais adiante, e depositou um buquê de margaridas perto da lápide.

— Soraya?

— O quê?

— Vou sentir falta dele.

Ela pôs a mão no meu colo. A *chila* comprada por *baba* reluziu no seu dedo anular. Por trás de Soraya, vi as pessoas que tinham vindo para o enterro dele indo embora pelo Mission Boulevard. Logo, logo nós também iríamos embora e, pela primeira vez na vida, *baba* ficaria inteiramente só.

Soraya me puxou para si e, finalmente, as lágrimas vieram.

JÁ QUE SORAYA E EU NÃO TÍNHAMOS TIDO um período de noivado, foi só depois de entrar para a família que passei a conhecer os Taheri. Por exemplo, fiquei sabendo que, uma vez por mês, o general tinha umas enxaquecas, com perturbação de visão, que duravam quase uma semana. Quando isso acontecia, ele ia para o quarto, tirava a roupa, apagava as luzes, trancava a porta e só saía de lá depois que a dor tivesse passado. Ninguém podia entrar naquele quarto; ninguém podia bater naquela porta. Finalmente, o general aparecia, novamente com o terno cinzento, com cheiro de sono e roupa de cama, e os olhos vermelhos e inchados. Fiquei sabendo, por Soraya, que ele e *khanum* Taheri dormiam em quartos separados desde que ela se entendia por gente. Fiquei sabendo que o general podia ser bem ranheta, fazendo coisas como, por exemplo, provar a *qurma* que a esposa punha à sua frente, dar um suspiro e empurrar o prato. "Vou preparar outra coisa para você", dizia então *khanum* Taheri. Ele, porém, a ignorava, fazia uma cara amuada e comia pão com cebola. Aquilo deixava Soraya furiosa e fazia sua mãe chorar. Ela me disse que o pai tomava anti-depressivos. Fiquei sabendo ainda que ele mantinha a família graças à seguridade social e nunca tentou arranjar emprego nos Estados Unidos, pois preferia embolsar os cheques emitidos pelo governo a se degradar trabalhando em coisas que não estivessem à altura de um homem como ele — considerava a feirinha de antigüidades apenas um *hobby*, uma oportunidade de ter contato com os seus compatriotas afegãos. O general acreditava que, mais cedo ou mais tarde, o Afeganistão seria libertado, a monarquia, restaurada, e os seus serviços voltariam a ser requisitados. Portanto, todos os dias vestia o terno cinzento, dava corda no relógio de bolso, e ficava esperando.

Soube também que *khanum* Taheri — que eu agora chamava de *khala* Jamila — tinha sido famosa em Cabul por sua magnífica voz. Embora nunca tenha cantado profissionalmente, tinha talento para isso — fiquei sabendo que cantava música folclórica, *ghazals* e até mesmo *raga*, que é geralmente reservada aos homens. Mas, assim como apreciava ouvir música — e possuía efetivamente uma coleção considerável de fitas de *ghazals* clássicos, interpretados por cantores afegãos e indianos —, o general acreditava que mais valia deixar sua interpretação por conta de gente menos respeitável. Que *khanum* Taheri jamais se apresentasse em público tinha sido uma das condições impostas pelo general quando eles se casaram. Soraya me disse que a mãe queria cantar no dia do casamento, nem que fosse uma única canção, mas o general lhe lançou um daqueles seus olhares e deu o assunto por encerrado. *Khala* Jamila jogava na loto uma vez por semana e assistia ao programa de Johnny Carson toda noite. Passava os dias no jardim, cuidando das suas rosas, dos seus gerânios, das suas trepadeiras e das suas orquídeas.

Quando me casei com Soraya, as flores e Johnny Carson passaram para o segundo plano. Eu virei a nova curtição da vida de *khala* Jamila. À diferença do general, que mantinha o seu jeito contido e diplomático — nem me corrigiu quando continuei a chamá-lo "general *sahib*" —, *khala* Jamila sequer tentava disfarçar o quanto me adorava. E por uma razão muito simples: eu a ouvia desfiar a sua incrível lista de doenças, ao passo que o general já não dava atenção a isso há muito tempo. Soraya me disse que, desde que a mãe tinha tido o AVC, cada palpitação que tivesse era um ataque cardíaco; cada dor nas articulações, uma crise de artrite reumatóide; e cada espasmo no olho, um novo AVC. Lembro da primeira vez que *khala* Jamila me falou de um caroço que tinha aparecido em seu pescoço.

— Vou faltar à aula amanhã e levá-la ao médico — disse eu.

Ao ouvir isso, o general sorriu e comentou:

— Então talvez você devesse deixar os livros de lado de uma vez por todas, *bachem*. O histórico das consultas de sua *khala* ao médico é como a obra de Rumi: se apresenta em vários volumes.

Mas não era só porque tinha conseguido uma platéia para os seus monólogos sobre doenças que ela me tratava daquele jeito. Estava convencido de que, se eu pegasse um rifle e começasse uma escalada assassina, ainda assim continuaria a contar com o amor incondicional de *khala* Jamila. Porque tinha livrado o seu coração da mais grave das doenças. Tinha eliminado o maior medo de todas as mães afegãs: o de que nenhum *khastegar* respeitável viesse pedir a mão de sua filha em casamento. Que a sua filha fosse envelhecer sozinha, sem marido, sem filhos. E toda mulher precisa de um marido. Mesmo que ele faça calar a canção que existe nela.

Foi também pela própria Soraya que fiquei sabendo dos detalhes do que tinha acontecido na Virgínia.

Estávamos em um casamento. O tio dela, Sharif, aquele que trabalhava para o serviço de imigração, estava casando o filho com uma moça afegã de Newark. A cerimônia foi no mesmo salão de festas onde, seis meses antes, Soraya e eu tivemos nosso *awroussi*. Estávamos no meio de um monte de convidados, vendo a noiva aceitar o anel da família do noivo, quando ouvimos duas mulheres de meia-idade conversando atrás de nós.

— Que noiva linda! — disse uma delas. — Olhe só para ela. Tão *maghbool*, parece até a lua.

— É mesmo — concordou a outra. — E pura também. Virtuosa. Nunca teve sequer um namorado.

— Eu sei. E acho que esse rapaz fez muito bem em não se casar com a prima.

Soraya desabou no caminho de volta para casa. Aproximei o Ford do meio-fio e estacionei junto a um poste, no Fremont Boulevard.

— Está tudo bem — disse eu pondo o seu cabelo para trás. — Por que dar importância a isso?

— Mas que merda! É tão injusto! — exclamou ela quase gritando.

— Esqueça.

— Os filhos delas vão para as boates à procura de carne fresca e engravidam as namoradas; têm filhos fora do casamento e ninguém faz nenhum maldito comentário. Ah! são apenas homens se divertindo! Já eu cometo um erro e, de repente, todo mundo está falando de *nang* e *namoos*, e tenho que passar o resto da vida ouvindo jogarem isso na minha cara!

Com o polegar, enxuguei uma lágrima que vinha rolando pelo seu rosto, logo acima daquela marca de nascença.

— Não lhe contei — disse Soraya dando umas batidinhas nos olhos —, mas, naquela noite, meu pai apareceu lá com um revólver. Disse... a ele... que tinha duas balas no tambor, uma para matá-lo e a outra para si mesmo, caso eu não voltasse para casa. Fiquei gritando, xingando meu pai de tudo que é palavrão, dizendo que ele não podia me manter trancafiada para sempre, que adoraria vê-lo morto. — As lágrimas escorriam por entre as suas pálpebras. — Disse isso, assim mesmo, que queria que ele morresse.

"Quando me trouxe de volta para casa, minha mãe veio me abraçar e estava chorando também. Ficou dizendo uma porção de coisas mas eu não consegui entender nada, porque ela estava articulando as palavras com muita dificuldade. Então, meu pai me levou para o meu quarto e me fez sentar diante do espelho grande. Pegou uma tesoura e, com toda calma, me mandou cortar o cabelo. Ficou olhando enquanto eu fazia o que ele tinha mandado.

"Passei várias semanas trancada em casa. E, quando voltei a sair, ouvia as pessoas murmurando coisas ou imaginava esses murmúrios por onde quer que passasse. Isso aconteceu há quatro anos, e a quase cinco mil quilômetros daqui, mas ainda continuo a ouvir esses murmúrios."

— Que se fodam! — exclamei eu.

Ela fez um barulho estranho, que parecia um soluço misturado com riso.

— Quando lhe contei essa história pelo telefone, na noite do *khastegari*, tinha certeza de que você ia desistir.

— Impossível, Soraya.

Ela sorriu e pegou minha mão.

— Que sorte que tive de encontrar você. Alguém tão diferente de todos os afegãos que jamais conheci.

— Não vamos mais voltar a falar disso, está bem?

— Está.

Dei-lhe um beijo no rosto e saí com o carro. Enquanto dirigia, fiquei me perguntando por que eu seria diferente. Talvez porque tivesse sido criado por homens; não cresci rodeado de mulheres e nunca tive de conviver diretamente com aquele padrão de dois pesos, duas medidas com que a sociedade afegã trata os sexos masculino e feminino. Talvez fosse também porque *baba* nunca tenha sido nem de longe um pai afegão típico; era um liberal que sempre viveu de acordo com as próprias regras, um insubmisso que desconsiderava ou adotava os costumes da sociedade quando bem entendia.

Mas acho que boa parte da razão pela qual não me importava com o passado de Soraya era o fato de eu também ter o meu. Arrependimento era um assunto que conhecia muito bem...

POUCO DEPOIS DA MORTE DE *BABA*, Soraya e eu mudamos para um apartamento de quarto-e-sala em Fremont, a umas poucas quadras da casa do general e de *khala* Jamila. Os pais de Soraya compraram um sofá de couro marrom e um aparelho de jantar Mikasa, como presente de inauguração para a casa nova. Mas o general me deu um presente adicional, uma máquina de escrever IBM, novinha em folha. Na caixa, ele pôs um cartão escrito em farsi:

Amir jan,
espero que você encontre muitas histórias nessas teclas.
General Iqbal Taheri

Vendi a Kombi de *baba* e, desse dia em diante, nunca mais fui à feirinha de antigüidades. Toda sexta-feira, ia de carro até o cemitério e, às vezes, ao chegar, encontrava um buquê de frésias frescas no túmulo dele. Ficava sabendo então que Soraya também tinha passado por lá.

Nós dois estávamos começando a viver a rotina — e as pequenas maravilhas — da vida de casados. Compartilhávamos escovas de dentes e meias, e trocávamos as seções do jornal da manhã. Ela dormia do lado direito da cama; eu preferia o esquerdo. Ela preferia travesseiros bem fofos; eu gostava dos mais duros. Ela comia os cereais secos, como se fossem salgadinhos; eu tinha praticamente que pescá-los no leite.

Naquele verão, fui aceito pela San Jose State para me matricular na graduação em inglês. Arranjei um emprego de segurança no depósito de uma loja de móveis em Sunnyvale, para o turno da noite. O trabalho era incrivelmente chato, mas tinha uma vantagem considerável: às seis da tarde, depois que todo mundo ia embora e as sombras começavam a se espalhar por entre as fileiras de sofás cobertos de plástico empilhados até o teto, eu pegava os meus livros e ia estudar. Foi no escritório com cheiro de Pinho Sol daquele depósito de móveis que comecei a escrever o meu primeiro romance.

No ano seguinte, Soraya também foi estudar na San Jose State e, para tristeza do pai, se matriculou na habilitação para o magistério.

— Não sei por que você fica desperdiçando os seus talentos desse jeito... — disse o general, certa noite, durante o jantar. — Você sabia, Amir *jan*, que ela só tirou conceito "A" durante todo o segundo grau? — Depois, voltou-se novamente para ela. — Uma garota inteligente como você podia vir a ser advogada, cientista política. E, *Inshallah*, quando o Afeganistão for libertado, colaborar no sentido de escrever a nova constituição. Vamos precisar muito de jovens afegãos talentosos como você. Podem até lhe oferecer um cargo de ministra, em função do seu sobrenome.

Percebi que Soraya estava se contendo e que o seu rosto tinha se contraído.

— Não sou mais uma garota, *padar*. Sou uma mulher casada. E, além do mais, também vão precisar de professores.

— Mas ensinar é coisa que qualquer um pode fazer.

— Tem mais arroz, *madar*? — perguntou Soraya.

Depois que o general se desculpou, dizendo que tinha de sair para encontrar uns amigos em Hayward, *khala* Jamila tentou consolar a filha.

— Ele não faz isso por mal — disse ela. — Só quer que você seja uma pessoa bem-sucedida.

— Porque, assim, ele vai poder se vangloriar da filha advogada para os amigos. Mais uma medalha para o general — retrucou Soraya.

— Que bobagem que você está dizendo!

— Bem-sucedida... — sussurrou Soraya. — Pelo menos não sou como ele, que fica aqui sentado, enquanto outras pessoas combatem os *shorawi*, só esperando a poeira assentar para chegar lá e reclamar o seu cargo importantíssimo no governo. Os professores não ganham bem, mas é a profissão que eu amo. É o que quero fazer, e, aliás, é mil vezes melhor do que ficar vivendo da assistência pública.

Khala Jamila engoliu em seco.

— Se por acaso ele ouvir você dizendo isso, nunca mais vai falar com você.

— Não se preocupe — respondeu Soraya rispidamente, atirando o guardanapo no prato. — Não vou ferir o precioso ego dele.

NO VERÃO DE 1988, CERCA DE SEIS MESES antes de os soviéticos se retirarem do Afeganistão, terminei o meu primeiro romance, uma história entre pai e filho, passada em Cabul, quase toda ela escrita na máquina de escrever que o general tinha me dado. Mandei cartas para uma dezena de agências e fiquei espantadíssimo quando, em um dia de agosto, abri a nossa caixa de correio e encontrei uma resposta de uma agência de Nova York solicitando o manuscrito integral. Pus tudo no correio logo no dia seguinte. Soraya beijou o texto cuidadosamente embalado e *khala* Jamila insistiu para que o puséssemos debaixo do Corão. Disse que ia fazer *nazr* para mim: ia prometer mandar matar um carneiro e dar a carne para os pobres se o meu livro fosse aceito.

— Por favor, nada de fazer *nazr*, *khala jan* — disse eu, beijando-a no rosto. — Faça apenas *zakat*, dando dinheiro para alguém que esteja precisando, está bem? Nada de ficar matando carneiros...

Seis semanas depois, um homem chamado Martin Greenwalt telefonou de Nova York oferecendo-se para me representar. A única pessoa a quem contei isso foi Soraya.

— O simples fato de eu ter arranjado um agente não significa que o livro vá ser publicado. Se Martin conseguir vender o romance, aí, sim, vamos comemorar.

Um mês mais tarde, Martin ligou para me informar que eu ia ser um romancista publicado. Quando falei com Soraya, ela começou a gritar.

Naquela noite, tivemos um jantar de comemoração com os pais dela. *Khala* Jamila fez *kofta* — bolinhos de carne com arroz — e *ferni* branco. O general Taheri, com um brilho de lágrimas nos olhos, disse que estava orgulhoso de mim. Depois que os dois foram embora, Soraya e eu fizemos a nossa comemoração particular com uma garrafa de Merlot bem cara que tinha comprado voltando para casa — o general não aprovava mulheres tomando bebidas alcoólicas e Soraya não bebia na frente dele.

— Estou tão orgulhosa de você... — disse ela erguendo a taça em um brinde. — *Kaka* também teria ficado muito orgulhoso.

— Sei disso — respondi, pensando em *baba* e em como seria bom que ele tivesse podido ver isso.

Mais tarde, depois que Soraya pegou no sono — o vinho sempre a deixava sonolenta —, fui para a varanda e fiquei respirando aquele ar fresco do verão. Lembrei de Rahim Khan e do bilhetinho de estímulo que tinha escrito depois de ler minha primeira história. E lembrei de Hassan. "Algum dia, *Inshallah*, você vai ser um grande escritor," foi o que ele me disse certa vez, "e gente do mundo todo vai ler as suas histórias". Tinha tanta coisa boa acontecendo na minha vida... Tanta felicidade... E fiquei me perguntando se eu merecia isso.

O romance foi lançado no verão do ano seguinte, 1989, e a editora organizou uma viagem de lançamento por cinco cidades. Passei a ser uma pequena celebridade na comunidade afegã. E foi nesse ano que os *shorawi* completaram a sua retirada do Afeganistão. Era para ter sido um momento de glória para o povo. Em vez disso, porém, veio a guerra, agora entre afegãos, os *mujahedin* contra o governo de Najibullah, fantoche dos soviéticos, e refugiados continuaram a afluir em massa ao Paquistão. Esse foi também o ano em que terminou a Guerra Fria, o ano em que veio abaixo o Muro de Berlim. Foi o ano da praça da Paz Celestial. No meio disso tudo, o Afeganistão ficou esquecido. E o general Taheri, cujas esperanças tinham ganhado vida nova depois da retirada dos soviéticos, voltou a dar corda no relógio de bolso.

Foi também o ano em que Soraya e eu começamos a tentar ter um filho.

A IDÉIA DE SER PAI DESENCADEOU em mim um turbilhão de emoções. Achava a perspectiva assustadora, fortalecedora, desanimadora e estimulante, tudo ao mesmo tempo. Que tipo de pai eu seria, ficava imaginando. Queria ser exatamente como *baba* e ser inteiramente diferente dele.

Mas um ano se passou e nada aconteceu. A cada menstruação, Soraya ia ficando mais frustrada, mais impaciente, mais irritadiça. A essa altura, *khala* Jamila que, de início, se limitava a insinuações sutis, começou a perguntar abertamente: "*Kho dega?*", "E então? Quando é que vou poder cantar *alahoo* para o meu *nawasa*?" O general, sempre o típico pashtun, nunca perguntava nada — fazer isso equivalia a aludir ao ato sexual entre sua filha e um homem, mesmo que o homem em questão fosse casado com ela há cerca de quatro anos. Mas os seus olhos se animavam quando *khala* Jamila vinha com essa história de bebê.

— Às vezes demora um pouquinho — disse eu a Soraya certa noite.

— Um ano não é um pouquinho, Amir! — exclamou ela em um tom ríspido que não era do seu feitio. — Eu sei que tem alguma coisa errada.

— Então, vamos ao médico.

O DR. ROSEN, UM HOMEM BARRIGUDO, com uma cara redonda e dentes miúdos e certinhos, falava com um leve sotaque da Europa oriental, algo remotamente eslavo. Tinha mania de trens — seu consultório era entulhado de livros sobre a história das ferrovias, miniaturas de locomotivas, quadros de trens correndo sobre trilhos, passando por colinas verdejantes ou atravessando pontes. Sobre a mesa, uma plaquinha afirmava: "A VIDA É UM TREM. SUBA A BORDO."

Expôs o seu plano de ação. Eu seria examinado primeiro.

— Com os homens, é mais fácil — disse ele, tamborilando na escrivaninha de mogno. — O encanamento de um homem é como o seu cérebro: simples, com muito poucas surpresas. Por outro lado, vocês, mulheres... bem, Deus pensou e repensou muito para fazê-las.

Fiquei me perguntando se ele empurrava essa história de encanamento para todos os casais que vinham procurá-lo.

— Sorte a nossa... — disse Soraya.

O dr. Rosen riu. Um riso que não me pareceu lá muito convincente. Entregou-me um formulário de laboratório e um frasco de plástico, e deu a Soraya uma requisição para exames de sangue de rotina. Despedimo-nos.

— Bem-vindos a bordo — disse ele ao nos levar até a porta.

MEUS RESULTADOS DERAM TODOS BONS.

Durante os meses seguintes, Soraya teve que passar por uma batelada de exames: temperatura basal, exames de sangue para verificar as taxas de todos os hormônios possíveis e imagináveis, exame de urina, um negócio chamado "exame de muco cervical", ultrassonografias, mais exames de sangue e de urina. Ela foi submetida a uma tal de histeroscopia — o dr. Rosen introduziu um instrumento chamado histeroscópio no útero de Soraya e examinou tudo lá dentro. Não encontrou nada.

— Os encanamentos estão desobstruídos — anunciou ele retirando as luvas de látex.

Adoraria que o dr. Rosen parasse de usar esse termo. Afinal de contas, não éramos banheiros.

Depois de todos esses exames, ele nos informou que não sabia explicar por que não conseguíamos ter filhos. E, aparentemente, isso não era tão raro assim. Era chamado de "infertilidade sem causa aparente".

Veio, então, a fase dos tratamentos. Experimentamos um medicamento chamado Clomifeno e hMG, uma série de injeções que Soraya aplicava em si mesma. Como esses recursos não deram resultado, o dr. Rosen recomendou a fertilização *in vitro*. Recebemos uma carta do nosso seguro médico nos desejando muito boa sorte, mas informando que, lamentavelmente, não podiam cobrir as despesas com o processo.

Usamos o adiantamento que eu tinha recebido pelo romance para pagar o tratamento. Este acabou se revelando demorado, meticuloso, frustrante e, finalmente, infrutífero. Depois de meses e meses em salas de espera, lendo revistas como *Good Housekeeping* e *Reader's Digest*; depois de inúmeros aventais descartáveis e saletas de exames frias e esterilizadas, iluminadas com lâmpadas fluorescentes; da invariável humilhação de falar de cada detalhe de nossa vida sexual com um completo desconhecido; das injeções, das sondas e das coletas de amostras, voltamos para o dr. Rosen e seus trens.

Sentado defronte de nós, tamborilando na escrivaninha, ele mencionou a palavra "adoção" pela primeira vez. Soraya chorou durante todo o trajeto de volta para casa.

No fim de semana que se seguiu à nossa última visita ao consultório do dr. Rosen, Soraya deu a notícia aos pais. Estávamos sentados em cadeiras de armar no quintal dos fundos da casa dos Taheri, assando trutas na grelha e tomando *dogh* de iogurte. Era um fim de tarde do mês de março de 1991. *Khala* Jamila tinha regado as rosas e as suas madressilvas novas, e o perfume dessas plantas se misturava com o cheiro do peixe grelhado. Pela segunda vez, ela esticou o braço para acariciar o cabelo de Soraya, dizendo:

— Deus sabe o que faz, *bachem*. Quem sabe é porque não era mesmo para ser?

Soraya continuava olhando as próprias mãos. Eu sabia que ela estava cansada, cansada de tudo isso.

— O doutor disse que poderíamos adotar... — murmurou.

Ao ouvir isso, o general levantou a cabeça. Chegou mais perto da churrasqueira.

— Disse? — indagou ele.

— Disse que seria uma opção — respondeu Soraya.

Em casa, tínhamos conversado sobre o assunto. Na melhor das hipóteses, diria que Soraya era ambivalente.

— Sei que é bobagem, e talvez até inútil — disse ela quando estávamos indo para a casa de seus pais —, mas não consigo evitar. Sempre sonhei que ia segurar um bebê nos braços e saber que o meu sangue o tinha alimentado por nove meses; que, um dia, ia olhar nos olhos dele e tomar um susto vendo você ou eu ali; que o bebê ia crescer e ter o seu sorriso ou o meu. Não sendo assim... É errado isso?

— Não — disse eu.

— Estou sendo egoísta?

— Não, Soraya.

— Porque, se você quiser mesmo...

— Não — disse eu. — Se formos fazer isso, não devemos ter nenhuma dúvida a respeito, e ambos temos de estar de acordo. Caso contrário, não seria justo para com o bebê.

Ela encostou a cabeça na janela e não disse mais nada pelo resto do trajeto.

Agora, o general estava ao seu lado.

— *Bachem*, essa história de... adoção, não sei se é uma boa coisa para nós, afegãos.

Soraya me olhou com ar cansado, e suspirou.

— Por um motivo: eles crescem e querem saber quem são os seus pais biológicos — prosseguiu ele. — E nem se pode censurá-los por isso. Às vezes, vão embora da casa onde vocês tiveram anos e anos de trabalho para criá-los, para tentar encontrar as pessoas que lhes deram a vida. O sangue é uma coisa poderosa, *bachem*. Nunca se esqueça disso.

— Não quero mais falar sobre esse assunto — disse Soraya.

— Só vou lhe dizer mais uma coisa — acrescentou ele. Pude perceber que o general estava ficando animado e que estávamos prestes a ter que agüentar um dos seus pequenos discursos. — Veja Amir *jan*, por exemplo. Todos sabíamos quem era o seu pai; eu sei quem foi o seu avô lá em Cabul e, antes dele, o seu bisavô. Se você quiser, posso me sentar aqui e listar várias gerações dos seus antepassados. Foi por isso que, quando o pai dele (que Deus o tenha) veio *khastegari*, não hesitei. E acredite, ele tampouco teria concordado em pedir a sua mão se não soubesse qual é a sua ascendência. O sangue é uma coisa poderosa, *bachem*, e, quando você adota uma criança, não sabe que sangue é esse que está trazendo para dentro da sua casa.

"Já se você tivesse nascido neste país, isso não teria a menor importância. Aqui, as pessoas se casam por amor; sobrenome e genealogia nunca fazem parte dessa equação. E é desse jeito também que adotam crianças. Todos ficam felizes, contanto que o bebê seja saudável. Mas nós somos afegãos, *bachem*."

— O peixe já deve estar quase pronto — disse Soraya. O general a fitou detidamente. Deu um tapinha em seu joelho.

— Fique feliz por ter saúde e um bom marido.

— O que você acha, Amir *jan*? — perguntou *khala* Jamila.

Pus o copo em uma prateleira onde uma fileira de vasos com gerânios gotejava água.

— Acho que concordo com o general *sahib*.

Mais tranqüilo, ele assentiu com um gesto e voltou para perto da churrasqueira.

Todos tínhamos os nossos motivos para não adotar um filho. Soraya tinha os seus; o general, os dele, e o meu era este: que talvez algo ou alguém, em algum lugar, tivesse decidido me negar a paternidade por causa das coisas que eu tinha feito. Talvez esse fosse o meu castigo, e talvez um castigo merecido. "Não era mesmo para ser", como tinha dito *khala* Jamila. Ou, quem sabe, era para não ser.

Alguns meses depois, usamos o adiantamento que recebi por meu segundo romance para dar entrada na compra de uma linda casa vitoriana, com dois quartos, no bairro de Bernal Heights, em San Francisco. Ela tinha o telhado do tipo duas águas, assoalho de madeira e, nos fundos, um jardinzinho que terminava em um terraço com uma churrasqueira. O general me ajudou a restaurar o terraço e a pintar as paredes. *Khala* Jamila ficou se lamentando porque íamos morar em um lugar a uma hora de distância da casa deles, especialmente agora, quando achava que Soraya estava precisando de todo amor e conforto possíveis. Mal sabia ela que era justamente essa sua dedicação, bem-intencionada, mas dominadora, que estava levando Soraya a se mudar.

ÀS VEZES, ENQUANTO SORAYA DORMIA ao meu lado, eu ficava na cama ouvindo a porta de tela que abria e fechava por causa do vento, e os grilos cantando no jardim. E quase podia sentir o vazio do útero de Soraya, como se fosse uma coisa viva que respira. Esse vazio tinha se infiltrado no nosso casamento, nos nossos risos, na nossa vida sexual. Tarde da noite, no escuro do quarto, sentia ele saindo de Soraya e vindo se instalar entre nós. Vindo dormir entre nós. Como uma criança recém-nascida.

QUATORZE

PUS O FONE NO GANCHO E FIQUEI OLHANDO para o aparelho durante um bom tempo. Foi só depois que o Aflatoon latiu, me dando um susto, que percebi como a sala estava silenciosa. Soraya tinha tirado o som da televisão.

— Você ficou pálido, Amir — disse ela, lá do sofá, aquele mesmo que os seus pais tinham nos dado de presente para inaugurar o nosso primeiro apartamento. Estava deitada ali, com a cabeça do Aflatoon aninhada no peito e as pernas enfiadas debaixo das almofadas velhas. Estava vendo um especial do canal PBS sobre as dificuldades dos lobos em Minnesota enquanto corrigia uns trabalhos de sua turma dos cursos de verão — já fazia seis anos que ela estava dando aulas na mesma escola. Sentou-se e Aflatoon pulou do sofá. Foi o general quem batizou o nosso *cocker spaniel*, dando-lhe o nome de "Platão" em farsi, porque, segundo dizia, se a gente passasse algum tempo olhando bem para os olhos negros e translúcidos daquele cachorro, poderia jurar que ele estava pensando coisas da maior sabedoria.

Hoje em dia, há uma camada de gordura, uma coisinha de nada, sob o queixo de Soraya. Os últimos dez anos acrescentaram algum volume às curvas dos seus quadris e introduziram uns poucos veios de cinza no seu cabelo negro como carvão. Mas ela ainda tinha aquele rosto de uma princesa em noite de gala, com as sobrancelhas como asas de pássaros em pleno vôo e o nariz elegantemente recurvado, como uma letra da antiga escrita árabe.

— Você ficou pálido — repetiu Soraya, pondo a pilha de trabalhos sobre a mesa.

— Tenho que ir para o Paquistão.

— Paquistão? — perguntou ela se pondo de pé.

— Rahim Khan está muito doente.

Senti um aperto por dentro ao dizer essas palavras.

— O antigo sócio de *kaka*?

Ela não conhecia Rahim Khan, mas eu tinha lhe falado muito sobre ele. Fiz que sim com a cabeça.

— Ah! — exclamou ela. — Sinto muitíssimo, Amir.

— Nós éramos muito ligados um ao outro — disse eu. — Quando eu era criança, ele era o único adulto que considerava meu amigo.

Falei dele tomando chá com *baba* no escritório, e, depois, fumando perto da janela, com um cheirinho de rosas vindo lá do jardim e fazendo as colunas gêmeas de fumaça ondularem.

— Lembro de você me contando isso — disse Soraya. Calou-se por um instante. — E quanto tempo vai ficar fora?

— Não sei. Ele quer me ver.

— É...?

— É seguro, sim. Não vou ter problema algum, Soraya. — Sabia que era isso que ela estava querendo perguntar. Os quinze anos de casados tinham nos tornado capazes de ler os pensamentos um do outro. — Vou dar uma volta.

— Quer que eu vá com você?

— Não. Prefiro ficar sozinho.

FUI DE CARRO ATÉ O PARQUE DA GOLDEN GATE e fiquei passeando perto do lago Spreckels, na orla norte do parque. Era uma linda tarde de domingo; o sol cintilava na água onde navegavam dezenas de barcos em miniatura, impulsionados pela brisa forte de San Francisco. Sentei em um banco do parque, vi uma mãe jogar uma bola de futebol para o filho, dizendo-lhe que não abrisse tanto o braço para atirá-la, que tentasse arremessá-la por cima do ombro. Ergui os olhos e vi um par de pipas vermelhas, com rabiolas azuis bem compridas. Estavam voando lá no alto, acima das árvores que ficam mais a oeste, por sobre os moinhos de vento.

Lembrei de um comentário que Rahim Khan fez logo antes de desligarmos. Disse aquilo como quem não quer nada, quase como se falasse consigo mesmo. Fechei os olhos e o vi do outro lado daquele telefonema internacional cheio de ruídos; pude vê-lo com os lábios entreabertos, a cabeça ligeiramente inclinada para o lado. E mais uma vez, nos seus olhos negros profundos, havia algo que sugeria a existência, entre nós, de um segredo que tinha sido calado. Só que agora eu sabia que ele sabia. A suspeita que tive durante todos esses anos se confirmou. Ele sabia sobre Assef, sobre a pipa, o dinheiro, o relógio com os ponteiros que pareciam relâmpagos. Sempre soube.

"Venha até aqui. Há um jeito de ser bom de novo" foi o que me disse Rahim Khan pouco antes de desligar o telefone. Disse isso como quem não quer nada, quase como se falasse consigo mesmo.

Um jeito de ser bom de novo.

QUANDO CHEGUEI EM CASA, Soraya estava no telefone com a mãe.

— Ele não vai demorar muito, *madar jan*. Uma semana; duas, talvez... Claro. Você e *padar* podem vir ficar comigo...

Dois anos atrás, o general tinha fraturado a bacia. Tinha tido mais uma daquelas suas enxaquecas e, ao sair do quarto, com a vista ainda turva, e meio atordoado, tropeçou na ponta de um tapete. O grito que deu fez *khala* Jamila sair correndo da cozinha.

— Parecia até um *jaroo*, um cabo de vassoura se partindo no meio — repetia sempre, embora o médico tenha garantido que era muito pouco provável que ela pudesse ter ouvido algo semelhante.

A bacia fraturada e todas as complicações que o general teve por conta disso — como pneumonia, septicemia, a estada prolongada em uma clínica — acabaram com os intermináveis solilóquios de *khala* Jamila sobre a sua própria saúde. E deram início a outros tantos sobre a do general. Contava, para quem quisesse ouvir, que os médicos tinham dito que os rins de seu marido não estavam funcionando bem.

— Mas é que eles nunca tinham visto rins afegãos, não é mesmo? — dizia ela, orgulhosa. De todo o tempo em que o general esteve no hospital, o que mais me lembro é como *khala* Jamila sempre esperava o marido pegar no sono e, então, cantava para ele canções que eu já tinha ouvido lá em Cabul, no velho transistor de *baba* que tanto chiava.

A fragilidade do general — e também o tempo — tinham abrandado as coisas entre ele e Soraya. Agora, os dois passeavam juntos, iam almoçar aos sábados, e, às vezes, ele ia assistir a uma de suas aulas. Sentava no fundo da sala, usando o velho terno cinza lustroso, com a bengala pousada no colo, sorrindo. De quando em quando, chegava até a tomar notas.

NAQUELA NOITE, SORAYA E EU estávamos deitados, com as costas dela apertadas contra o meu peito e o meu rosto mergulhado nos seus cabelos. Lembrei da época em que ficávamos um de frente para o outro, testa encostada em testa, trocando beijos depois de fazer amor, sussurrando coisas sobre dedinhos miúdos e dobrados, primeiros sorrisos, primeiras palavras, primeiros passos. De vez em quando ainda fazíamos isso, mas os sussurros eram sobre aulas ou meu novo livro, e os risos eram por causa de um vestido ridículo que tínhamos visto em uma festa. Continuava sendo bom quando fazíamos amor; às vezes até mais que bom. Algumas noites, porém, eu me sentia aliviado por ter terminado, e porque estava livre para me afastar e esquecer, ao menos por algum tempo, a inutilidade do que tínhamos acabado de fazer. Ela nunca disse nada disso, mas eu sabia que, por vezes, Soraya sentia a mesma coisa. Nessas noites, cada um virava para o seu lado e se deixava levar pelo seu próprio salvador. O de Soraya era o sono. O meu, como sempre, um livro.

Naquele dia em que Rahim Khan telefonou, fiquei deitado na cama acompanhando com os olhos as linhas paralelas e prateadas que a lua traçava na parede passando através das venezianas. A certa altura, talvez pouco antes do amanhecer, acabei pegando no sono. E sonhei com Hassan correndo na neve, a ponta do seu *chapan* verde arrastando no chão, a neve rangendo sob suas galochas pretas. Ele olhava para trás e gritava: "Por você, faria isso mil vezes!"

UMA SEMANA DEPOIS, ESTAVA SENTADO junto da janela de um avião da Pakistani International Airlines, vendo uns dois funcionários uniformizados retirarem os calços das rodas. O avião taxiou, foi se afastando do terminal de embarque, e, em pouco tempo, estávamos voando, passando por entre as nuvens. Recostei a cabeça na janela. E fiquei esperando em vão que o sono viesse.

QUINZE

TRÊS HORAS DEPOIS DE O MEU AVIÃO ter aterrissado em Peshawar, eu estava sentado no estofamento esmolambado do banco traseiro de um táxi todo enfumaçado. O motorista, que fumava um cigarro atrás do outro, era um homenzinho suarento que disse se chamar Gholam e que ia dirigindo com displicência e imprudência, tirando finos incríveis dos outros veículos. E tudo isso sem fazer praticamente nenhuma pausa na interminável avalanche de palavras que jorrava de sua boca.

— ...é terrível o que está acontecendo no seu país, *yar*. O povo afegão e o povo paquistanês são como irmãos, não tenha dúvida. Os muçulmanos devem ajudar outros muçulmanos, por isso...

Para fazê-lo calar, adotei uma atitude educada, mas fria, apenas assentindo com a cabeça. Lembrava bastante bem de Peshawar, por causa daqueles poucos meses que *baba* e eu tínhamos passado aqui em 1981. Estávamos agora rumando para oeste, pela avenida Jammud, deixando para trás o *Cantonment* do tempo dos ingleses, com a sua profusão de casas cercadas de muros altos. O tumulto da cidade que passava correndo por mim parecia uma versão mais populosa e movimentada da Cabul que eu conhecia, especialmente o *Kocheh-Morgha*, ou mercado de galinhas, onde Hassan e eu íamos comprar batatas ao *chutney* e água-de-cerejas. As ruas eram atravancadas por ciclistas, pedestres que iam e vinham, e riquixás que soltavam uma fumaça azulada, todos zanzando por um labirinto de becos e ruelas estreitos. Mercadores barbudos, envoltos em mantas leves, vendiam abajures de pele, tapetes, xales bordados e utensílios de cobre em fileiras de barracas miúdas, todas elas bem coladas umas às outras. A cidade era extremamente barulhenta: os gritos dos mercadores retiniam nos meus ouvidos, misturando-se com os sons da música indiana, dos motores dos riquixás e das sinetas das carroças puxadas por cavalos. Odores fortes, tanto agradáveis quanto ruins, chegavam até mim pela janela do táxi; o aroma picante do *pakora* e dos *nihari*, que *baba* teria adorado, se fundiam com o cheiro de diesel, com o fedor de lixo, de coisas podres e de fezes.

Um pouco depois de passarmos pelos prédios de tijolos vermelhos da Universidade de Peshawar, penetramos em um setor que o meu motorista tagarela chamou de "Cidade Afegã". Vi confeitarias e vendedores de tapetes, barracas de *kabob*, crianças com mãos imundas vendendo cigarros, minúsculos restaurantes — com mapas do Afeganistão pintados nas janelas — e, no meio disso tudo, agências humanitárias de fundo de quintal.

— Há muitos de seus irmãos nessa região, *yar*. Estão abrindo alguns negócios, mas a maioria deles é bem pobre. — Fez um "tsc" com a língua e suspirou. — Bom, mas estamos quase chegando...

Pensei na última vez que tinha visto Rahim Khan, em 1981. Ele veio se despedir na noite em que meu pai e eu fugimos de Cabul. Lembro que *baba* e ele se abraçaram no saguão, chorando baixinho. Depois que chegamos aos Estados Unidos, eles mantiveram contato. Falavam-se umas quatro ou cinco vezes por ano, e, às vezes, *baba* me passava o telefone. A última vez que falei com Rahim Khan foi pouco depois da morte de *baba*. A notícia tinha chegado a Cabul e ele me telefonou. Só conseguimos falar por alguns minutos e, depois, a ligação caiu.

O motorista encostou diante de um edifício estreito, em uma esquina movimentada onde duas ruas sinuosas se cruzavam. Paguei a corrida, apanhei a minha única mala e entrei pela porta toda esculpida. O prédio tinha umas varandas de madeira, com venezianas abertas, e, em várias delas, havia roupas penduradas secando ao sol. Subi até o segundo andar, pelas escadas que rangiam, e percorri um corredor meio escuro até chegar à última porta à direita. Verifiquei o endereço anotado no papel de carta que tinha nas mãos. Bati.

Então, uma coisa feita de ossos e pele que dizia ser Rahim Khan veio abrir a porta.

Um professor de redação literária que tive na San Jose State sempre dizia, referindo-se aos clichês: "Tratem de evitá-los como se evita uma praga." E ria da própria piada. A turma toda ria junto com ele, mas sempre achei que aquilo era uma tremenda injustiça. Porque, muitas vezes, eles são de uma precisão impressionante. O problema é que a adequação das expressões-clichês é ofuscada pela natureza da expressão enquanto clichê. Por exemplo, aquela história do "esqueleto no armário". Nada melhor para descrever os momentos iniciais do meu encontro com Rahim Khan.

Sentamos em um colchão fininho encostado à parede, defronte da janela que dava para a rua barulhenta logo abaixo. O sol penetrava no aposento, desenhando um triângulo de luz no tapete afegão que recobria o assoalho. Havia duas cadeiras dobráveis apoiadas em uma das paredes e um pequeno samovar de cobre no canto oposto. Servi chá para nós dois.

— Como foi que você me encontrou? — perguntei.

— Não é difícil localizar pessoas nos Estados Unidos. Comprei um mapa e telefonei pedindo informações para as cidades do norte da Califórnia — disse ele. — É maravilhosamente estranho ver você como um adulto.

Sorri e pus três cubinhos de açúcar no meu chá. Lembrei que ele gostava do seu forte e amargo.

— *Baba* não teve oportunidade de lhe contar, mas me casei há quinze anos. — Na verdade, naquela época, o câncer no cérebro tinha deixado *baba* esquecido, desligado.

— Você está casado? Com quem?

— O nome dela é Soraya Taheri. — Pensei nela, lá em casa, preocupada comigo. Era bom saber que não estava sozinha.

— Taheri... É filha de quem?

Quando eu lhe disse, seus olhos brilharam.

— Ah, sim. Agora estou me lembrando. O general Taheri não é casado com a irmã de Sharif *jan*? Como era mesmo o nome dela...?

— Jamila *jan*.

— *Balay!* — exclamou ele sorrindo. — Conheci Sharif *jan* em Cabul, há muito tempo, antes de ele ir morar nos Estados Unidos.

— Ele trabalha há anos no serviço de imigração, tratando de inúmeros casos de afegãos.

— *Haiii!* — suspirou Rahim Khan. — Você e Soraya *jan* têm filhos?

— Não.

— Ah!

Tomou um gole do seu chá e não fez mais nenhuma pergunta. Rahim Khan sempre foi uma das pessoas mais intuitivas que conheci.

Falei muito sobre *baba*, o seu emprego, a feirinha de antigüidades e contei como, no final, ele morreu feliz. Falei dos meus estudos, dos meus livros — a essa altura, já tinha quatro romances publicados. Ele sorriu ao ouvir isso e disse que jamais tivera dúvida alguma a este respeito. Contei também que tinha escrito contos no caderno encapado de couro que ele tinha me dado, mas ele já não se lembrava do tal caderno.

Como seria de se esperar, a conversa acabou descambando para o Talibã.

— É mesmo tão ruim quanto se diz? — perguntei.

— Não. É pior. Muito pior — respondeu ele. — Eles não permitem que a gente seja humano. — Apontou para uma cicatriz acima do seu olho direito, que abria uma trilha sinuosa nas suas espessas sobrancelhas. — Eu estava assistindo a um jogo de futebol, no estádio Ghazi, em 1998. Acho que era Cabul contra Mazar-i-Sharif, e, diga-se de passagem, os jogadores eram proibidos de usar calções. Trajes indecentes, acho eu. — Deu uma risada cansada. — Lá pelas tantas, Cabul marcou um gol e o homem que estava ao meu lado comemorou aos berros. De repente, um rapaz barbado que patrulhava a arquibancada, e que não aparentava ter mais de dezoito anos, veio na minha direção e me acertou na testa com a coronha do seu Kalashnikov. "Se fizer isso outra vez, corto a sua língua fora, seu burro velho!", esbravejou ele. — Rahim Khan esfregou a cicatriz com o dedo retorcido. — Eu tinha idade para ser avô dele e, de repente, estava sentado ali, com o sangue escorrendo pelo rosto, pedindo desculpas àquele filho-da-mãe.

Fui apanhar mais chá para ele. Rahim Khan ainda falou por algum tempo. A maior parte do que contou eu já sabia; outras coisas, não. Disse que, como tinham combinado, ele ficou morando em nossa casa desde 1981. — Isso eu sabia. *Baba* tinha "vendido" a casa para Rahim Khan pouco antes de fugirmos de Cabul. Naquela época, meu pai achava que os problemas do Afeganistão eram apenas uma interrupção temporária na vida que levávamos — os dias de festa na casa de Wazir Akbar Khan e os piqueniques em Paghman voltariam a existir, com toda certeza. Entregou então a casa a Rahim Khan, para que ele cuidasse de tudo até que esse dia chegasse.

Rahim Khan me contou que, quando a Aliança do Norte assumiu o controle de Cabul, entre 1992 e 1996, as diversas facções reivindicaram diferentes áreas da cidade.

— Se você saísse de Shar-e-Nau e fosse a Kerteh-Parwan para comprar um tapete, corria o risco de ser atingido por um atirador escondido em algum lugar, ou então de ser morto por um míssil. Isso, é claro, se conseguisse passar por todos os postos de controle — acrescentou. — Precisávamos praticamente de um visto para ir de um bairro a outro. Por isso, todo mundo acabava simplesmente ficando quieto, rezando para que o próximo míssil não caísse em cima da sua casa.

Contou também que as pessoas foram abrindo buracos nas paredes de suas casas para evitar as ruas tão perigosas e poder circular pelo quarteirão passando de buraco em buraco. Em outros locais, tinha gente que circulava através de túneis subterrâneos.

— Por que você não foi embora de lá? — perguntei.

— Cabul era o meu lar. E continua sendo — disse ele com um risinho. — Lembra daquela rua que ia de sua casa até o *Qishla*, o acampamento militar perto da escola Istiqlal?

— Claro. — Era o atalho para chegar à escola. Lembrei daquele dia em que Hassan e eu passamos por ali e os soldados ficaram debochando da mãe dele. Mais tarde, no cinema, Hassan chorou, e eu passei o braço em seus ombros.

— Quando o Talibã entrou em Cabul e expulsou a Aliança do Norte, cheguei a dançar no meio da rua — disse Rahim Khan. — E, acredite, não fui o único. As pessoas comemoravam em Chaman, em Deh-Mazang, saudando os *talib* pelas ruas, subindo nos seus tanques e posando com eles para fotografias. Todos estavam tão cansados da luta incessante; tão cansados dos mísseis, dos tiroteios, das explosões; cansados de ver Gulbuddin e seus asseclas atirando em qualquer coisa que se mexesse... E, afinal, a Aliança causou mais danos a Cabul do que os *shorawi*. Ela destruiu o orfanato de seu pai, sabia disso?

— Por quê? — perguntei eu. — Por que destruir um orfanato? — Lembrei de ter ficado sentado atrás de *baba* no dia da inauguração. O vento tinha tirado seu barrete e todo mundo riu. Depois, quando terminou o seu discurso, todos aplaudiram de pé. E, agora, aquilo tudo era apenas mais um monte de escombros. Todo o dinheiro que *baba* gastou, todas as noites em que suou debruçado sobre as plantas baixas, todas as visitas ao canteiro de obras para se assegurar de que cada tijolo, cada viga, cada pedra estavam sendo postos direito...

— Danos colaterais — disse Rahim Khan. — Não queira saber, Amir *jan*, o que foi circular pelos destroços do orfanato. Havia pedaços de corpos de crianças...

— Então, quando o Talibã chegou...

— Eles foram considerados heróis — retomou ele.

— Finalmente, a paz.

— É. A esperança é uma coisa estranha. Finalmente, a paz. Mas a que preço? — Rahim Khan teve um violento acesso de tosse que sacudiu o seu corpo esquálido para frente e para trás. Quando cuspiu no lenço, este se tingiu imediatamente de vermelho. Achei que o momento não podia ser melhor para me referir ao tal esqueleto que já estava suando entre nós dentro daquele quarto minúsculo.

— Como você está? — perguntei. — Como está *mesmo*?

— Na verdade, morrendo — respondeu ele, com a voz embargada. Mais um acesso de tosse. Mais sangue no lenço. Ele enxugou a boca, secou a testa magérrima com a manga da camisa e me deu uma rápida olhadela. Quando assentiu com a cabeça, vi que tinha lido no meu rosto a próxima pergunta que eu pretendia fazer. — Não vai tardar — acrescentou, em um sussurro.

— Quanto tempo?

Ele deu de ombros. Tossiu de novo.

— Não acredito que vá chegar a ver o final deste verão — disse ele.

— Deixe que eu o leve comigo para casa. Posso procurar um bom médico. Eles estão sempre descobrindo novos tratamentos. Há novas drogas e terapias experimentais. Podemos inscrevê-lo em um desses programas... — Estava divagando, e sabia disso. Mas era melhor do que cair no choro, coisa que provavelmente acabaria fazendo de qualquer maneira.

Rahim Khan deu uma risadinha, mostrando a falta dos incisivos inferiores. Foi o riso mais cansado que jamais ouvi.

— Pelo que vejo, os Estados Unidos infundiram em você o otimismo que fez deles um grande país. Isso é ótimo. Nós, os afegãos, somos um povo melancólico, não somos? Quase sempre ficamos chafurdando em *ghamkhori* e autopiedade. Damo-nos por vencidos diante das perdas, do sofrimento; aceitamos tudo isso como um fato da vida ou chegamos até a considerá-lo algo necessário. *Zendagi migzara*, como dizemos, a vida continua... Mas, agora, não estou me rendendo ao destino; estou sendo pragmático. Já consultei vários bons médicos por aqui, e todos me deram a mesma resposta. Confio neles e acredito no que disseram. A vontade de Deus existe mesmo.

— Só existe o que você faz e o que deixa de fazer — disse eu.

Rahim Khan riu.

— Parece até seu pai falando. Sinto tanta falta dele... Mas *é* a vontade de Deus mesmo, Amir *jan*. De verdade. — Calou-se por um instante. — Além disso, não foi só por este motivo que pedi a você que viesse até aqui. É claro que queria vê-lo antes de partir, mas há ainda outra coisa.

— O que você quiser.

— Sabe esses anos que morei na casa de seu pai depois que vocês foram embora?

— Sei.

— Não fiquei sozinho durante todo esse tempo. Hassan estava morando lá comigo.

— Hassan... — disse eu. Quando foi a última vez que pronunciei o nome dele? Aquelas velhas farpas pontiagudas de culpa surgiram novamente dentro de mim, como se a simples menção àquele nome houvesse quebrado o encanto, deixando-as livres para me atormentarem outra vez. De repente, o ar no pequeno apartamento de Rahim Khan ficou pesado demais, quente demais, impregnado demais pelos cheiros da rua.

— Pensei em escrever para você contando tudo isso antes, mas achei que talvez preferisse não ficar sabendo. Estava enganado?

A resposta verdadeira era não. A mentirosa era sim. Procurei ficar no meio-termo.

— Não sei.

Ele tossiu, cuspindo mais uma placa de sangue no lenço. Quando baixou a cabeça, vi feridinhas com crostas escuras em seu couro cabeludo.

— Trouxe você aqui porque tenho uma coisa a lhe pedir. Quero que faça algo por mim. Antes disso, porém, queria lhe falar sobre Hassan. Entende?

— Entendo.

— Quero lhe falar dele. Quero contar tudo. Vai me ouvir?

Fiz que sim com a cabeça.

Então, Rahim Khan tomou mais um gole de chá. Recostou a cabeça na parede e começou a falar.

DEZESSEIS

— FORAM INÚMEROS OS MOTIVOS que me levaram a Hazarajat, em 1986, para procurar por Hassan. O maior de todos, que Allah me perdoe, era que estava me sentindo muito sozinho. Nessa época, quase todos os meus amigos e parentes tinham sido mortos ou tinham fugido do país, vindo para o Paquistão ou indo para o Irã. Já não conhecia praticamente ninguém em Cabul, a cidade onde tinha passado a minha vida inteira. Todo mundo tinha ido embora. Se ia dar uma volta no bairro Karteh-Parwan — onde antigamente os vendedores de melão costumavam fazer ponto, lembra do lugar? —, não reconhecia ninguém por lá. Não tinha ninguém a quem cumprimentar, ninguém com quem sentar para tomar um *chai*, ninguém que conhecesse as mesmas histórias que eu. Só os soldados *roussi* patrulhando as ruas. Acabei, então, deixando de ir à cidade. Passava os dias na casa de seu pai, lá em cima, no escritório, lendo os velhos livros de sua mãe, ouvindo as notícias, vendo propaganda comunista na televisão. Depois, fazia a *namaz*, cozinhava alguma coisa, comia, lia um pouco mais, voltava a rezar, e ia para a cama. Levantava de manhã, rezava, e começava tudo de novo.

"E, por causa da minha artrite, estava ficando cada vez mais difícil cuidar da casa. Vivia com dores nos joelhos e nas costas. Quando acordava de manhã levava pelo menos uma hora para conseguir desenrijecer as articulações, principalmente no inverno. Não queria deixar que a casa de seu pai ficasse caindo aos pedaços; tínhamos passado tantas horas felizes ali, havia tantas recordações, Amir *jan*... Não era certo. Foi seu pai mesmo quem projetou aquela casa; sei que significava muito para ele, e, além de tudo, eu tinha lhe prometido que zelaria por ela quando vocês vieram para o Paquistão. Agora, era só eu e a casa e... fiz o máximo que pude. Tentava regar as árvores com freqüência, aparar a grama, cuidar das flores, consertar o que precisasse ser consertado, mas, afinal de contas, eu já não era mais jovem.

"Mesmo assim, poderia ter dado um jeito nisso tudo. Ao menos por mais algum tempo. Mas, quando recebi a notícia da morte de seu pai... pela primeira vez senti uma solidão terrível dentro daquela casa. Um vazio insuportável.

"Então, um dia, enchi o tanque do Buick e fui para Hazarajat. Lembrava que, depois que Ali resolveu ir embora de sua casa, seu pai me disse que ele e Hassan tinham se mudado para uma cidadezinha nos arredores de Bamiyan. Sabia também que Ali tinha um primo morando lá. Não tinha a menor idéia se Hassan ainda estaria com ele, se alguém o conhecia ou sabia do seu paradeiro. Afinal, já fazia dez anos que Ali e Hassan tinham deixado a casa de seu pai. Ele já seria um homem em 1986, com vinte e dois ou vinte e três anos. Se é que estava vivo, pois os *shorawi* — que apodreçam no inferno por tudo o que fizeram ao nosso *watan* — mataram tantos dos nossos jovens... Bom, mas não preciso lhe dizer isso.

"Com a graça de Deus, porém, consegui encontrá-lo. Nem foi preciso procurar muito, bastou fazer algumas perguntas em Bamiyan e as pessoas me indicaram onde ficava a tal aldeia. Nem sei como se chamava; sequer sei dizer se tinha um nome. Mas lembro que era um dia de verão escaldante e eu estava dirigindo por uma estradinha de terra. De ambos os lados, só se viam arbustos estorricados e retorcidos, troncos de árvores cheios de espinhos e mato que mais parecia palha de tão ressecado. Passei por uma carcaça de burro que apodrecia na beira da estrada. Logo depois, fiz uma curva e, bem no meio daquela terra árida, avistei um punhado de casebres de pau-a-pique. Mais além, só o céu imenso e umas montanhas que pareciam dentes pontiagudos.

"As pessoas de Bamiyan tinham me dito que seria fácil encontrá-lo, pois ele morava na única casa da aldeia que possuía um jardim cercado. O muro de barro, baixo e repleto de furos, contornava a casa minúscula que, na verdade, não passava de um casebre bem apresentado. Crianças descalças brincavam na rua, rebatendo uma velha bola de tênis com um pedaço de pau, e ficaram olhando quando encostei o carro e desliguei o motor. Bati no portão de madeira e entrei em um quintal que não tinha quase nada, a não ser um canteirinho de morangos ressecado e um limoeiro sem folhas. No canto, havia um *tandoor*, à sombra de uma acácia, e vi um homem agachado junto dele. Estava pondo massa em uma grande espátula de madeira e atirando-a com força nas paredes do *tandoor*. Quando me viu, deixou cair a massa. Tive de contê-lo para que parasse de beijar as minhas mãos.

"'Deixe-me olhar para você', disse eu. Ele deu um passo atrás. Tinha ficado tão alto que, mesmo na ponta dos pés, eu só batia na altura do seu queixo. O sol de Bamiyan tinha enrijecido a sua pele e, pelo que me lembrava, ele não era tão moreno assim antes. Além do mais, tinha perdido alguns dentes da frente e havia uns pêlos esparsos no seu queixo. Afora isso, eram os mesmos olhos verdes puxados, aquela cicatriz acima do lábio superior, o rosto redondo, o sorriso afável. Você o teria reconhecido, Amir *jan*. Tenho certeza que sim.

"Fomos para dentro. Havia uma jovem hazara de pele clara costurando um xale em um canto da sala. Via-se nitidamente que estava grávida. 'Esta é minha mulher, Rahim Khan', disse Hassan todo orgulhoso. 'Ela se chama Farzana *jan*.' A moça era tímida, mas muito gentil. Falou em tom pouco mais alto que um sussurro e não ergueu os belos olhos castanho-claros para me encarar. No entanto, pelo seu jeito de fitar Hassan, era como se ele estivesse sentado no trono do *Arg*.

"'É para quando, o bebê?', perguntei, depois que já tínhamos nos sentado na sala de chão de terra batida. Não havia nada ali, a não ser um tapete gasto, uns poucos pratos, um par de colchões e uma lamparina.

"'*Inshallah*, no próximo inverno', disse Hassan. 'Estou rezando para que seja um menino, pois lhe darei o nome de meu pai.'

"'Por falar em Ali, onde está ele?', indaguei.

"Hassan baixou os olhos. Disse que Ali e o primo deles — o dono daquela casa — tinham morrido na explosão de uma mina terrestre, dois anos antes, nos arredores de Bamiyan. Uma mina terrestre. Existe jeito mais afegão de morrer, Amir *jan*? E, por algum motivo meio louco, tive de imediato a certeza de que havia sido a perna direita de Ali, a perna deformada pela pólio, que o tinha finalmente traído, fazendo-o pisar na tal mina. Fiquei tristíssimo ao saber que Ali estava morto. Seu pai e eu crescemos juntos, como sabe, e, desde que me entendo por gente, Ali sempre esteve conosco. Lembro, quando éramos todos pequenos, do ano em que Ali pegou a pólio e quase morreu. Seu pai passava o dia inteiro rodando pela casa, chorando.

"Farzana preparou *shorwa* com feijão, nabo e batata. Lavamos as mãos e mergulhamos *naan* fresquinho, saído do *tandoor*, naquela *shorwa*, e foi a melhor refeição que comi em vários meses. Foi então que pedi a Hassan que viesse comigo para Cabul. Falei da casa, disse-lhe que não estava mais agüentando cuidar dela sozinho. Disse também que lhe pagaria bem, que ele e a sua *khanum* ficariam bem instalados. Os dois se entreolharam e não disseram nada. Mais tarde, depois que lavamos as mãos e Farzana nos serviu umas uvas, Hassan disse que, agora, aquela aldeia era o seu lar; que ele e Farzana tinham construído uma vida ali.

"'E Bamiyan fica bem perto. Conhecemos muita gente lá. Perdoe-me, Rahim Khan. Entenda, por favor.'

"'Claro que sim', disse eu. 'Não precisa se desculpar. Eu compreendo.'

"Estávamos tomando chá, depois da *shorwa*, quando Hassan perguntou por você. Disse-lhe que estava vivendo nos Estados Unidos, mas que não sabia muito mais que isso. Hassan queria saber muitas coisas. Se você estava casado. Se tinha filhos. Que altura tinha. Se ainda empinava pipas e ia ao cinema. Se era feliz. Disse também que tinha ficado amigo de um velho professor de farsi em Bamiyan, e que este tinha lhe ensinado a ler e a escrever. Queria saber se lhe escrevesse uma carta eu a faria chegar até você. E se achava que você responderia. Disse a ele que tudo o que sabia a seu respeito vinha das conversas por telefone com seu pai, mas que não podia responder à maioria das perguntas que estava me fazendo. Ele quis saber então de seu pai. Quando lhe contei, Hassan enfiou o rosto entre as mãos e caiu no choro. Chorou como uma criança pelo resto da noite.

"Os dois insistiram para que eu ficasse para dormir. Farzana arrumou uma cama para mim e deixou um copo com água para o caso de eu ficar com sede. Durante a noite toda, ouvi que ela lhe falava baixinho e ele soluçava.

"Pela manhã, Hassan me disse que Farzana e ele tinham decidido ir comigo para Cabul.

"'Eu não devia ter vindo até aqui', afirmei. 'Vocês estavam bem, Hassan *jan*. Tinham uma *zendagi*, uma vida neste lugar. Fui muito presunçoso aparecendo assim, de repente, e pedindo que vocês abandonassem tudo. Eu é que preciso ser perdoado.'

"'Não temos muita coisa para abandonar, Rahim Khan', retrucou Hassan. Seus olhos ainda estavam vermelhos e inchados. 'Vamos com você. Vamos ajudá-lo a cuidar da casa.'

"'Têm certeza de que é o que querem fazer?'

"Ele assentiu e baixou a cabeça. '*Agha sahib* era como meu segundo pai... Que Deus o tenha.'

"Empilharam os seus pertences no meio de uns poucos pedaços de pano e amarraram os cantos para fazer umas trouxas. Pusemos tudo aquilo no Buick. Hassan ficou parado na porta da casa, segurando o Corão para nós o beijarmos e passarmos por baixo dele. Depois seguimos viagem para Cabul. Lembro que, enquanto saía com o carro, Hassan se virou para ver a casa pela última vez.

"Quando chegamos em Cabul, descobri que Hassan não tinha a menor intenção de ir morar *dentro* da casa. 'Mas todos esses quartos estão vazios, Hassan *jan*. Ninguém vai vir morar aqui', disse eu.

"Ele, porém, não quis de jeito nenhum. Disse que era uma questão de *ihtiram*, uma questão de respeito. Farzana e ele levaram as suas coisas para o casebre do quintal, onde ele nasceu. Implorei que viessem para um dos quartos de hóspedes, no andar de cima, mas não houve meios de convencê-lo. 'O que Amir *agha* vai pensar?', perguntou ele. 'O que vai pensar quando voltar para Cabul depois da guerra e descobrir que assumi o lugar dele nesta casa?' Então, em sinal de luto por seu pai, ele se vestiu de preto durante os quarenta dias que se seguiram à nossa chegada.

"Não queria que fosse assim, mas os dois se encarregaram da cozinha e da limpeza. Hassan passou a cuidar das flores do jardim: regava as raízes, cortava as folhas amareladas, e plantou roseiras. Pintou também as paredes. Dentro da casa, varreu os quartos onde ninguém dormia há tantos anos e limpou os banheiros que ninguém mais usava. Era como se estivesse preparando a casa para o retorno de alguém. Lembra daquele muro perto do canteiro de milho que seu pai tinha plantado, Amir *jan*? Aquele que vocês chamavam de 'muro do milho doente'? Um míssil destruiu boa parte dele no meio da noite, em princípios do outono. Hassan refez o muro com as próprias mãos, tijolo a tijolo, até que ele ficasse intacto novamente. Não sei o que teria feito se ele não estivesse ali comigo.

"Então, em fins do outono, Farzana deu à luz uma menina que nasceu morta. Hassan beijou o rosto sem vida do bebê e nós a enterramos no quintal, perto das rosas amarelas. Cobrimos aquele montinho de terra com folhas de choupo. Rezei uma prece por ela. Farzana ficou o dia inteiro na cabana, se lamentando. É de cortar o coração, Amir *jan*, ouvir os lamentos de uma mãe. Rogo a Allah que você nunca venha a ouvi-los.

"Do outro lado do muro daquela casa, a guerra devastava tudo. Nós três, porém, ali na casa de seu pai, tínhamos criado um pequeno porto seguro para nos proteger dela. Comecei a perder a visão em fins de 1980 e, assim, Hassan passou a ler para mim os livros de sua mãe. Sentávamos no saguão, perto do fogareiro, e ele lia trechos do *Masnawi* ou de Khayyam, enquanto Farzana preparava a comida na cozinha. E, toda manhã, Hassan punha uma flor na pequena cova perto das rosas amarelas.

"Em princípios de 1990, Farzana engravidou novamente. Naquele mesmo ano, em meados do verão, uma mulher usando uma *burqa* azul-clara bateu no portão da frente certa manhã. Quando fui até lá, vi que ela cambaleava, como se estivesse fraca demais para se manter de pé. Perguntei-lhe o que queria, mas ela não respondeu.

'Quem é você?', indaguei. Ela, porém, caiu ali mesmo, na calçada. Gritei por Hassan e ele veio me ajudar a carregá-la para dentro da casa, até a sala de visitas. Deitamos a desconhecida no sofá e tiramos a sua *burqa*. O que descobrimos foi uma mulher desdentada, com cabelos sujos que começavam a ficar grisalhos, e feridas nos braços. Parecia não comer há dias. Mas o pior de tudo era o seu rosto. Alguém tinha lhe dado uma facada e... Amir *jan*, os talhos atravessavam aquele rosto de um lado a outro. Um deles subia do maxilar até a raiz dos cabelos, e, no caminho, não poupou o olho esquerdo. Era grotesco. Molhei a sua testa com um pano úmido e ela abriu os olhos. 'Onde está Hassan?', perguntou com um fio de voz.

"'Bem aqui', disse ele. Pegou a mão dela e a apertou.

"O olho válido da mulher o fitou. 'Andei muito, vindo de bem longe, só para ver se você era tão bonito pessoalmente quanto nos meus sonhos. E é. Até mais', e levou a mão dele até o rosto desfigurado. 'Sorria para mim. Por favor.'

"Hassan sorriu e a mulher começou a chorar. 'Você sorriu quando saiu de mim, alguém lhe contou isso? E eu nem sequer o segurei nos braços. Que Allah me perdoe, mas eu nem sequer o segurei nos braços.'

"Nenhum de nós tinha voltado a ver Sanaubar desde que ela fugiu com uma trupe de cantores e bailarinos, em 1964, logo depois de dar à luz Hassan. Você não chegou a conhecê-la, Amir *jan*, mas, em jovem, ela era deslumbrante. Tinha covinhas quando ria e um jeito de andar que deixava os homens enlouquecidos. Ninguém passava por ela na rua, fosse homem ou mulher, sem se virar para vê-la de novo. E, agora...

"Hassan soltou a mão da mulher e saiu correndo porta afora. Fui atrás dele, mas não consegui alcançá-lo. Vi que estava subindo aquela colina onde vocês iam brincar, e os seus pés levantavam nuvens de poeira do chão. Deixei que se fosse. Fiquei o dia inteiro sentado junto de Sanaubar, enquanto o céu ia passando de azul brilhante a arroxeado. Quando anoiteceu, e a lua veio banhar as nuvens, Hassan ainda não tinha voltado. Sanaubar chorava dizendo que aparecer ali tinha sido um erro, talvez pior até do que ir embora. Mas consegui convencê-la a ficar. Sabia que Hassan ia acabar voltando.

"Ele voltou na manhã seguinte, com um ar cansado e abatido, como se tivesse passado a noite em claro. Pegou a mão de Sanaubar entre as suas e disse que ela podia chorar, se quisesse, mas que não precisava mais fazer isso porque, agora, estava em casa, em casa com a sua família. Tocou as cicatrizes em seu rosto e afagou os seus cabelos.

"Hassan e Farzana cuidaram dela até que se recuperasse. Davam-lhe comida e lavavam as suas roupas. Mandei que ela se instalasse em um dos quartos de hóspedes do andar de cima. Às vezes, olhando pela janela, via Hassan e a mãe juntos no quintal, ajoelhados, co-lhendo tomates ou ajeitando uma roseira, e conversando. Estavam recuperando todos aqueles anos perdidos, suponho eu. Pelo que sei, ele nunca perguntou por onde ela tinha andado ou por que tinha ido embora, e ela nunca contou. Acho que certas histórias não precisam ser contadas.

"Foi Sanaubar que fez o parto do filho de Hassan, naquele inverno de 1990. Ainda não tinha começado a nevar, mas os ventos gelados já sopravam pelos quintais, agitando as flores nos canteiros e fazendo as folhas farfalharem. Lembro de Sanaubar saindo do casebre com o neto nos braços, todo enrolado em um cobertor de lã. Ficou ali pa-rada, radiante, sob aquele céu cinzento e carregado, com as lágrimas rolando pelo rosto, com o vento cortante desmanchando o seu cabelo, e segurando aquele bebê nos braços como se jamais fosse deixá-lo. Não dessa vez. Entregou a criança a Hassan, que o passou para mim, e cantei a oração do *Ayat-ul-kursi* nos seus ouvidos.

"Deram-lhe o nome de Sohrab, que, como você bem sabe, Amir *jan*, é o herói favorito de Hassan do *Shahnamah*. Era um garotinho lindo, doce como açúcar, e tinha o mesmo gênio do pai. Você preci-sava ver Sanaubar com o neto, Amir *jan*. Ele se tornou o centro da sua existência. Ela costurava para ele; fazia brinquedos com pedaços de pau, retalhos e capim seco. Certa vez, quando ele teve febre, a avó passou a noite inteira acordada, e jejuou por três dias. Queimou *isfand* para ele, em uma frigideira, para espantar o *nazar*, o mau-olhado. Nessa época Sohrab tinha dois anos, e a chamava 'Sasa'. Os dois eram inseparáveis.

"Ela chegou a vê-lo fazer quatro anos e, então, certa manhã, simplesmente não acordou mais. Parecia calma, em paz, como se não se importasse de morrer naquele momento. Nós a enterramos no cemitério da colina, aquele, perto do pé de romã, e rezei uma oração por ela também. Foi uma dura perda para Hassan; sempre dói mais ter algo e perdê-lo do que não ter aquilo desde o começo. Entretanto, foi ainda mais difícil para o pequeno Sohrab. Ele ficava rodando pela casa, procurando por 'Sasa'. Mas, sabe como são as crianças: em pouco tempo já esqueceram.

"Por essa época, deve ter sido em 1995, os *shorawi* tinham sido derrotados e deixado Cabul, e a cidade estava nas mãos de Massoud, de Rabbani e dos *mujahedin*. Os combates entre as facções eram acirrados e ninguém poderia dizer se aquela gente viveria para ver o fim de um dia. Acabamos nos habituando a ouvir o assobio das bombas que caíam, a barulheira da artilharia, e nossos olhos ficaram familiarizados com a visão de homens retirando corpos de pilhas de escombros. Naqueles dias, Amir *jan*, Cabul era o mais próximo que se pode chegar da célebre expressão 'inferno na terra'. Entretanto Allah foi bondoso conosco. A região de Wazir Akbar Khan não foi muito atacada e, por isso, não sofremos tanto quanto alguns outros bairros.

"Quando não havia muitos mísseis e os tiroteios eram menos cerrados, Hassan levava Sohrab ao zoológico, para ver Marjan, o leão, ou então ao cinema. Ele lhe ensinou a atirar com o estilingue e, mais tarde, por volta dos oito anos, Sohrab já era fantástico com aquela arma: podia ficar no terraço e acertar uma pinha apoiada em um balde lá na metade do quintal. Hassan também lhe ensinou a ler e a escrever, seu filho não ia crescer analfabeto como ele próprio. Fiquei muito apegado àquele menino, vi ele dar seus primeiros passos, ouvi quando pronunciou sua primeira palavra. Comprava livros de histórias na livraria perto do cinema Park, que, agora, também foi destruída, e Sohrab devorava tantos quantos eu lhe trouxesse. Ele me lembrava muito você, que também adorava ler quando era pequeno, Amir *jan*. Às vezes, lia para ele à noite, brincava de adivinhações, ensinava-lhe truques com as cartas. Sinto muita saudade dele.

"No inverno, Hassan levou o filho para correr atrás de pipas. Tínhamos muito menos campeonatos do que antigamente, pois ninguém se sentia em segurança para ficar nas ruas por muito tempo, mas havia alguns deles, em um ou outro ponto da cidade. Hassan encarapitava Sohrab nos ombros e lá iam eles pelas ruas, correndo atrás das pipas, trepando em árvores para pegar uma que tivesse caído ali. Lembra, Amir *jan*, como Hassan era bom nisso? E continuava sendo. No final do inverno, Hassan e Sohrab penduravam nas paredes do corredor principal as pipas que tinham conseguido apanhar durante todos aqueles meses. E elas ficavam ali, como quadros.

"Já lhe disse que, em 1996, todos nós comemoramos quando os talibãs entraram em Cabul e acabaram com aqueles combates diários. Lembro que, naquela noite, cheguei em casa e vi Hassan na cozinha, ouvindo rádio. Seus olhos tinham um ar grave. Perguntei-lhe qual era o problema e ele apenas abanou a cabeça. 'Que Deus ajude os hazaras agora, Rahim Khan *sahib*', disse ele.

"'A guerra acabou, Hassan', retruquei. 'Vamos ter paz, *Inshallah*! E felicidade, e calma. Acabaram-se os mísseis, acabaram-se as matanças, acabaram-se os funerais!' Ele, porém, se limitou a desligar o rádio e me perguntar se eu precisava de algo antes que fosse se deitar.

"Algumas semanas depois, o Talibã proibiu as competições com as pipas. E, dois anos mais tarde, em 1998, eles massacraram os hazaras em Mazar-i-Sharif."

DEZESSETE

RAHIM KHAN DESCRUZOU AS PERNAS lentamente e recostou a cabeça na parede nua, com aquele cuidado característico das pessoas para quem o mínimo movimento pode provocar pontadas de dor. Lá fora um burro zurrava, e alguém gritou algo em urdu. O sol estava começando a se pôr, lançando um brilho avermelhado pelas frestas existentes entre aqueles prédios caindo aos pedaços.

Voltei a sentir em cheio o impacto da enormidade do que eu tinha feito naquele inverno e no verão seguinte. Os nomes ressoavam na minha cabeça: Hassan, Sohrab, Ali, Farzana e Sanaubar. Ouvir Rahim Khan mencionar o nome de Ali foi como encontrar uma velha caixinha de música empoeirada, que não era aberta há muitos anos; a melodia começou a tocar imediatamente. "Quem você comeu hoje, *Babalu*? Quem você comeu, seu *Babalu* de olhos puxados?" Tentei evocar o rosto congelado de Ali, ver *efetivamente* os seus olhos tranqüilos.

Mas o tempo pode ser uma coisa bem voraz — às vezes se apodera de todos os detalhes só para si mesmo.

— Hassan ainda está naquela casa? — perguntei eu.

Rahim Khan levou a xícara aos lábios ressecados e tomou um gole do seu chá. Depois, apanhou um envelope no bolso do paletó e o estendeu na minha direção.

— Tome. É para você.

Rasguei o envelope lacrado. Dentro dele, encontrei uma foto Polaroid e uma carta dobrada. Fiquei olhando a foto por um instante.

Um homem alto, usando um turbante branco e um *chapan* de listras verdes, estava de pé diante de um portão de ferro fundido, tendo, ao seu lado, um menino. O sol, batendo enviesado pela esquerda, deixava na sombra parte do seu rosto redondo. Ele fitava a câmera com os olhos apertados e um sorriso que revelava a falta de uns dois dentes na frente. Mesmo naquela foto um tanto turva, o homem de *chapan* transpirava segurança, desenvoltura. Pelo seu jeito de parar, com os pés ligeiramente afastados, os braços confortavelmente cruzados sobre o peito, a cabeça meio inclinada na direção do sol. Mas, principalmente, pelo seu jeito de sorrir. Olhando para essa foto, era possível concluir que aquele homem achava que o mundo tinha sido generoso para com ele. Rahim Khan tinha razão: eu o teria reconhecido se topasse com ele na rua. Já o menininho estava descalço, com um braço passado na coxa do pai e a cabeça raspada apoiada no seu quadril. Ele também sorria e apertava os olhos.

Desdobrei a carta. Estava escrita em farsi. Nenhum ponto tinha sido omitido, nenhum traço esquecido, nenhuma palavra se misturava com outra — a letra parecia até infantil de tão nítida que era. Comecei a ler:

> *Em nome de Allah, o mais clemente,*
> *o mais misericordioso,*
> *Amir agha, com os meus mais profundos respeitos,*
> *Farzana jan, Sohrab e eu rezamos para que esta carta mais re-*
> *cente vá encontrá-lo com saúde e na luz das boas graças de Allah.*
> *Por favor, transmita os meus melhores agradecimentos a Rahim*
> *Khan sahib por levá-la até você. Tenho esperanças de poder, um*
> *dia, ter nas mãos uma carta sua e ler as notícias da sua vida nos*

Estados Unidos. Talvez até uma fotografia sua possa honrar os nossos olhos. Falei muito de você para Farzana jan e para Sohrab. Contei-lhes como crescemos juntos, como brincávamos e corríamos pelas ruas. Eles riram muito de todas as travessuras que nós dois aprontávamos!

Amir agha,

infelizmente, o Afeganistão da nossa infância já morreu há muito tempo. A bondade abandonou esta terra e não se pode escapar às matanças. As matanças constantes. Em Cabul, o medo está por todo lado: pelas ruas, no estádio, nos mercados. Ele faz parte da nossa vida aqui, Amir agha. Esses selvagens que governam o nosso watan não têm a mínima noção do que seja decência humana. Outro dia, fui com Farzana jan ao mercado para comprar batatas e naan. Ela perguntou ao vendedor quanto custavam as batatas, mas ele não ouviu. Acho que é um tanto surdo. Então Farzana jan falou um pouco mais alto e, de repente, um jovem talib veio correndo e bateu nas coxas dela com o bastão que carregava consigo. A pancada foi tão forte que ela caiu no chão. E ele ficou gritando, xingando e dizendo que o Ministério do Vício e da Virtude não permite que as mulheres falem alto. Ela ficou com uma grande mancha roxa na perna por vários dias, mas o que eu poderia fazer, a não ser ficar parado ali, vendo minha mulher ser espancada? Se brigasse, aquele cachorro certamente me meteria uma bala, e na maior felicidade! E, depois, o que seria feito de meu Sohrab? As ruas já estão lotadas de órfãos famintos e agradeço diariamente a Allah por estar vivo, não porque tenha medo de morrer, mas porque, assim, minha mulher tem marido e meu filho não é órfão.

Gostaria que você pudesse conhecer Sohrab. Ele é um ótimo menino. Rahim Khan sahib e eu lhe ensinamos a ler e a escrever, para que ele não cresça burro como o pai. E como é bom com aquele estilingue! Levei Sohrab para passear em Cabul algumas vezes e comprei balas para ele. Ainda existe aquele homem do macaco em Shar-e-Nau e, quando o encontramos, pago para que o macaco dance para Sohrab. Você precisava ver como ele ri! Vamos quase sempre até o cemitério da colina. Lembra que sentávamos debaixo do pé de romã para ler histórias do Shahnamah? As secas afetaram muito a colina e há anos que aquela árvore não dá frutos, mas Sohrab e eu ainda nos sentamos à sua sombra e eu leio para ele histórias do Shahnamah. Não preciso lhe dizer que a sua parte favorita é aquela em que aparece o seu xará, o episódio de Rostam e Sohrab. Em pouco tempo, já poderá ler sozinho. Sou um pai muito orgulhoso e de muita sorte.

Amir agha,
Rahim Khan sahib está muito doente. Passa o dia inteiro tossindo e tenho visto sangue na manga da sua camisa quando ele enxuga a boca. Emagreceu bastante e gostaria que comesse um pouco da shorwa com arroz que Farzana jan prepara para ele. Mas nunca toma mais que uma ou duas colheradas, e acho até que só faz isso para ser gentil com Farzana jan. Estou preocupadíssimo com esse homem tão querido, e rezo por ele diariamente. Dentro de poucos dias, vai embarcar para o Paquistão, para consultar alguns médicos por lá e, Inshallah, voltará com boas notícias. Mas, no fundo do meu coração, temo muito por ele. Farzana jan e eu dissemos ao pequeno Sohrab que Rahim Khan vai ficar bom. O que podemos fazer? Ele só tem dez anos e adora Rahim Khan sahib. Os dois são muito apegados um ao outro. Rahim Khan sahib o levava consigo ao bazaar para comprar balões e biscoitos, mas, agora, está fraco demais para fazer isso.

Tenho sonhado muito ultimamente, Amir agha. De vez em quando, são pesadelos, como corpos enforcados em campos de futebol, com a grama tingida de sangue. Acordo sem fôlego e suando em bicas. No entanto, a maior parte das vezes, sonho com coisas boas e Allah seja louvado por isso. Sonho que Rahim Khan sahib vai ficar bom. Sonho que o meu filho cresce e se torna uma pessoa de bem, uma pessoa livre e importante. Sonho que flores de lawla florescem novamente pelas ruas de Cabul, que a música do rubab volta a tocar nas casas de chá e as pipas voam outra vez pelo céu. E sonho que, um dia, você vai voltar a Cabul para rever a terra da sua infância. Se voltar, encontrará um velho amigo fiel à sua espera.

Que Allah esteja sempre com você.
Hassan

Li a carta duas vezes. Dobrei o papel e fiquei mais um momento olhando para a foto. Guardei as duas no bolso.

— Como vai ele? — perguntei.

— Essa carta foi escrita há seis meses, alguns dias antes de eu embarcar para Peshawar — disse Rahim Khan. — Tirei a foto na véspera da viagem. Fazia um mês que estava aqui quando recebi um telefonema de um dos meus vizinhos em Cabul, que me contou a seguinte história: pouco depois que viajei, começou a circular o boato de que uma família hazara estava vivendo sozinha em uma casa enorme de Wazir Akbar Khan, ou, pelo menos, era o que alegava o Talibã. Uns dois oficiais *talib* vieram investigar o caso e interrogaram Hassan. Quando ele disse que morava comigo, acusaram-no de estar mentindo, apesar de vários vizinhos, inclusive o que me telefonou, terem confirmado a sua história. Os *talib* disseram que ele era um mentiroso e um ladrão, como todos os hazaras, e mandaram que deixasse a casa, juntamente com sua família, antes do anoitecer. Hassan protestou. Mas meu vizinho disse que os *talib* olhavam aquela casa enorme... qual foi mesmo a expressão que ele usou?... ah, sim, "como lobos fitando um rebanho de ovelhas". Disseram a Hassan que iam se instalar na casa, supostamente para garantir a sua segurança até que eu estivesse de volta. Hassan protestou novamente. Então, levaram-no para a rua...

— Não! — sussurrei eu.

— ...e mandaram que se ajoelhasse...

— Não. Oh, Deus, não.

— ...e deram-lhe um tiro na nuca.

— Não.

— Farzana veio gritando e os atacou...

— Não.

— Mataram-na também. Legítima defesa, foi o que alegaram mais tarde...

Tudo o que eu conseguia fazer era ficar balbuciando "Não. Não. Não", milhares de vezes.

FIQUEI PENSANDO NAQUELE DIA DE 1974, no quarto do hospital, pouco depois da cirurgia no lábio leporino de Hassan. *Baba*, Rahim Khan, Ali e eu nos amontoamos em volta da cama, loucos para vê-lo examinar o lábio novo no espelho de cabo. Agora, todos os que estavam naquele quarto já tinham morrido, ou estavam morrendo. Exceto eu.

Então vi mais alguma coisa: um homem usando uma túnica de tecido espinha-de-peixe pressionando o cano do seu Kalashnikov contra a nuca de Hassan. O disparo ecoa pela rua onde ficava a casa de meu pai. Hassan desaba no asfalto, com a vida de lealdade não-correspondida se esvaindo do seu corpo como as pipas levadas pelo vento que perseguíamos.

— O Talibã se instalou na casa — prosseguiu Rahim Khan. — A pretexto de terem expulsado um invasor. Os assassinatos de Hassan e Farzana foram relegados à condição de caso de legítima defesa. Ninguém disse uma palavra a respeito deles. A maioria por medo do Talibã, acho eu. Mas quem é que ia querer se arriscar por um casal de criados hazaras?

— E o que fizeram com Sohrab? — perguntei. Estava me sentindo cansado, exaurido. Rahim Khan teve um acesso de tosse que durou um bom tempo. Quando finalmente ergueu a cabeça, tinha o rosto afogueado e os olhos injetados.

— Ouvi dizer que foi levado para um orfanato, em algum ponto de Karteh-Seh. Amir *jan*... — E recomeçou a tossir. Quando parou parecia mais velho do que há alguns instantes, como se estivesse envelhecendo a cada acesso de tosse. — Amir *jan*, eu lhe pedi que viesse até aqui porque queria vê-lo antes de morrer, mas não é só.

Fiquei calado. Acho que já sabia o que ele ia dizer.

— Quero que vá a Cabul. Quero que traga Sohrab para cá — disse ele.

Fiz um esforço enorme para encontrar as palavras certas. Mal tive tempo de lidar com o fato de que Hassan estava morto.

— Escute, por favor — prosseguiu ele. — Conheço um casal americano aqui em Peshawar. Eles se chamam Thomas e Betty Caldwell. São cristãos e dirigem uma pequena organização beneficente que mantêm graças a doações de particulares. Tratam, principalmente, de abrigar e alimentar crianças afegãs que perderam os pais. Fui até lá. O lugar é limpo e seguro, as crianças são bem tratadas e o sr. e a sra. Caldwell são muito gentis. Já me disseram que Sohrab seria bem-vindo à casa deles e...

— Você não pode estar falando sério, Rahim Khan.

— As crianças são frágeis, Amir *jan*. Cabul já está cheia de órfãos desamparados, e não quero que Sohrab venha a se tornar mais um deles.

— Não quero ir a Cabul, Rahim Khan. Não posso! — exclamei.

— Sohrab é um garotinho talentoso. Aqui, podemos lhe dar uma nova vida, novas esperanças, com gente que vai gostar dele. Thomas *agha* é um bom homem e Betty *khanum* é tão delicada... Você devia ver como trata aqueles órfãos.

— Por que eu? Por que você não paga alguém daqui para fazer isso? Eu pago, se for uma questão de dinheiro.

— Não se trata de dinheiro, Amir! — vociferou Rahim Khan. — Estou à morte e não vou admitir ser insultado! *Comigo* a questão nunca foi dinheiro, você sabe disso. E por que você? Acho que nós dois sabemos por que tem que ser você, não é?

Não queria ter compreendido aquele comentário, mas compreendi. Compreendi muito bem o que ele estava dizendo.

— Tenho uma esposa nos Estados Unidos. Tenho um lar, uma carreira, uma família. Cabul é um lugar perigoso, como você bem sabe, e quer que eu arrisque tudo por... — Parei de falar.

— Sabe... — disse Rahim Khan. — Uma vez, quando você não estava por perto, seu pai e eu tivemos uma conversa. E você não ignora como, naquela época, ele vivia preocupado a seu respeito. Lembro que ele me disse: "Rahim, um menino que não sabe se defender vai se tornar um homem incapaz de enfrentar o que quer que seja." Fico me perguntando se não foi exatamente isso que aconteceu.

Baixei os olhos.

— O que estou lhe pedindo é que conceda a um velho o seu último desejo — acrescentou ele com gravidade.

Rahim Khan tinha apostado tudo naquela frase. Jogado a sua cartada decisiva. Ou, pelo menos, foi o que pensei na ocasião. As suas palavras ficaram pairando no limbo entre nós, mas ele ao menos soube o que dizer. Já eu continuava procurando as palavras certas, e, ali dentro, o escritor era eu. Afinal, me decidi por isto:

— Talvez *baba* tivesse razão.

— Lamento que pense assim, Amir.

Não conseguia olhar para ele.

— E você não? — indaguei.

— Se pensasse não teria lhe pedido para vir até aqui.

Fiquei brincando com a aliança.

— Você sempre me teve em alta conta, Rahim Khan. Alta demais.

— E você sempre foi excessivamente duro consigo mesmo. — Hesitou um instante e, depois, prosseguiu. — Tem mais uma coisa, porém. Uma coisa que você não sabe.

— Por favor, Rahim Khan...

— Sanaubar não foi a primeira mulher de Ali.

Aí eu levantei os olhos.

— Ele já tinha sido casado antes, com uma hazara da região de Jaghori. Isso aconteceu muito antes de você nascer. Ficaram casados por três anos.

— E o que isso tem a ver com o resto?

— No final desses três anos, ela o deixou, sem filhos, e se casou com um homem em Khost. E deu três filhas a esse segundo marido. É isto que estou tentando lhe dizer.

Comecei a perceber o rumo que as coisas estavam tomando. Mas não queria ouvir o resto da história. Tinha uma vida boa na Califórnia, uma linda casa vitoriana com telhado de duas águas, um bom casamento, uma carreira promissora como escritor, a família de minha mulher me adorava. Não precisava mesmo dessa merda toda.

— Ali era estéril — disse Rahim Khan.

— Não era não. Ele e Sanaubar tiveram Hassan, não foi? Tiveram Hassan...

— Não tiveram, não — atalhou ele.

— Tiveram, sim!

— Não tiveram, Amir.

— Então quem...?

— Acho que você sabe.

Eu parecia um homem que despenca de um penhasco e tenta se agarrar a arbustos e touceiras, mas se vê de mãos abanando. A sala subia e descia, balançava para um lado e para o outro.

— Hassan sabia disso? — disse eu por uma boca que não sentia como se fosse minha.

Rahim Khan fechou os olhos. Abanou a cabeça.

— Seus filhos-da-puta! — murmurei. Fiquei de pé. — Malditos filhos-da-puta! — gritei. — Vocês todos são um bando de malditos filhos-da-puta mentirosos!

— Sente-se, por favor — disse Rahim Khan.

— Como puderam esconder isso de mim? E *dele* também? — esbravejei.

— Pense um pouco, Amir *jan*. Era uma situação embaraçosa. As pessoas iam comentar. Naquela época, tudo o que um homem tinha era a sua honra, o seu nome. Isso é que fazia de alguém o que ele era. E se as pessoas começassem a falar... Não podíamos contar a ninguém. Tenho certeza que você é capaz de entender isso.

Estendeu a mão na minha direção, mas eu recuei. E me encaminhei para a porta.

— Não vá embora, Amir *jan*. Por favor.

Abri a porta e me voltei para ele.

— Por quê? O que é que você ainda pode ter a me dizer? Tenho trinta e oito anos e acabo de descobrir que a minha vida inteira foi uma puta de uma mentira! O que você poderia dizer para amenizar isso? Nada. Nem uma maldita palavra!

Dizendo isso, saí do apartamento feito uma bala.

DEZOITO

O SOL JÁ TINHA QUASE DESAPARECIDO, deixando o céu envolto em uma mescla de roxo e de vermelho. Saí caminhando pela rua estreita e movimentada, me afastando do edifício de Rahim Khan. Aquele era um lugar barulhento, em meio a um labirinto de becos abarrotados de pedestres, bicicletas e riquixás. Nas esquinas, cartazes faziam propaganda de Coca-Cola e cigarros. Pôsteres de Lollywood, a indústria do cinema paquistanês, exibiam atrizes sensuais que dançavam com belos homens morenos em campos floridos.

Entrei em uma pequena casa de chá muito enfumaçada e pedi uma xícara de chá. Sentei em uma cadeira dobrável, reclinando-a toda para trás, e esfreguei o rosto. Aquela sensação de estar deslizando para um abismo começava a desaparecer. Mas, em vez disso, estava me sentindo como um homem que acorda na sua própria casa e vê que todos os móveis mudaram de lugar. Por causa de tal mudança, cada canto e cada fresta, antes tão familiares, lhe parecem agora estranhos. Desnorteado, precisa reavaliar tudo o que o cerca, reorientar-se.

Como pude ser tão cego? As pistas estavam lá o tempo todo, bem diante dos meus olhos, e, neste momento, voltavam para mim voando: *baba* contratando o dr. Kumar para operar o lábio leporino de Hassan. *Baba* que nunca esquecia o aniversário dele. Lembrei daquele dia em que estávamos plantando tulipas, quando perguntei a *baba* se já tinha pensado em contratar novos empregados. "Hassan não vai a lugar nenhum", gritou ele então. "Vai continuar morando aqui conosco, pois esta é a casa dele. É o seu lar e nós somos a sua família." E meu pai chorou, *chorou* quando Ali anunciou que ele e Hassan estavam nos deixando.

O garçom pôs à minha frente a xícara de chá que eu havia pedido. No ponto em que as pernas da mesa se cruzavam, fazendo um X, tinha uma argola com umas bolotas de latão do tamanho de uma noz. Uma delas estava meio desatarraxada e me abaixei para apertá-la. Seria tão bom se pudesse consertar a minha própria vida com a mesma facilidade... Tomei um gole daquele chá fortíssimo, como não via há anos, e tentei pensar em Soraya, no general e em *khala* Jamila, no romance que precisava terminar. Tentei ficar olhando para o trânsito rápido da rua, para as pessoas que circulavam, entrando e saindo das pequenas confeitarias. Tentei ficar ouvindo a música *Qawali* que vinha de um rádio transistor na mesa ao lado. Nada. Continuava vendo *baba*, na noite da minha formatura, sentado no Ford que tinha acabado de me dar de presente, cheirando a cerveja e dizendo: "Gostaria que Hassan estivesse aqui conosco hoje."

Como pôde mentir para mim durante todos esses anos? E também para Hassan? Quando eu era pequeno, ele me pôs no colo, olhou bem dentro dos meus olhos e disse: "Existe apenas um pecado, um só. E esse pecado é roubar... Quando você mente, está roubando de alguém o direito de saber a verdade." Não foram essas as palavras que ele me disse? E agora, quinze anos depois de eu o ter enterrado, acabo descobrindo que *baba* era um ladrão. Um ladrão da pior espécie, porque as coisas que roubou eram sagradas: de mim, o direito a ter um irmão; de Hassan, a própria identidade; e de Ali, a honra. Sua *nang*. Seu *namoos*.

As perguntas fervilhavam na minha cabeça. Como *baba* conseguia olhar nos olhos de Ali? Como Ali pôde viver naquela casa por anos a fio, sabendo que tinha sido desonrado pelo patrão, e da pior maneira que um homem afegão pode ser desonrado? E como eu ia conseguir conciliar essa nova imagem de *baba* com aquela que tinha estado gravada em minha mente por tanto tempo: ele, com o velho terno marrom, andando meio trôpego pela alameda de entrada da casa dos Taheri para pedir a mão de Soraya em casamento?

Há um outro clichê de que o meu professor de redação literária certamente debocharia: tal pai, tal filho. Mas era verdade, não era? O que acabei descobrindo é que *baba* e eu éramos muito mais parecidos do que jamais poderia imaginar. Nós dois traímos as pessoas que dariam a vida por nós. E, com isso, veio a compreensão: Rahim Khan tinha me chamado até aqui para resgatar não apenas os meus pecados, mas também os de meu pai.

Rahim Khan disse que sempre fui duro demais comigo mesmo. Será? É claro que não fiz Ali pisar na mina terrestre, nem trouxe o Talibã até aquela casa para fuzilar Hassan. Mas mandei Ali e Hassan embora de casa. Seria exagero imaginar que as coisas poderiam ter tomado outro rumo se eu não tivesse feito o que fiz? Talvez *baba* tivesse levado os dois conosco para os Estados Unidos. Talvez Hassan tivesse agora uma casa, um emprego, uma família, uma vida em um país onde ninguém se importava com o fato de ele ser um hazara; onde, na verdade, a maioria da população nem mesmo sabia o que vinha a ser um hazara. Talvez não. Mas talvez sim.

"Não posso ir para Cabul", disse eu a Rahim Khan. "Tenho uma esposa nos Estados Unidos, uma casa, uma carreira, uma família." Mas como é que poderia simplesmente fazer as malas e voltar para casa sabendo que os meus próprios atos tinham custado a Hassan a oportunidade de ter essas coisas também?

Adoraria que Rahim Khan não tivesse me chamado. Adoraria que tivesse me deixado continuar vivendo na ignorância. Mas ele tinha me chamado. E a revelação que me fez modificou tudo. Ela me mostrou que toda a minha vida, bem antes do inverno de 1975, já desde os tempos em que aquela moça hazara que cantava ainda estava me amamentando, tinha sido um ciclo de mentiras, traições e segredos.

"Há um jeito de ser bom de novo" foi o que disse Rahim Khan quando me telefonou.

Um jeito de pôr fim a esse ciclo.

Graças a um menininho. Um órfão. O filho de Hassan. Em algum lugar lá em Cabul.

No RIQUIXÁ, VOLTANDO PARA O APARTAMENTO de Rahim Khan, lembrei de *baba* dizendo que o meu problema era que sempre tive alguém enfrentando as coisas por mim. Estava com trinta e oito anos agora. O meu cabelo começava a rarear nas têmporas e já tinha alguns fios grisalhos, e, recentemente, notei pequenos pés-de-galinha nos cantos dos meus olhos. Estava mais velho agora, mas talvez não fosse velho demais para começar a enfrentar as situações por conta própria. *Baba* tinha mentido sobre várias coisas, como acabei de descobrir, mas não sobre isso.

Olhei de novo para aquele rosto redondo na foto Polaroid, com o sol batendo de lado. O rosto do meu irmão. Hassan tinha me amado antigamente, e de um jeito que ninguém jamais me amou ou viria a me amar. Agora, estava morto, mas uma pequena parte dele ainda vivia. E estava em Cabul.

Esperando.

Fui encontrar Rahim Khan fazendo a sua *namaz* em um canto da sala. Era apenas um vulto inclinado na direção do oeste, recortado sobre o pano de fundo de um céu cor de sangue. Esperei que acabasse.

Disse-lhe, então, que estava indo para Cabul. Pedi que telefonasse para os Caldwell pela manhã.

— Vou rezar por você, Amir *jan* — disse ele.

DEZENOVE

MAIS UMA VEZ, A VIAGEM DE CARRO me deixou enjoado. Quando estávamos passando pela placa crivada de balas, onde se lia "BEM-VINDO AO PASSO KHYBER", a minha boca ficou cheia de água. Algo no meu estômago se remexia e se retorcia. Farid, o motorista, me lançou um olhar glacial. Não havia qualquer empatia naqueles olhos.

— Será que posso baixar o vidro? — indaguei.

Ele acendeu um cigarro e o segurou com os dois dedos que lhe restavam na mão esquerda, a que estava apoiada no volante. Mantendo os olhos negros na estrada, inclinou-se para a frente, pegou uma chave de fenda que estava no chão, entre os seus pés, e estendeu-a para mim. Enfiei a ferramenta no buraco da porta, onde deveria haver uma manivela, e girei-a para baixar o vidro da minha janela.

Farid me lançou outro olhar de desprezo, desta vez com uma ponta de animosidade mal disfarçada, e recomeçou a fumar o seu cigarro. Não disse mais que umas dez palavras desde que tínhamos saído de forte Jamrud.

— *Tashakor* — murmurei.

Inclinei a cabeça pela janela e deixei que o ar frio do meio da tarde me batesse no rosto. A estrada que atravessava os territórios tribais do Passo Khyber, serpenteando por entre penhascos de xisto e calcário, era exatamente como nas minhas recordações — *baba* e eu tínhamos passado por aquela região de relevo acidentado em 1974. As montanhas áridas e imponentes margeavam profundos desfiladeiros e se erguiam em picos pontiagudos. No topo dos rochedos, havia velhas fortalezas, com muralhas de adobe já desmoronadas. Tentei manter os olhos fixos nos cumes nevados da cordilheira do Hindu Kush, ao norte, mas, cada vez que o meu estômago se acalmava um pouco que fosse, o furgão fazia outra curva e provocava uma nova onda de enjôo.

— Experimente limão.

— O quê?

— Limão. É bom para enjôo — disse Farid. — Sempre trago um quando vou pegar essa estrada.

— Não, obrigado — retruquei. Só de pensar em acrescentar acidez ao meu estômago fiquei ainda mais enjoado.

— Sei que não é um negócio todo caprichado como aqueles remédios que vocês têm por lá. É só uma antiga mezinha que a minha mãe me ensinou.

Lamentei ter perdido a oportunidade de ser um pouco mais agradável.

— Nesse caso, talvez fosse bom eu experimentar — emendei.

Ele apanhou um saco de papel no banco de trás e tirou dali a metade de um limão. Dei uma mordida e esperei alguns minutos.

— Não é que você tinha razão... Estou me sentindo melhor. — menti. Como afegão, sabia que mais valia ser infeliz do que grosseiro. E fiz um esforço para sorrir.

— É um velho truque *watani*. Não há necessidade desses remédios cheios de nove-horas — disse ele. O seu tom de voz beirava o mau humor. Bateu a cinza do cigarro e deu uma olhada de auto-satisfação pelo espelho retrovisor. Farid era tadjique. Um indivíduo magro e moreno, com o rosto curtido, os ombros estreitos, o pescoço comprido marcado por um pomo-de-adão saliente que só aparecia por trás da barba quando ele virava a cabeça. Estava usando roupas bem parecidas com as minhas embora, creio eu, fosse exatamente o contrário: uma manta de lã grossa enrolada sobre um *pirhan-tumban* cinza, e um paletó. Na cabeça, um *pakol* marrom ligeiramente descaído para um lado, como o herói de seu povo, Ahmad Shah Massoud — a quem os tadjiques se referiam como "o Leão de Panjsher".

Foi Rahim Khan quem me apresentou Farid, em Peshawar. Disse-me que ele tinha vinte e nove anos, embora o seu rosto desconfiado e marcado fosse de um homem vinte anos mais velho. Nasceu em Mazar-i-Sharif, onde viveu até seu pai se mudar com a família para Jalalabad. Nessa época, Farid tinha dez anos. Quando ele tinha quatorze, ingressou no *jihad* contra os *shorawi*, juntamente com seu pai. Ambos combateram no vale Panjsher durante dois anos, e, em um ataque com helicópteros, o mais velho dos dois foi estraçalhado. Farid tem duas esposas e cinco filhos.

— Tinha sete — disse Rahim Khan com ar pesaroso. No entanto perdeu as duas meninas menores alguns anos atrás, na explosão de uma mina terrestre nos arredores de Jalalabad. Foi essa mesma explosão que lhe arrancou vários dedos dos pés e três da mão esquerda. Depois disso, ele veio morar em Peshawar, com as esposas e os filhos.

— Posto de controle — resmungou Farid. Afundei um pouco no assento, com os braços cruzados sobre o peito, e, por um momento, esqueci o enjôo. Mas não havia motivo para preocupação. Dois milicianos paquistaneses se aproximaram do nosso Land Cruiser caindo aos pedaços, olharam rapidamente para dentro do veículo e fizeram sinal para que passássemos.

Farid era o primeiro nome da lista que Rahim Khan e eu fizemos, uma lista que incluía trocar dólares por dinheiro kaldar e afegão; providenciar os meus trajes e o meu *pakol* — por ironia, coisa que nunca tinha usado, nem mesmo quando vivia efetivamente no Afeganistão —; não esquecer a foto Polaroid de Hassan e Sohrab e, finalmente, aquele que talvez fosse o item mais importante: arranjar uma barba postiça, negra, que me batia no peito, e me dava um ar discretamente

Shari'a — ou, pelo menos, a versão talibã da *Shari'a*. Rahim Khan conhecia um indivíduo em Peshawar que era especialista em fabricá-las, às vezes até mesmo para jornalistas ocidentais que estavam por lá fazendo a cobertura da guerra.

Rahim Khan queria que eu ficasse mais alguns dias com ele, para planejarmos tudo minuciosamente. Mas eu sabia que tinha de partir o mais depressa possível. Tinha medo de mudar de idéia. Tinha medo de começar a ponderar, ruminar, me angustiar, racionalizar, e acabar me convencendo a não ir. Medo de que os atrativos da minha vida nos Estados Unidos me fizessem recuar. Medo de que voltasse a penetrar naquele rio imenso e acabasse me deixando cair no esquecimento, deixando que as coisas que descobri nesses últimos dias fossem levadas bem lá para o fundo. Medo de deixar que as águas me arrastassem para bem longe daquilo que tinha de fazer. Para longe de Hassan. Do passado que tinha vindo bater à minha porta. E dessa última chance de redenção. Então, decidi viajar antes que surgisse qualquer possibilidade de isso acontecer. Quanto a Soraya, não era uma boa idéia lhe dizer que eu estava voltando para o Afeganistão. Se fizesse isso, ela era bem capaz de comprar uma passagem no primeiro vôo para o Paquistão.

Cruzamos a fronteira e os sinais de pobreza estavam por toda parte. De ambos os lados da estrada, viam-se diversas pequenas aldeias que surgiam aqui e ali, como brinquedos que tivessem sido jogados fora entre os rochedos. Casas de pau-a-pique quase em ruí-nas e choupanas que não passavam de quatro estacas de madeira com um pano esfarrapado fazendo as vezes de telhado. Do lado de fora desses casebres, vi crianças maltrapilhas correndo atrás de uma bola de futebol. Poucos quilômetros adiante, avistei um punhado de homens acocorados, mais parecendo um bando de corvos sobre a carcaça de um tanque soviético destruído, enquanto o vento erguia as bordas das mantas espalhadas ao seu redor. Por trás deles, uma mulher vestindo uma *burqa* marrom carregava nos ombros um grande cântaro de barro pela estrada de terra que ia dar em um arruado de casinhas de pau-a-pique.

— Que estranho! — exclamei.

— O quê?

— Estou me sentindo um turista na minha própria terra — respondi, olhando para um pastor que ia andando pela beira da estrada, conduzindo umas seis cabras magérrimas.

Farid deu uma risadinha. Jogou fora o cigarro.

— Ainda considera esse lugar a sua terra? — perguntou ele.

— Acho que uma parte de mim vai sempre pensar assim — respondi, mais na defensiva do que pretendia.

— Depois de vinte anos vivendo na América... — disse ele desviando o furgão para evitar um buraco do tamanho de uma daquelas bolas grandes e coloridas.

Assenti com um gesto.

— Cresci no Afeganistão — acrescentei.

Farid voltou a dar a tal risadinha.

— Por que está fazendo isso? — perguntei.

— Deixe para lá — murmurou ele.

— Não. Quero saber. Por que é que está fazendo isso?

Pelo retrovisor, vi algo brilhar em seus olhos.

— Quer saber mesmo? — indagou ele zombeteiro. — Deixe eu tentar imaginar, *agha sahib*. Você com certeza morava em uma casa grande, de dois ou três andares, com um belo quintal que o jardineiro cobria de flores e árvores frutíferas. Tudo cercado por grades, é claro. Seu pai tinha um carro americano. Vocês tinham empregados, provavelmente hazaras. Seus pais contratavam operários para decorar a casa por ocasião das magníficas *mehmanis* que organizavam, para que os amigos viessem beber e conversar sobre as viagens que faziam à Europa ou à América. E aposto os olhos do meu filho mais velho como esta é a primeira vez na vida em que está usando um *pakol*. — Deu um sorriso irônico, revelando um punhado de dentes prematuramente estragados. — Acertei?

— Por que é que está dizendo essas coisas? — indaguei.

— Porque você queria saber — respondeu ele rispidamente. Apontou para um velho maltrapilho que se arrastava por uma estradinha de terra, carregando um imenso saco de aniagem repleto de forragem preso às costas. — Esse é o verdadeiro Afeganistão, *agha sahib*. O Afeganistão que eu conheço. Você? Você *sempre* foi um turista por aqui. Só que não sabia disso.

Rahim Khan tinha me alertado, dizendo que não esperasse uma acolhida calorosa no Afeganistão, por parte daqueles que tinham ficado lá e lutado nas guerras.

— Sinto muito por seu pai — disse eu. — Sinto muito por suas filhas, e por sua mão.

— Isso não quer dizer nada para mim — disse ele, e abanou a cabeça. — Mas, afinal, por que é que está voltando para cá? Para vender as terras de seu *baba*? Embolsar o dinheiro e sair correndo para ir encontrar a sua mãe nos Estados Unidos?

— Minha mãe morreu no parto, quando nasci — disse eu.

Ele suspirou e acendeu outro cigarro. Não disse nada.

— Encoste o carro.

— O quê?

— Encoste o carro, que diabos! — exclamei. — Vou vomitar.

Pulei do furgão antes mesmo que ele parasse no cascalho da beira da estrada.

MAIS PARA O FIM DA TARDE, a paisagem tinha mudado, passando dos picos banhados pelo sol e dos penhascos áridos a um solo mais verde de uma região rural. A estrada principal descia de Landi Kotal até Landi Khana, atravessando o território Shinwari. Penetramos no Afeganistão por Torkham. A estrada era margeada de pinheiros, embora em menor quantidade do que me lembrava, e, além disso, muitos deles estavam desfolhados. Mas era bom voltar a ver árvores depois da árdua viagem pelo Passo Khyber. Estávamos nos aproximando de Jalalabad, onde Farid tinha um irmão que nos receberia em sua casa para passar a noite.

O sol ainda não tinha se posto inteiramente quando chegamos a Jalalabad, capital do estado de Nangarhar, cidade antigamente famosa pelas suas frutas e o seu clima ameno. Farid passou pelos prédios e casas de pedra do distrito central. Não havia tantas palmeiras como nas minhas recordações, e algumas daquelas casas tinham sido reduzidas a paredes sem teto e pilhas de barro revolvido.

Viramos em uma ruela estreita e sem calçamento, e Farid estacionou o Land Cruiser junto de um riacho seco. Saí do furgão, me estiquei todo e respirei fundo. Nos velhos tempos, o vento atravessava as planícies irrigadas que cercavam Jalalabad, onde fazendeiros cultivavam cana-de-açúcar, e impregnava o ar da cidade com aquele cheiro adocicado. Fechei os olhos e procurei sentir aquela doçura, mas não a encontrei.

— Vamos — disse Farid impaciente. Saímos andando pela ruela de terra, deixando para trás uns poucos choupos sem folhas e passando junto a uma fileira de muros de barro desabados. Farid me levou até uma casa térrea caindo aos pedaços e bateu na porta de tábuas.

Uma jovem, com olhos de um verde da cor do mar e a cabeça coberta por uma echarpe branca, veio espiar. Viu primeiro a mim e se assustou; depois, percebeu a presença de Farid e os seus olhos brilharam.

— *Salaam alaykum, kaka* Farid! — exclamou ela.

— *Salaam*, Maryam *jan* — respondeu ele, dando-lhe algo que tinha me negado o dia todo: um sorriso acolhedor. Beijou-a no alto da cabeça. A jovem se afastou para o lado e ficou me olhando com uma certa apreensão enquanto eu entrava na pequena casa, seguindo Farid.

O teto de adobe era baixo, as paredes de terra inteiramente nuas e a única iluminação vinha de um par de lamparinas postas em um canto. Tiramos os sapatos e fomos andando pela esteira de palha que cobria o chão. Junto a uma das paredes, havia três meninos sentados, de pernas cruzadas, sobre um colchão recoberto por uma manta com as bordas esfiapadas. Um homem alto e barbado, de ombros largos, se levantou para nos receber. Depois que os dois se abraçaram e se beijaram de ambos os lados do rosto, Farid me apresentou a Wahid, seu irmão mais velho.

— Ele é dos Estados Unidos — disse, apontando o polegar na minha direção. E nos deixou sozinhos para ir cumprimentar os garotos.

Wahid sentou-se ao meu lado, defronte dos meninos que tinham atacado Farid e lhe subiam pelos ombros. Apesar dos meus protestos, Wahid mandou que um dos garotos fosse buscar outra manta para que eu ficasse mais confortável ali no chão, e pediu a Maryam que me trouxesse um chá. Perguntou como tinha sido a viagem de Peshawar, passando pelo Passo Khyber.

— Espero que não tenham cruzado com nenhum *dozd* — disse ele. O Passo Khyber era tão célebre pelo seu relevo acidentado quanto pelos bandidos que se aproveitavam dessas condições do terreno para assaltar os viajantes. Antes que eu pudesse responder, ele piscou o olho e acrescentou, bem alto:

— É claro que nenhum *dozd* ia perder tempo com um carro tão feio quanto o de meu irmão.

Farid derrubou o menino menor no chão e começou a lhe fazer cócegas nas costelas com a mão válida. O menino esperneava e ria.

— Pelo menos tenho carro — disse ele arquejante. — Como tem passado o seu burro?

— Meu burro é uma condução melhor que o seu carro.

— *Khar khara mishnassah* — retrucou Farid. Só mesmo um burro para avaliar outro. Riram ambos, e eu também. Ouvi vozes femininas vindas do outro aposento. De onde estava sentado, podia ver boa parte dele. Maryam e uma mulher mais velha, que usava um *hijab* marrom, sua mãe, presumi, conversavam em voz baixa despejando chá de uma chaleira para um bule.

— O que faz nos Estados Unidos, Amir *agha*? — indagou Wahid.

— Sou escritor — respondi. Julguei ter ouvido Farid dar uma risadinha quando eu disse isso.

— Escritor? — exclamou Wahid nitidamente impressionado. — Escreve sobre o Afeganistão?

— Bem, já escrevi. Mas não atualmente — disse eu. O meu último romance, *Uma época de cinzas*, era sobre um professor universitário que se juntou a um grupo de ciganos depois de encontrar a mulher na cama com um dos seus alunos. Não era um mau livro. Algumas resenhas se referiram a ele como um "bom" livro, e uma delas chegou a usar a expressão "cativante". De repente, porém, estava ficando constrangido com aquilo. Torci para que Wahid não perguntasse do que se tratava.

— Talvez devesse escrever de novo sobre o Afeganistão — disse ele. — Para contar ao resto do mundo o que o Talibã está fazendo com o nosso país.

— Bem, não sou... não sou exatamente esse tipo de escritor.

— Ah! — exclamou Wahid assentindo com a cabeça e corando ligeiramente. — Você é quem sabe, é claro. Não tenho nada que ficar dando palpites...

Nesse exato momento, Maryam e a outra mulher entraram na sala trazendo algumas xícaras e um bule de chá em uma pequena bandeja. Fiquei de pé, em sinal de respeito, levei a mão ao peito e inclinei a cabeça.

— *Salaam alaykum* — disse eu.

A mulher, que tinha enrolado o *hijab* para esconder o rosto que mantinha baixado, também fez um aceno de cabeça.

— *Salaam* — respondeu ela com uma voz que mal se podia ouvir. Não nos olhamos nos olhos uma vez sequer. Fiquei de pé enquanto ela servia o chá.

A mulher pôs a xícara fumegante à minha frente e saiu da sala, sem que os seus pés descalços fizessem qualquer ruído. Sentei e tomei um gole daquele chá preto bem forte. Finalmente, Wahid quebrou o silêncio desconfortável que tinha se instalado.

— Então... o que o traz de volta ao Afeganistão? — indagou Wahid.

— O que é que traz *todos* eles de volta ao Afeganistão, meu caro? — perguntou Farid, dirigindo-se ao irmão, mas olhando diretamente para mim com ar de desprezo.

— *Bas!* — exclamou Wahid.

— É sempre a mesma coisa — prosseguiu Farid. — Vender essa terra aqui, vender aquela casa ali, juntar o dinheiro, e sair correndo feito camundongo. Voltar para a América e gastar o dinheiro tirando férias com a família no México.

— Farid! — esbravejou Wahid. Os meninos, e até mesmo Farid se assustaram. — Esqueceu as boas maneiras? Estamos na *minha* casa! Amir *agha* é meu hóspede por esta noite, e não vou permitir que você me desonre desse jeito!

Farid abriu a boca para dizer algo. Pensou melhor, porém, e acabou ficando calado. Recostou-se na parede, resmungou alguma coisa bem baixinho e cruzou as pernas, passando o pé mutilado por sobre o outro. Mas não tirou de mim aqueles olhos acusadores.

— Perdoe-nos, Amir *agha* — disse Wahid. — Desde criança, a língua do meu irmão sempre andou dois passos adiante da sua cabeça.

— Na verdade, a culpa foi minha — disse eu, tentando sorrir sob o olhar intenso de Farid. — Não estou ofendido. Devia ter lhe explicado o que vim fazer no Afeganistão. Não estou aqui para vender nenhuma propriedade. Vou a Cabul para procurar um menino.

— Um menino... — repetiu Wahid.

— É — respondi. Tirei a foto Polaroid do bolso da camisa. Ver novamente a foto de Hassan reabriu a ferida recente causada por sua morte. Tive de desviar os olhos. Passei a foto a Wahid. Ele a fitou atentamente. Olhou para mim e voltou a olhar para a foto.

— Este menino aqui?

Fiz que sim com a cabeça.

— Esse menino hazara?

— Isso mesmo — confirmei.

— O que ele representa para você?

— O pai dele significava muito para mim. É esse homem aí na foto. Está morto.

Wahid piscou os olhos.

— Era seu amigo?

Instintivamente, ia dizer que sim, como se, em algum nível mais profundo, eu também quisesse proteger o segredo de *baba*. Mas já tinha havido mentiras demais.

— Era meu meio-irmão — disse. Engoli em seco. E acrescentei. — Meio-irmão ilegítimo. — Virei a xícara de chá. Fiquei brincando com a sua asa.

— Não tinha a intenção de ser intrometido — disse Wahid desculpando-se.

— Não está sendo intrometido — retruquei.

— O que vai fazer com ele?

— Levá-lo para Peshawar. Há umas pessoas lá que vão cuidar dele.

Wahid me devolveu a foto e apoiou a mão calejada no meu ombro.

— Você é um homem honrado, Amir *agha*. Um verdadeiro afegão.

Eu me encolhi por dentro.

— É um orgulho para mim tê-lo em nossa casa esta noite — acrescentou ele.

Agradeci e arrisquei uma olhadela para Farid. Ele agora estava de olhos baixos, brincando com as bordas esfarrapadas da esteira de palha.

POUCO TEMPO DEPOIS MARYAM E A MÃE trouxeram duas tigelas fumegantes de *shorwa* de legumes e duas formas de pão.

— Sinto não poder lhe oferecer carne — disse Wahid. — Isso é algo que só o Talibã tem condições de comer atualmente.

— Parece ótimo — disse eu. E parecia mesmo. Perguntei a ele e aos meninos se não queriam um pouco, mas Wahid disse que a família já tinha comido antes de nós chegarmos. Farid e eu arregaçamos as mangas, mergulhamos o pão na *shorwa* e comemos com as mãos.

Enquanto comia, notei que os filhos de Wahid, todos os três magrinhos, com a cara suja e o cabelo castanho cortado bem rente por baixo do barrete, lançavam olhares furtivos ao meu relógio digital. O mais moço cochichou alguma coisa no ouvido do irmão. Este fez que sim com a cabeça, sem tirar os olhos do meu relógio. O mais velho dos três — que parecia ter uns doze anos — balançava o corpo para frente e para trás, com os olhos grudados no meu pulso. Quando acabamos de jantar, depois que lavei as mãos na água que Maryam trouxe em um pote de barro, pedi permissão a Wahid para dar um *hadia*, um presente aos garotos. Ele recusou, mas, quando insisti, acabou concordando, embora com alguma relutância. Tirei o relógio e o dei ao menino menor. Ele murmurou um *"tashakor"* encabulado.

— Com ele, você pode ver a hora em qualquer cidade do mundo — disse eu. Os meninos assentiram educadamente, passando o relógio de mão em mão, revezando-se para experimentá-lo. Mas acabaram perdendo o interesse e, em pouco tempo, o relógio já estava abandonado sobre a esteira de palha.

— VOCÊ PODIA TER ME CONTADO — disse Farid, mais tarde. Estávamos ambos deitados nas esteiras que a mulher de Wahid tinha estendido no chão para nós.

— Contado o quê? — perguntei.

— Por que tinha vindo para o Afeganistão. — A sua voz tinha perdido a aspereza que percebi nela desde o momento em que o conheci.

— Você não perguntou — observei.

— Devia ter me contado.

— Você não perguntou.

Virou o rosto para mim. Apoiou a cabeça no braço dobrado.

— Talvez possa ajudá-lo a encontrar esse menino.

— Obrigado, Farid — disse eu.

— Foi besteira minha ficar supondo coisas...

— Não se preocupe. Estava mais certo do que imagina — retruquei, suspirando.

AS MÃOS DELE ESTÃO AMARRADAS NAS COSTAS com uma corda grossa que lhe fere a carne dos pulsos. Os seus olhos estão cobertos com uma venda preta. Ele está de joelhos na rua, à beira de uma valeta cheia de água parada, com a cabeça pendida entre os ombros. Os seus joelhos raspam no chão duro e sangram através das calças enquanto ele balança o corpo, rezando. Já é final de tarde e a sua sombra comprida oscila para frente e para trás no cascalho. Está murmurando alguma coisa bem baixinho. Chego mais perto. "Faria isso mil vezes", murmura ele. "Por você, faria isso mil vezes." Balança o corpo para frente e para trás. Ergue a cabeça. Percebo uma ligeira cicatriz acima de seu lábio superior.

Não estamos sozinhos.

A primeira coisa que vejo é o cano da arma. Depois, o homem que está por trás dela. Ele é alto, usa uma túnica em tecido espinha-de-peixe e um turbante preto. Olha para o homem vendado à sua frente com olhos que não revelam nada, a não ser um enorme vazio cavernoso. Dá um passo atrás e ergue a arma. Encosta o cano na nuca do homem ajoelhado. Por um momento, os raios do sol poente batem no metal e cintilam.

O rifle dispara com um estrondo ensurdecedor.

Acompanho com os olhos o cano da arma, desde a ponta até a culatra. Vejo o rosto por detrás da fumaça que sai daquele orifício. O homem com a túnica de tecido espinha-de-peixe sou eu.

Acordo com um grito entalado na garganta.

FUI LÁ PARA FORA. Fiquei parado sob a luz pálida de uma lua crescente e ergui os olhos para um céu crivado de estrelas. Havia grilos cantando na escuridão cerrada e um vento que soprava por entre as árvores. O chão estava frio sob meus pés descalços e, de repente, pela primeira vez desde que tínhamos cruzado a fronteira, eu me senti como quem está de volta. Depois de todos aqueles anos, estava novamente em casa, pisando o solo dos meus antepassados. Foi aqui que o meu bisavô se casou com a terceira mulher, um ano antes de morrer na epidemia de cólera que se abateu sobre Cabul em 1915. Ela lhe deu algo que as duas primeiras esposas não conseguiram lhe dar, um filho, afinal. Foi aqui que o meu avô participou de uma caçada com o rei Nadir Shah e matou um veado. Foi aqui que a minha mãe morreu. E foi aqui que lutei pelo amor de meu pai.

Sentei junto a uma das paredes de barro da casa. A afinidade que senti subitamente com relação àquela velha terra... me surpreendeu. Tinha ido bem longe para esquecer e ser esquecido. Tinha uma casa em um país que bem poderia ficar em uma outra galáxia para as pessoas que estavam dormindo atrás dessa parede onde as minhas costas estavam apoiadas. Pensei que tivesse esquecido tudo sobre esta terra. Mas não tinha. E, sob a pálida claridade da lua crescente, senti o Afeganistão sussurrando debaixo dos meus pés. Talvez o Afeganistão também não tivesse me esquecido.

Olhei na direção do oeste e fiquei maravilhado só de pensar que, em algum lugar para além daquelas montanhas, Cabul ainda existia. Existia de verdade, e não apenas como uma velha recordação, ou como o título de uma matéria de agência de notícias na página quinze do *San Francisco Chronicle*. Em algum lugar, para além daquelas montanhas a oeste, dormia a cidade onde o meu irmão de lábio leporino e eu tínhamos corrido para apanhar pipas cortadas. Em algum lugar, lá para aqueles lados, o homem vendado do meu sonho tinha morrido da maneira mais estúpida. Certa vez, para além daquelas montanhas, eu tinha feito uma escolha. E, agora, um quarto de século mais tarde, essa escolha tinha me trazido de volta a essa terra.

Estava a ponto de voltar lá para dentro quando ouvi umas vozes vindo da casa. Reconheci uma delas como sendo a de Wahid.

— ...não sobrou nada para as crianças.

— Estamos com fome, mas não somos selvagens! Ele é nosso hóspede! O que acha que eu deveria fazer? — disse ele com a voz tensa.

— ...conseguir alguma coisa amanhã. — Ela parecia estar quase chorando. — Como é que vou alimentar...

Entrei pé ante pé. Agora compreendia por que os meninos não tinham demonstrado nenhum interesse pelo relógio. Não era para ele que estavam olhando. Era para a minha comida.

DESPEDIMO-NOS PELA MANHÃ, bem cedo. Um pouco antes de subir no Land Cruiser, agradeci a Wahid pela sua hospitalidade. Ele apontou a casinha às suas costas.

— A casa é sua — disse. Os três meninos ficaram parados na porta, olhando para nós. O menorzinho estava usando o relógio, que dançava no seu pulso magro.

Olhei pelo retrovisor lateral enquanto Farid arrancava com o carro. Wahid continuava parado ali, cercado pelos garotos, em meio à nuvem de poeira que o furgão tinha levantado. O que me passou pela cabeça foi que, em um mundo diferente, aqueles meninos não seriam tão famintos a ponto de sequer ter ânimo para sair correndo atrás de um carro.

Mais cedo, depois de me certificar de que não havia ninguém olhando, fiz algo que já tinha feito uma vez, vinte e seis anos atrás: enfiei um punhado de notas amarfanhadas debaixo de um colchão.

VINTE

FARID TINHA ME AVISADO. Tinha, sim. Mas, como pude constatar, não adiantou nada.

Estávamos descendo pela estrada esburacada que vai serpenteando de Jalalabad até Cabul. A última vez que tinha passado por esse lugar foi sob a lona da carroceria de um caminhão, e no sentido contrário. Meu pai quase levou um tiro de um oficial *roussi* drogado, que cantava — naquela noite, *baba* me deixou furioso, apavorado e, finalmente, orgulhosíssimo. Esse caminho, que vai de Cabul a Jalalabad, um trajeto acidentado, descendo como que na corda bamba pelas margens de um desfiladeiro, e ziguezagueando por entre as rochas, tinha se tornado, agora, uma relíquia, uma relíquia de duas guerras. Há vinte anos, eu tinha visto um pouco da primeira delas com os meus próprios olhos. E ainda havia soturnos vestígios dessa época espalhados ao longo da estrada: carcaças carbonizadas de velhos tanques soviéticos, caminhões militares derrubados, que ficaram ali enferrujando, um jipe russo destroçado depois de despencar do alto da montanha. A segunda dessas guerras, só vi pela televisão. E, agora, voltava a vê-la através dos olhos de Farid.

Desviando com toda facilidade das crateras que pululavam pela estrada, Farid parecia inteiramente à vontade. Era um homem muito mais falante desde a noite que passamos na casa de Wahid. Mandou que eu me sentasse no banco do carona e olhava para mim quando falava. Chegou até a sorrir uma ou duas vezes. Manobrando o volante com a mão mutilada, ia me mostrando aldeias de casebres de pau-a-pique onde, anos atrás, moravam conhecidos seus. A maior parte dessa gente, segundo me disse, tinha morrido ou estava vivendo em campos de refugiados no Paquistão.

— E, às vezes, os mortos têm muito mais sorte do que a gente — acrescentou ele.

Apontou para os destroços carbonizados de um minúsculo vilarejo que, agora, não passava de um punhado de paredes enegrecidas. Vi um cachorro dormindo junto a uma delas.

— Antigamente, tinha um amigo meu que morava aqui — disse Farid. — Era muito bom consertando bicicletas. E também tocava tabla muito bem. O Talibã o matou, junto com toda a sua família, e tocou fogo no vilarejo.

Passamos pela aldeia incendiada e o cachorro nem se mexeu.

NOS VELHOS TEMPOS, A VIAGEM DE JALALABAD a Cabul durava duas horas, talvez um pouco mais. Farid e eu levamos quatro horas para chegar a Cabul. E, quando chegamos... Farid me avisou assim que passamos pela barragem de Mahipar.

— Cabul não é mais do jeito que você deve se lembrar — disse ele.

— Foi o que ouvi contar.

Farid me lançou um olhar que dizia que ouvir não é a mesma coisa que ver. E tinha toda razão. Porque, quando a cidade finalmente se mostrou à nossa frente, tive a certeza, a certeza absoluta de que ele tinha tomado a direção errada em algum ponto da estrada. Farid deve ter percebido o meu ar perplexo; nesse vaivém de gente que deixava Cabul ou voltava para lá, ele já devia ter se acostumado com essa expressão no rosto daqueles que não viam a cidade há muito tempo.

Deu um tapinha no meu ombro.

— Seja bem-vindo — disse, então, em tom sombrio.

ESCOMBROS E MENDIGOS. Para onde quer que eu olhasse, era só o que via. Lembro que também havia mendigos antigamente — *baba* sempre andava com algum punhado extra de notas de afeganes no bolso para dar a eles. Nunca o vi dizer não a um vendedor ambulante, por exemplo. Agora, porém, eles estavam agachados em cada esquina, vestidos com sacos de aniagem esfarrapados, estendendo as mãos imundas para pedir uma moeda. E, em sua grande maioria, esses pedintes eram crianças, crianças magras e com ar acabrunhado, sendo que algumas delas não deviam ter mais que cinco ou seis anos. Ficavam sentadas no colo de uma mãe trajando a *burqa*, junto da sarjeta das esquinas mais movimentadas, repetindo a mesma cantilena: *"Bakhshesh, bakhshesh!"* E havia mais alguma coisa, algo que não percebi de imediato: praticamente nenhuma dessas crianças estava acompanhada por um homem adulto — por causa das guerras, os pais tinham se tornado um artigo raro no Afeganistão.

Estávamos seguindo para o lado oeste da cidade, na direção do bairro Karteh-Seh, por aquela que, nas minhas lembranças, era a principal via pública nos anos setenta, a Jadeh Maywand. Um pouco mais ao norte, estava o leito do rio Cabul, inteiramente seco. Nas colinas, ao sul, viam-se as muralhas da cidade antiga, em ruínas. Não longe de lá, ficava o forte Bala Hissar — a velha cidadela que o comandante Dostum ocupou em 1992 —, nas montanhas da cordilheira Shirdarwaza, as mesmas de onde as forças *mujahedin* despejaram uma chuva de mísseis sobre Cabul, entre 1992 e 1996, causando a maior parte dos estragos que eu estava vendo agora. A cordilheira Shirdarwaza se estendia por todo o lado oeste da capital. Lembrava que era dessas montanhas que o *Topeh chasht*, o "canhão do meio-dia" era disparado. Aqueles disparos regulares serviam para anunciar o meio-dia, mas também para indicar o fim do jejum diário durante o mês do Ramadan. Naquela época, era possível ouvir o estrondo daquele canhão por toda a cidade.

— Eu vinha muito a Jadeh Maywand, quando era criança — murmurei. — Havia lojas e hotéis por aqui. Anúncios luminosos e restaurantes. Comprávamos pipas com um velho chamado Saifo. Ele tinha uma lojinha perto do antigo quartel da polícia.

— O quartel da polícia ainda existe — disse Farid. — Aliás, polícia é o que não falta nesta cidade. Mas você não vai conseguir encontrar pipas ou lojas de pipas, nem em Jadeh Maywand, nem em qualquer outro lugar em Cabul. Esse tempo acabou.

Jadeh Maywand era agora um gigantesco castelo de areia. Os prédios que não tinham desmoronado completamente mal se agüentavam em pé, com os telhados desabados e as paredes perfuradas pelos mísseis. Quarteirões inteiros tinham virado montes de escombros. Vi um anúncio atingido por um deles, com um dos cantos parcialmente queimado, atirado em uma pilha de destroços. Ainda dava para ler BEBA COCA-CO... Vi crianças brincando nas ruínas de um prédio sem janelas, por entre restos de tijolos e pedras. Bicicletas e carroças puxadas por mulas iam e vinham em meio a crianças, vira-latas e pilhas de entulho. Uma nuvem de poeira pairava sobre a cidade e, do outro lado do rio, um único filete de fumaça se erguia para o céu.

— Onde foram parar as árvores? — perguntei.

— Foram cortadas para servir de lenha no inverno — disse Farid. — E os *shorawi* também derrubaram muitas delas.

— Por quê?

— Porque era comum haver atiradores escondidos atrás das árvores.

Senti uma onda de tristeza. Estar de volta a Cabul era como ir ao encontro de um velho amigo que tínhamos esquecido, e ver que a vida não tinha sido boa para com ele; que tinha se tornado um indigente, um sem-teto.

— Meu pai construiu um orfanato em Shar-e-Kohna, na cidade antiga, mais para o sul — disse eu.

— Lembro dele — disse Farid. — Foi destruído há poucos anos.

— Dá para encostar aqui? — perguntei. — Queria andar um pouco a pé.

Ele estacionou junto ao meio-fio de uma ruela, próximo a um prédio abandonado, caindo aos pedaços e sem porta.

— Aqui funcionava uma farmácia — murmurou Farid quando estávamos saindo do furgão. Voltamos até a Jadeh Maywand e dobramos à direita, seguindo na direção oeste.

— Que cheiro é esse? — perguntei. Havia algo no ar que estava fazendo os meus olhos lacrimejarem.

— É óleo diesel — respondeu Farid. — Os geradores da cidade estão sempre falhando, portanto, não dá para confiar na eletricidade, e as pessoas têm usado óleo diesel.

— Diesel... Lembra qual era o cheiro dessa rua antigamente?

Farid sorriu.

— De *kabob*.

— *Kabob* de carneiro — disse eu.

— Carneiro... — repetiu Farid sentindo, na boca, o gosto daquela palavra. — Agora, as únicas pessoas em Cabul que conseguem comer carneiro são os talibãs. — Deu um puxão na manga da minha camisa. — Por falar nisso...

Um veículo vinha se aproximando.

— A patrulha barbada — murmurou Farid.

Era a primeira vez que eu via os talibãs. Já os tinha visto pela TV, na *internet*, nas capas das revistas e nos jornais. Agora, porém, aqui estava eu, a menos de vinte metros de distância deles, dizendo a mim mesmo que aquele gosto súbito na minha boca era pura e simplesmente medo. Dizendo a mim mesmo que, de repente, a minha carne tinha se encolhido e grudado nos ossos, e que o meu coração tinha disparado. Lá vinham eles. Em toda a sua glória.

A picape Toyota vermelha passou por nós bem devagarinho. Na cabine, um punhado de rapazes de cara amarrada, todos empertigados, com os seus Kalashnikovs pendurados nos ombros. Usavam barba e turbantes pretos. Um deles, um indivíduo moreno, de uns vinte e poucos anos, com sobrancelhas espessas e franzidas, estava brincando com um chicote, fazendo-o girar nas mãos e dando pancadas ritmadas na lateral do veículo. Os seus olhos encontraram os meus. Ele me encarou. Nunca me senti tão nu em toda a minha vida. Depois, ele deu uma cusparada escura, por causa do tabaco, e virou para o outro lado. Respirei aliviado. A picape prosseguiu pela Jadeh Maywand, deixando atrás de si uma nuvem de poeira.

— O que é que deu em você? — exclamou Farid, entre dentes.

— O quê?

— Nunca encare essa gente, está me entendendo? Nunca!

— Mas não foi de propósito... — retruquei.

— O seu amigo tem toda razão, *agha*. Seria a mesma coisa que cutucar um cão raivoso com um pedaço de pau — disse alguém. Essa outra voz vinha de um velho mendigo descalço, sentado na escada de um prédio todo perfurado de balas. Usava um *chapan* surradíssimo e esfarrapado, e um turbante encardido. A sua pálpebra esquerda pendia sobre uma órbita vazia. Com uma mão deformada pela artrite, apontava na direção que a picape tinha tomado. — Eles ficam rodando por aí, só observando. Observando e torcendo para que um pobre coitado os provoque. Mais cedo ou mais tarde, alguém acaba lhes fazendo esse favor. Então, os cachorros fazem a festa e o tédio do dia finalmente termina, e todos gritam *"Allah-u-akbar!"*. Nos dias em que ninguém os ofende, bem, a violência sempre pode ser gratuita, não é?

— Fique olhando para os seus próprios pés quando o Talibã estiver por perto — disse Farid.

— O seu amigo está lhe dando um bom conselho — prosseguiu o velho mendigo. Teve um acesso de tosse seca e cuspiu em um lenço todo manchado. — Desculpe, mas não teria alguns afeganes sobrando? — murmurou.

— *Bas*. Vamos embora — disse Farid me puxando pelo braço.

Dei ao homem cem mil afeganes, ou o equivalente a uns três dólares. Quando ele se inclinou para frente, para pegar o dinheiro, o fedor que exalava — uma mistura de leite azedo e cheiro de pés que não eram lavados há semanas — chegou às minhas narinas e me deu ânsia de vômito. O velho se apressou em enfiar o dinheiro na cintura, olhando para um lado e para o outro com o olho válido.

— Mil vezes obrigado pela sua benevolência, *agha sahib*.

— Sabe onde fica o orfanato, em Karteh-Seh? — perguntei.

— Não é difícil de achar. Fica bem perto do Darulaman Boulevard — disse ele. — Levaram as crianças daqui para Karteh-Seh depois que o antigo orfanato foi atingido pelos mísseis. O que é mais ou menos como salvar alguém da jaula do leão para atirá-lo na dos tigres.

— Obrigado, *agha* — disse eu, virando-me para ir embora.

— Foi a sua primeira vez, não foi?

— Como?

— A primeira vez que viu um *talib*.

Não respondi. O velho mendigo acenou com a cabeça e sorriu, revelando uns poucos dentes, todos tortos e amarelados.

— Lembro da primeira vez que os vi circulando por Cabul. Que dia feliz, aquele! — prosseguiu. — O fim da matança! *Wah wah!* Mas, como diz o poeta: "Quão perfeito parecia o amor, e, depois, vieram os transtornos!"

Brotou um sorriso em meu rosto.

— Conhece esse *ghazal*? É de Hafez.

— Exatamente — replicou o velho. — E não é de espantar que eu o conheça. Afinal, fui professor na universidade.

— É mesmo?

O velho tossiu.

— De 1958 até 1996. Ensinava Hafez, Khayyam, Rumi, Beydel, Jami, Saadi. Cheguei até a ir para Teerã como conferencista convidado. Isso foi em 1971. Minha conferência foi sobre o místico Beydel. Lembro que todos aplaudiram de pé. Ah! — Ele abanou a cabeça. — Mas o senhor viu aqueles rapazes na picape. Acha que dão algum valor ao sufismo?

— Minha mãe também lecionava na universidade — disse eu.

— E qual era o nome dela?

— Sofia Akrami.

O seu olho conseguiu brilhar por detrás do véu da catarata.

— "A erva daninha do deserto permanece viva, mas a flor da primavera, esta desabrocha e fenece." Quanta graça, quanta dignidade, e que tragédia...

— Conheceu minha mãe? — perguntei, ajoelhando-me diante dele.

— É, conheci... — disse o velho mendigo. — Gostávamos de sentar para conversar depois das aulas. A última vez que fizemos isso foi em um dia chuvoso, pouco antes dos exames finais, quando comemos juntos uma deliciosa fatia de bolo de amêndoas. Bolo de amêndoas com chá quente e mel. Por essa época, já se via nitidamente que estava grávida, o que a deixava ainda mais bonita. Nunca esquecerei o que ela me disse naquele dia.

— O que foi? Conte-me, por favor. — *Baba* sempre descrevia minha mãe com fórmulas um tanto vagas, do gênero "ela era uma grande mulher". Mas sempre tive loucura para saber de detalhes: como o seu cabelo brilhava ao sol; qual o seu sorvete favorito; quais as canções que gostava de cantarolar; se roía as unhas. *Baba* levou consigo para o túmulo as recordações que tinha dela. Talvez pronunciar o seu nome reavivasse a culpa que sentia, a lembrança do que tinha feito tão pouco tempo depois de sua morte. Ou, talvez, a perda tenha sido tamanha, a dor tão profunda, que ele não suportasse falar a respeito dela. Ou quem sabe até ambas as coisas.

— Ela disse: "Estou com tanto medo..." E eu perguntei: "Por quê?" Aí, ela respondeu: "Porque estou me sentindo profundamente feliz, dr. Rasul. E uma felicidade assim é assustadora." Voltei a perguntar por quê, e ela prosseguiu: "Só permitem que alguém seja assim tão feliz se estão se preparando para lhe tirar algo", e eu disse: "Agora, chega. Já basta dessas tolices".

Farid me pegou pelo braço.

— Temos que ir andando, Amir *agha* — disse ele gentilmente. Mas me desvencilhei.

— O que mais? O que mais ela disse?

Os traços do velho se abrandaram.

— Quem dera conseguisse me lembrar. Mas não me lembro. Sua mãe faleceu há muito tempo, e a minha memória está tão estilhaçada quanto esses prédios. Sinto muito.

— Nem uma coisinha à-toa? Nada, mesmo?

O mendigo sorriu.

— Vou tentar me lembrar, e isto é uma promessa. Volte a me procurar.

— Obrigado — disse eu. — Muito obrigado. — E estava sendo sincero. Agora sabia que a minha mãe gostava de bolo de amêndoas com mel e chá quente, que tinha usado a palavra "profundamente", que se inquietava por causa da própria felicidade. Graças àquele velho, na rua, tinha acabado de descobrir mais coisas sobre minha mãe do que jamais pudera saber através de *baba*.

No trajeto de volta até o furgão, nenhum de nós comentou sobre aquilo que a maioria dos não-afegãos consideraria uma coincidência improvável: o fato de um mendigo de rua ter conhecido a minha mãe. É que tanto ele quanto eu sabíamos que, no Afeganistão, e, especialmente em Cabul, um absurdo como esse era coisa corriqueira. Meu pai costumava dizer: "Pegue dois afegãos que nunca se viram antes; ponha-os em uma sala por dez minutos, e eles vão acabar descobrindo que são aparentados."

Deixamos o velho na escada daquele prédio. Eu tinha a intenção de fazê-lo cumprir a sua promessa, de passar por ali novamente para ver se ele conseguia desenterrar mais algumas histórias sobre a minha mãe. No entanto nunca mais voltei a vê-lo.

ENCONTRAMOS O NOVO ORFANATO no setor norte de Karteh-Seh, perto das margens do rio Cabul inteiramente seco. Era uma construção baixa, mais parecendo um acampamento militar, com as paredes lascadas e tábuas pregadas nas janelas. No caminho, Farid me disse que Karteh-Seh tinha sido um dos bairros mais devastados de Cabul, e, quando descemos do furgão, a evidência era avassaladora. De ambos os lados das ruas esburacadas, só havia algo que era pouco mais que ruínas de prédios bombardeados e casas abandonadas. Passamos pelo esqueleto enferrujado de um carro capotado, por um aparelho de TV sem tela e parcialmente queimado, por um muro com as palavras "ZENDA BAD TALIBAN" (Vida longa ao Talibã!) pichadas com tinta preta.

Um homenzinho magro, baixo e calvo, com uma barba grisalha desgrenhada, veio abrir a porta. Usava um paletó de *tweed* bem surrado, um barrete e óculos de lentes rachadas, bem na ponta do nariz. Por detrás dos óculos, olhos miúdos como ervilhas negras moviam-se rapidamente olhando para Farid e para mim.

— *Salaam alaykum* — disse ele.

— *Salaam alaykum* — respondi. E lhe mostrei a foto Polaroid. — Estamos procurando por esse menino.

Ele passou os olhos rapidamente pela foto.

— Sinto muito. Nunca o vi.

— Você mal olhou para a foto, meu amigo — disse Farid. — Por que não tenta reparar melhor?

— *Lotfan* — acrescentei. Por favor.

O homem do outro lado da porta pegou a foto. Fitou-a atentamente. E a estendeu de volta para mim dizendo:

— Não. Sinto muito. Conheço cada uma das crianças dessa instituição, e esta aqui não me parece familiar. Agora, se me dão licença, tenho trabalho a fazer. — Fechou a porta. Passou o ferrolho.

Comecei a bater na porta com os nós dos dedos.

— *Agha! Agha*, por favor, abra a porta. Não queremos fazer nenhum mal ao menino.

— Eu já disse. Ele não está aqui — insistiu a voz vinda lá de dentro. — Agora, por favor, vão embora.

Farid chegou mais perto da porta e apoiou a testa ali.

— Amigo, não somos ligados ao Talibã — disse ele em voz baixa, com toda cautela. — O homem que está comigo quer levar esse menino para um lugar onde ele estará a salvo.

— Estou vindo de Peshawar — disse eu. — Um grande amigo meu conhece um casal de americanos que mantém um lar beneficente para crianças. — Podia sentir a presença do homem do outro lado da porta. Percebia que estava ali, ouvindo, hesitando, oscilando entre a desconfiança e a esperança. — Ouça, conheci o pai de Sohrab — acrescentei. — O seu nome era Hassan. E a mãe dele se chamava Farzana. Ele chamava a avó de "Sasa". Sohrab sabe ler e escrever. E é muito bom com o estilingue. Há uma esperança para esse menino, *agha*; há uma saída para ele. Por favor, abra essa porta.

Do lado de lá, só silêncio.

— Sou seu tio — disse eu. — O pai dele era meu meio-irmão.

Passou-se mais um momento. Depois, ouvimos a chave girando na fechadura. O rosto fino do homenzinho voltou a aparecer pela fresta da porta. Olhou para mim, para Farid e, depois, para mim de novo.

— Só tem uma coisa errada — disse ele.

— O que é?

— Ele é *fantástico* com o estilingue.

Sorri.

— Os dois são inseparáveis. Aonde quer que ele vá, lá está a atiradeira enfiada na sua cintura — acrescentou.

O HOMEM QUE ABRIU A PORTA para nós se apresentou como Zaman, o diretor do orfanato.

— Vou levá-los ao meu escritório — disse ele.

Nós o seguimos através de um corredor soturno e mal iluminado por onde circulavam crianças descalças usando suéteres rasgadas. Passamos por quartos cujo chão era coberto apenas por esteiras e, em vez de vidraças, o que havia nas janelas eram folhas de plástico. Estrados de camas metálicas, em sua maioria sem colchão, enchiam esses quartos.

— Quantos órfãos vivem aqui? — perguntou Farid.

— Mais do que poderíamos abrigar. Cerca de duzentos e cinqüenta — disse Zaman, virando a cabeça para trás. — Mas nem todos são *yateem*. Muitos deles perderam o pai na guerra, e as mães não têm condições de alimentá-los porque o Talibã não permite que elas trabalhem. Acabam então trazendo os filhos para cá. — Fez um gesto amplo com a mão e acrescentou, pesaroso: — Este lugar é melhor que as ruas, mas nem tanto. O prédio não foi concebido para servir de moradia. Antes, era um depósito para o estoque de uma fábrica de tapetes. Portanto não há aquecedor para a água e deixaram que o poço secasse. — Zaman baixou a voz. — Já nem sei mais quantas vezes pedi dinheiro ao Talibã para escavar um outro poço, mas eles ficam simplesmente desfiando as contas de oração e dizem que não há dinheiro. Não há dinheiro... — Deu um risinho abafado.

Apontou para uma fileira de camas encostadas na parede.

— Não temos camas suficientes, e tampouco colchões suficientes para as que temos. E, o que é pior ainda, não temos cobertores suficientes. — Mostrou uma garotinha pulando corda com duas outras crianças. — Estão vendo aquela menina ali? No inverno passado, as crianças tinham que dividir os cobertores disponíveis. O irmão dela morreu de frio. — Continuamos andando. — Da última vez que fui conferir, verifiquei que o estoque de arroz que tínhamos no depósito não daria para um mês, e, quando acabar, as crianças vão ter que comer pão com chá *tanto* no café da manhã *quanto* no jantar. — Reparei que ele não tinha mencionado o almoço.

Zaman parou e se virou para mim.

— Aqui tem pouco espaço para abrigar as crianças, quase não tem mais comida, roupas e água limpa. Só o que temos, e em grande quantidade, são crianças que perderam a infância. O mais trágico, porém, é que elas ainda têm sorte. Já estamos com lotação acima da nossa capacidade e, a cada dia, mando embora várias mães que trazem os seus filhos para cá. — Deu um passo na minha direção. — O senhor disse que há uma esperança para Sohrab. Deus queira que não esteja mentindo, *agha*. Mas... é bem possível que tenha chegado tarde demais.

— O que quer dizer com isso? — perguntei.

Zaman desviou os olhos.

— Venham comigo — disse ele.

O APOSENTO QUE FAZIA AS VEZES DE ESCRITÓRIO do diretor se limitava a quatro paredes nuas, uma esteira no chão, uma mesa e duas cadeiras dobráveis. Logo depois que Zaman e eu nos sentamos, vi uma ratazana cinzenta enfiar a cabeça por uma toca escavada na parede e atravessar a sala correndo. Me encolhi quando ela veio cheirar os meus sapatos, e, depois, os de Zaman, antes de fugir pela porta aberta.

— Por que o senhor disse que poderia ser tarde demais? — insisti.

— Quer um pouco de *chai*? Posso fazer mais.

— Não, obrigado. Prefiro que me conte tudo de uma vez.

Ele se recostou na cadeira e cruzou os braços.

— O que tenho a lhe contar não é nada agradável. Para não dizer que pode ser muito perigoso.

— Para quem?

— Para o senhor. Para mim. E, é claro, para Sohrab, se já não for tarde demais.

— Preciso saber do que se trata — exclamei.

Ele assentiu.

— Perfeitamente. Antes, porém, quero lhe fazer uma pergunta. Até que ponto está mesmo empenhado em encontrar o seu sobrinho?

Lembrei das brigas de rua em que nos metíamos quando crianças, de todas aquelas situações em que Hassan enfrentou os outros meninos para me defender, sendo que, às vezes, eram dois contra um, ou até mesmo três contra um. Eu me encolhia e ficava só olhando; pensava em participar, mas sempre acabava desistindo, sempre me continha por um motivo qualquer.

Olhei para o corredor e vi um grupo de crianças brincando de roda. Uma menina, com a perna esquerda amputada na altura do joelho, estava sentada em um colchão puído, olhando, sorrindo e batendo palmas junto com os outros. Vi que Farid também estava observando aquelas crianças, com a mão igualmente amputada pendendo ao longo do corpo. Lembrei dos filhos de Wahid... e me dei conta de uma coisa: não saio do Afeganistão sem encontrar Sohrab.

— Diga-me onde ele está — exclamei.

Os olhos de Zaman se detiveram em mim. Depois, ele assentiu com um gesto de cabeça, pegou um lápis e começou a brincar com ele entre os dedos.

— Mantenha o meu nome fora disso.

— Prometo.

Bateu na mesa com o lápis.

— Apesar da sua promessa, creio que vou viver para me arrepender do que estou fazendo agora, mas acho que não faz mal. Já estou perdido mesmo. No entanto se houver algo que possa ser feito por Sohrab... Vou lhe dizer, porque acredito no senhor. O seu olhar é de um homem desesperado. — Fiquei calado por um bom tempo. — Há um oficial *talib* — murmurou ele — que vem nos visitar regularmente, a intervalos de um ou dois meses. E traz dinheiro em espécie. Não muito, mas é melhor que nada. — Ele me fitou furtivamente e desviou os olhos. — Em geral, pega uma menina. Mas nem sempre.

— Como é que o senhor permite uma coisa dessas? — perguntou Farid às minhas costas. Deu a volta na mesa, aproximando-se de Zaman.

— E eu lá tenho escolha? — retrucou ele, afastando-se da escrivaninha.

— O senhor é o diretor desse lugar — disse Farid. — Seu trabalho é zelar por essas crianças.

— Não há nada que eu possa fazer para impedi-lo.

— O senhor está vendendo crianças! — gritou Farid.

— Sente-se, Farid! Deixe para lá! — disse eu. Mas já era tarde. Em um piscar de olhos, Farid estava pulando por cima da mesa. A cadeira de Zaman voou quando Farid saltou sobre ele e o derrubou no chão. Esmagado sob o peso daquele corpo, o diretor só conseguia soltar uns gritos abafados. Deu um chute em uma gaveta que estava aberta e várias folhas de papel se espalharam pela sala.

Corri até lá e foi então que vi por que os gritos de Zaman soavam abafados: Farid o estava estrangulando. Agarrei Farid pelos ombros, com ambas as mãos, e puxei com toda força. Ele conseguiu se desvencilhar.

— Pare com isso! — gritei. Mas, com o rosto escarlate, ele se limitou a contrair os lábios soltando um grunhido.

— Vou matá-lo! Não tente me impedir! Vou matá-lo! — esbravejou com desprezo.

— Largue-o! — insisti.

— Vou matá-lo!

Algo em sua voz me disse que, se eu não fizesse alguma coisa bem depressa, ia testemunhar o primeiro assassinato de minha vida.

— As crianças estão olhando, Farid. Estão vendo tudo — disse eu. Senti os músculos de seus ombros se contraírem sob as minhas mãos e, por um momento, achei que continuasse apertando o pescoço de Zaman apesar de tudo. Mas ele se virou e viu as crianças. Estavam paradas na porta, em silêncio, de mãos dadas, algumas até chorando. Então, os seus músculos se distenderam. Deixou cair as mãos e se levantou. Olhou para Zaman e cuspiu no seu rosto. Depois, foi até a porta e a fechou.

Zaman se pôs de pé com dificuldade, enxugou os lábios ensangüentados com a manga da camisa, limpou o cuspe do rosto. Tossindo e ofegando, pôs o barrete, os óculos, mas viu que as duas lentes estavam quebradas e voltou a tirá-los. Cobriu o rosto com as mãos. Por um bom tempo, nenhum de nós disse nada.

— O *talib* levou Sohrab há um mês — balbuciou ele afinal, com a voz rouca e as mãos ainda escondendo o rosto.

— E o senhor ainda se diz diretor! — exclamou Farid.

Zaman deixou cair os braços.

— Há seis meses que não recebo um centavo. Estou falido, porque gastei todas as minhas economias nesse orfanato. Tudo o que tinha comprado ou herdado foi vendido para que esse lugar desamparado pudesse continuar funcionando. Acham que não tenho família no Paquistão e no Irã? Poderia ter fugido, como todo mundo. Mas não foi o que fiz. Fiquei aqui. Fiquei por causa *delas* — acrescentou, apontando para a porta. — Se lhe negar uma criança, ele leva dez. Então, consinto que pegue uma delas e deixo o julgamento por conta de Allah. Engulo o orgulho e apanho aquele maldito dinheiro sujo... imundo. Depois, vou ao *bazaar* e compro comida para esses meninos.

Farid baixou os olhos.

— O que acontece com as crianças que ele leva? — perguntei.

Zaman esfregou os olhos com o indicador e o polegar.

— Às vezes elas voltam.

— Quem é ele? Como podemos encontrá-lo? — indaguei.

— Vá ao estádio Ghazi amanhã. Poderá vê-lo no intervalo da partida. Ele vai estar de óculos escuros. — Pegou os seus próprios óculos, quebrados, e os fez girar nas mãos. — Gostaria que fossem embora agora. As crianças estão assustadas.

E nos acompanhou até a porta.

Quando arrancamos com o furgão, vi, pelo retrovisor lateral, que Zaman estava de pé na porta. Um grupo de crianças o cercava, agarradas na barra da sua camisa para fora das calças. Vi também que tinha voltado a pôr os óculos quebrados.

VINTE E UM

CRUZAMOS O RIO E RUMAMOS PARA O NORTE, passando pela movimenta-
díssima praça Pashtunistan. *Baba* me trazia aqui para comer *kabob*
no restaurante Khyber. O prédio ainda estava de pé, mas as portas
estavam trancadas, as janelas, estilhaçadas e, no letreiro, estavam
faltando as letras K e R do nome do restaurante.

Vi um cadáver logo ali perto. Tinha sido enforcado. Lá estava um
jovem, pendurado por uma corda amarrada a uma viga, com o rosto
inchado e azulado, e as roupas que tinha usado em seu último dia
de vida estavam rasgadas e ensangüentadas. Praticamente ninguém
parecia reparar nele.

Passamos pela praça em silêncio e nos dirigimos para o bairro de
Wazir Akbar Khan. Para qualquer lado que olhasse, via uma nuvem
de poeira pairando sobre a cidade com os seus prédios de tijolos
secos ao sol. Poucos quarteirões depois da praça Pashtunistan, Farid

apontou para dois homens que conversavam animadamente em uma esquina movimentada. Um deles tentava se equilibrar em uma perna só, pois a outra tinha sido amputada na altura do joelho. Carregava nos braços a perna mecânica.

— Sabe o que estão fazendo? Acertando um preço para a perna — disse.

— Ele está vendendo a perna mecânica? — perguntei.

Farid fez que sim com a cabeça.

— Ela vale um bom dinheiro no mercado negro. Dá para alimentar os filhos dele por umas duas semanas.

PARA MINHA SURPRESA, A MAIORIA DAS CASAS de Wazir Akbar Khan continuava tendo telhados e paredes de pé. Na verdade, estavam em muito bom estado. Ainda se viam árvores por detrás dos muros e as ruas estavam bem menos cheias de escombros que as de Karteh-Seh. Placas de sinalização desbotadas, algumas delas retorcidas e perfuradas de balas, ainda indicavam o caminho.

— Aqui não está tão mal assim — observei.

— Não é de surpreender. A maioria das pessoas importantes mora nesse bairro agora.

— O Talibã?

— Também — disse Farid.

— Quem mais?

Ele entrou por uma rua larga, com calçadas bastante limpas e que tinha, de ambos os lados, casas cercadas por muros altos.

— As pessoas que ficam por trás do Talibã. Os verdadeiros cérebros deste governo, se é que podemos chamar isso de governo: árabes, tchetchenos, paquistaneses — disse Farid. E apontou na direção nordeste. — A rua 15, daquele lado, é chamada Sarak-e-Mehmana. A "rua das Visitas". É assim que eles são chamados por aqui, visitas. Acho que um dia desses essas tais visitas vão cagar o tapete inteiro.

— Acho que é aqui! — exclamei. — Logo ali na frente! — Apontei para o ponto de referência que me ajudava a me localizar quando era criança. "Se alguma vez você se perder," dizia *baba*, "lembre que a nossa rua é a que tem a casa rosa na esquina". A casa rosa, com o telhado bem inclinado, era a única que tinha essa cor antigamente. E continuava a ser.

Farid dobrou naquela rua. Vi a casa de meu pai pouco mais adiante.

ENCONTRAMOS A PEQUENA TARTARUGA *por detrás de um emaranhado de roseiras no jardim. Não sabíamos como ela tinha vindo parar ali e estávamos empolgados demais para pensar nisso. Pintamos a carapaça dela de vermelho brilhante. Foi idéia de Hassan, e uma ótima idéia, aliás. Assim, nunca poderíamos perdê-la no meio dos arbustos. Fingimos ser uma dupla de exploradores audaciosos que tinha descoberto um gigantesco monstro pré-histórico em alguma selva longínqua. E resolvemos trazê-lo conosco para que o mundo inteiro pudesse vê-lo. Instalamos o animal em um carrinho de madeira que Ali tinha construído para Hassan no último inverno, como presente de aniversário, fingindo que era uma imensa jaula de aço. Vejam que monstruosidade de arrepiar! Lá fomos nós andando pela grama, puxando o carrinho às nossas costas, rodando em volta das macieiras e cerejeiras, fazendo de conta que elas eram arranha-céus que batiam nas nuvens e que tinham milhares de janelas de onde surgiam cabeças para ver o espetáculo que acontecia lá embaixo. Atravessamos a pequena ponte em forma de meia-lua que* baba *tinha mandado construir perto de um punhado de figueiras e que, para nós, passou a ser uma imensa ponte pênsil unindo duas cidades, enquanto o laguinho debaixo dela tinha virado um oceano espumante. Fogos de artifício explodiram sobre os pilares maciços da ponte e soldados armados nos saudaram, formando alas, como gigantescos cabos de aço lançados para o céu. Fomos arrastando o carrinho, com a pequena tartaruga sacolejando ali dentro, e seguimos pela alameda de tijolinhos que já ficava fora dos portões de ferro fundido. Retribuímos à saudação dos líderes mundiais que nos aplaudiam de pé. Éramos os célebres aventureiros Hassan e Amir, os maiores exploradores do mundo, indo receber a medalha de honra ao mérito pelo nosso feito corajoso...*

COM TODO CUIDADO, FUI ANDANDO pelo passeio onde tufos de capim cresciam por entre os tijolos desbotados. Parei diante do portão da

casa de meu pai, sentindo-me um estranho. Pus as mãos na grade
enferrujada, lembrando quantas vezes tinha entrado e saído por
aquele mesmo portão quando era criança, por motivos que, agora,
não tinham a menor importância, mas que, na época, pareciam fun-
damentais. Espiei lá para dentro.

A alameda que levava das grades até o jardim, onde Hassan e eu
tínhamos nos revezado em levar tombos naquele verão em que apren-
demos a andar de bicicleta, não parecia tão larga nem tão comprida
quanto imaginava. O calçamento tinha rachado, formando um desenho que lembrava relâmpagos, e mais tufos de capim brotavam daquelas fendas. A maioria dos choupos havia sido derrubada — aquelas
árvores em que Hassan e eu trepávamos para mandar reflexos de
espelho para as casas dos vizinhos. As que sobraram estavam quase
sem folhas. O "muro do milho doente" ainda estava intacto, embora
não se visse mais nenhum pé de milho, doente ou não, perto dele. A
tinta tinha começado a descascar e, em vários trechos, tinha se soltado completamente. O gramado estava do mesmo tom de marrom
que aquela névoa de poeira que pairava sobre a cidade, e salpicado
de pontos de terra nua onde não crescia mais nada.

Havia um jipe estacionado na alameda, e tive a nítida sensação
de que estava tudo errado: ali era o lugar do Mustang preto de *baba*.
Durante anos a fio, o barulho do motor de oito cilindros daquele
carro me acordou toda manhã. Vi que tinha caído óleo debaixo do
jipe, deixando no chão uma marca que parecia uma grande mancha
de Rorschach. Mais além, um carrinho de mão vazio estava deitado de lado. Não vi sinal das roseiras que *baba* e Ali tinham plantado
à esquerda da alameda; só havia terra que se espalhava, invadindo
o calçamento. E mato.

Às minhas costas, Farid buzinou duas vezes.

— Temos que ir, *agha*. Vamos acabar chamando atenção — insistiu ele.

— Só mais um minuto — retruquei.

A casa em si não tinha nada a ver com a mansão branca e espaçosa
das minhas lembranças de infância. Parecia menor. O telhado estava
cedendo e o reboco, rachado. As janelas da sala de visitas, do saguão
e do banheiro de hóspedes, no andar de cima, estavam quebradas e

tinham sido remendadas, mal e porcamente, com pedaços de plástico transparente ou com tábuas pregadas às esquadrias. A pintura, antigamente de um branco brilhante, tinha virado um cinza duvidoso e estava estragada em alguns pontos, deixando ver as fileiras de tijolos que havia por baixo da tinta. Os degraus da porta da frente tinham se quebrado. Como tantas outras coisas em Cabul, a casa de meu pai era o retrato de um esplendor decadente.

Localizei a janela do meu antigo quarto, no segundo andar, a terceira à esquerda, a partir da porta de entrada. Fiquei na ponta dos pés, mas tudo o que vi por detrás da vidraça foram sombras. Há vinte e cinco anos, lá estava eu, junto daquela mesma janela, com a chuva grossa escorrendo na vidraça embaçada pela minha respiração. Parado naquele mesmo lugar, fiquei olhando Hassan e Ali porem as suas coisas na mala do carro de meu pai.

— Amir *agha* — chamou Farid mais uma vez.

— Já vou — respondi.

Era loucura, mas queria ir lá dentro. Queria subir os degraus da entrada, onde Ali mandava que Hassan e eu tirássemos as botas de neve. Queria entrar no saguão, sentir o cheiro das cascas de laranja que Ali sempre jogava no fogareiro para queimar junto com a serragem. Sentar à mesa da cozinha, tomar chá com uma fatia de *naan*, ouvir Hassan cantando velhas cantigas hazara.

Outra vez a buzina. Voltei para o Land Cruiser estacionado junto ao meio-fio. Farid estava fumando, sentado ao volante.

— Tenho que ver mais uma coisa — disse eu.

— Dá para se apressar?

— Só mais dez minutos.

— Vá de uma vez. — Mas, quando me virei para ir, ele acrescentou: — É melhor você deixar isso tudo para lá. Fica mais fácil.

— Mais fácil para quê?

— Para seguir em frente — respondeu ele, e atirou o cigarro pela janela. — Quantas coisas você ainda vai querer ver? Pode deixar que vou lhe poupar esse trabalho: nada do que você se lembra sobreviveu. É melhor esquecer.

— Não quero mais esquecer — disse eu. — Só dez minutos, está bem?

HASSAN E EU PRATICAMENTE NÃO SUÁVAMOS quando subíamos a colina que ficava perto da casa de meu pai. Lá no alto, corríamos, um atrás do outro, ou nos sentávamos em uma espécie de lombada de onde se tinha uma vista fantástica do aeroporto à distância. Ficávamos olhando os aviões decolando e aterrissando. E saíamos correndo novamente.

Agora, depois que cheguei ofegante ao topo daquela colina íngreme, cada vez que respirava era como se estivesse inalando fogo. O suor me escorria em bicas pelo rosto. Fiquei parado por um instante, tentando recuperar o fôlego, sentindo umas pontadas do lado. Em seguida, fui procurar o cemitério abandonado. Não custei muito a encontrá-lo. Ainda estava lá, bem como o velho pé de romã.

Encostei no pórtico de pedra cinzenta do cemitério onde Hassan tinha enterrado a mãe. O velho portão de grades meio despencado já não existia mais, e quase não se viam as lápides no meio do matagal que tinha tomado conta do lugar. Dois corvos estavam pousados na mureta que cerca o cemitério.

Em sua carta, Hassan dizia que o pé de romã não dava frutos há anos. Olhando para aquela árvore murcha e desfolhada, duvidei que voltasse a fazê-lo algum dia. Parei debaixo dela, lembrei de todas as vezes que tínhamos trepado nos seus galhos para nos encarapitar lá em cima, com as pernas balançando no ar, salpicados pelos raios do sol que passavam através da folhagem e desenhavam, em nosso rosto, um mosaico de luz e sombra. O gosto acentuado da romã me veio à boca.

Me agachei e passei as mãos pelo tronco daquela árvore. Encontrei o que estava procurando. De tão apagado, o entalhe tinha quase desaparecido inteiramente, mas ainda estava ali: "Amir e Hassan, sultões de Cabul." Refiz o traçado de cada letra com os dedos e fui tirando pedacinhos de casca daqueles sulcos finos.

Sentei de pernas cruzadas, junto daquele tronco, e olhei para a cidade da minha infância. Naquela época, havia árvores aparecendo por detrás dos muros de todas as casas. O céu se espalhava, amplo e azul, e as roupas penduradas para secar reluziam ao sol. Se prestasse bem atenção, poderia até ouvir os gritos do vendedor de frutas que passava por Wazir Akbar Khan com seu jumento: "Cerejas! Abricós!

Uvas!" De manhã bem cedo, poderia ouvir o *azan*, o chamado do *mueszzin* para as orações na mesquita de Shar-e-Nau.

Ouvi uma buzinada e vi que Farid acenava para mim. Já era mais que hora de ir embora.

SEGUIMOS NOVAMENTE EM DIREÇÃO AO SUL, de volta à praça Pashtunistan. Cruzamos com várias outras picapes vermelhas cheias de jovens armados e barbudos. Cada vez que passávamos por uma delas, Farid praguejava bem baixinho.

Pedi um quarto em um pequeno hotel perto da praça. Três menininhas, usando vestidos pretos idênticos e echarpes brancas, cercaram o homem franzino e de óculos que estava atrás do balcão. Ele cobrou setenta e cinco dólares, um preço absurdo considerando-se o estado deplorável do lugar, mas não me importei. Explorar os outros para pagar uma casa de praia no Havaí era uma coisa. Fazer isso para dar de comer aos próprios filhos era outra bem diferente.

Não havia água quente nas torneiras e a descarga do vaso rachado não estava funcionando. Tudo o que havia ali era uma cama metálica, com um colchão surrado, um cobertor esfarrapado e uma cadeira de madeira em um canto. A janela que dava para a praça tinha quebrado e não foi trocada. Quando ia pôr a mala no chão, percebi uma mancha de sangue, já seca, na parede atrás da cama.

Dei dinheiro a Farid para ele ir comprar comida. Quando voltou, com quatro espetinhos de *kabob* fumegantes, *naan* fresco e uma tigela de arroz branco, sentamos na cama e praticamente devoramos aquilo tudo. Afinal de contas, havia *uma* coisa que não tinha mudado em Cabul: o *kabob* era tão suculento e delicioso como nas minhas lembranças.

De noite, fiquei com a cama para mim e Farid se deitou no chão, enrolado em um cobertor extra pelo qual o dono do hotel cobrou uma taxa adicional. Não penetrava nenhuma luz no quarto, a não ser os raios da lua que passavam pela janela quebrada. Farid me disse que o proprietário tinha lhe contado que Cabul estava sem energia elétrica há dois dias e o gerador do hotel tinha de ser consertado. Conversamos por algum tempo. Ele me disse que tinha crescido em Mazar-i-Sharif e em Jalalabad. Falou-me das coisas acontecidas pouco depois que ele e o pai foram se juntar ao *jihad* para lutar contra os *shorawi*, no vale Panjsher. Contou que ficaram cercados, sem comida, e comeram gafanhotos para sobreviver. Falou sobre o dia em que o bombardeio dos helicópteros matou o seu pai e o dia em que a mina terrestre matou as suas duas filhas. Perguntou sobre os Estados Unidos. Disse-lhe que, lá, era possível entrar em uma mercearia e encontrar uns quinze ou vinte tipos diferentes de cereais para comprar. Que a carne de carneiro era sempre fresca, e o leite era vendido gelado. Que as frutas eram abundantes, e a água, limpa. Que todas as casas tinham TV, todos os aparelhos tinham controle remoto e quem quisesse podia comprar uma antena parabólica e, com ela, sintonizar mais de quinhentos canais.

— Quinhentos? — exclamou ele.

— Quinhentos — confirmei.

Ficamos calados por alguns minutos. Quando já estava certo de que Farid tinha pegado no sono, ele deu uma risadinha.

— *Agha*, sabe o que o mulá Nasruddin fez quando a filha dele chegou em casa se queixando de que o marido tinha lhe batido? — Podia senti-lo sorrindo no escuro e um sorriso também se formou em meu rosto. Não havia um afegão no mundo todo que não conhecesse pelo menos algumas piadas sobre aquele mulá presunçoso.

— O que foi?

— Ele também lhe bateu e, depois, mandou que voltasse para casa, levando um recado para o marido: devia lhe dizer que o mulá não era idiota e que, se o cretino achava que podia bater na sua filha, o mulá se vingava batendo na mulher dele.

Ri. Em parte, por causa da piada; em parte por ver que o humor afegão não mudava nunca. Guerras foram travadas, a *internet* foi inventada e um robô tinha circulado pela superfície de Marte, mas, no Afeganistão, as pessoas continuavam a contar piadas sobre o mulá Nasruddin.

— Conhece aquela da vez em que o mulá pôs uma sacola pesada nas costas e saiu montado no burro? — perguntei.

— Não.

— Alguém na rua perguntou por que ele não punha a sacola no lombo do burro. E ele respondeu: "Seria uma crueldade. Já sou pesado o bastante para esse pobre coitado."

Continuamos contando piadas sobre o mulá Nasruddin até esgotarmos os nossos estoques e, então, ficamos calados novamente.

— Amir *agha*? — chamou Farid, quando eu já estava quase pegando no sono.

— O que foi?

— Por que veio até aqui? Quero dizer, qual o *verdadeiro* motivo?

— Já lhe disse.

— Por causa do menino?

— Por causa do menino.

Farid se remexeu no chão.

— É difícil de acreditar.

— Às vezes, eu mesmo mal posso acreditar que estou aqui.

— Não... O que eu queria saber é por que *esse* menino? Você veio lá dos Estados Unidos por causa de... um *shi'a*?

Aquela frase me tirou qualquer vontade de rir. E me tirou o sono também.

— Estou cansado — disse. — Vamos tentar dormir um pouco.

Logo, logo os roncos de Farid estavam ecoando pelo quarto vazio. Fiquei acordado, com as mãos cruzadas sobre o peito, fitando a noite estrelada através da janela quebrada e pensando que talvez o que as pessoas diziam a respeito do Afeganistão fosse verdade. Talvez aquilo ali não tivesse jeito *mesmo*.

UMA MULTIDÃO ALVOROÇADA LOTAVA o estádio Ghazi quando passamos pelos túneis de acesso. Milhares de pessoas se movendo pelos patamares de concreto já apinhados de gente. Crianças brincando pelas passagens entre os degraus da arquibancada e correndo para cima e para baixo, umas atrás das outras. O cheiro de grão-de-bico condimentado enchia o ar, misturado ao fedor de esterco e de suor. Farid e eu passamos por ambulantes vendendo cigarros, pinhões e biscoitos.

Um menino esquelético, com um paletó de *tweed*, me pegou pelo cotovelo e cochichou no meu ouvido, perguntando se eu não queria comprar umas "fotos eróticas".

— Muito *sexy, agha* — disse ele, com os olhos alertas indo de um lado para o outro, sem parar. Lembrei da garota que, poucos anos antes, tinha tentado me vender *crack* no bairro Tenderloin, em San Francisco. O menino abriu um pouco um dos lados do paletó, deixando-me entrever as tais fotos eróticas: eram postais de filmes indianos mostrando atrizes sensuais, de olhos meigos, inteiramente vestidas, nos braços dos seus galãs. — É muito *sexy* — repetiu ele.

— Não, obrigado — disse eu, seguindo adiante.

— Se for apanhado, vão lhe dar tantas chicotadas que o pai dele vai se revirar no túmulo — murmurou Farid.

É claro que não havia lugar marcado. Nem alguém para nos levar gentilmente até o nosso setor, corredor, fileira e assento. Nunca houve mesmo, nem nos velhos tempos da monarquia. Vimos um lugar decente onde se podia sentar, à esquerda do meio do campo, embora tenham sido necessários alguns encontrões e cotoveladas por parte de Farid.

Lembrei de como o gramado era verdinho nos anos 1970, quando *baba* me trazia aqui para ver jogos de futebol. Agora, o campo era um caos. Havia buracos e crateras por todo canto, com destaque para um ou dois bem profundos logo atrás das traves do gol que ficava na direção sul. E não tinha grama nenhuma; só terra. Quando os dois times finalmente entraram em campo — todos usando calças compridas, apesar do calor — e o jogo começou, ficou difícil acompanhar a bola no meio das nuvens de poeira que os jogadores levantavam com os pés. Jovens *talib*, munidos de chicotes, perambulavam pelos corredores batendo em qualquer um que torcesse alto demais.

Assim que o apito anunciou o fim do primeiro tempo, a encenação começou. Duas picapes vermelhas e empoeiradas, como aquelas que tinha visto circulando pela cidade desde que cheguei, entraram pelos portões do estádio. A multidão se levantou. Na cabine de uma das picapes, havia uma mulher usando uma *burqa* verde, e, na outra, um homem de olhos vendados. Os veículos deram a volta na pista, lentamente, como se pretendessem deixar que a multidão os visse bem. E produziram o efeito esperado: as pessoas espichavam o pescoço, apontavam, ficavam na ponta dos pés. Ao meu lado, o pomo-de-adão de Farid subia e descia enquanto ele murmurava uma prece bem baixinho.

As picapes vermelhas entraram no campo, dirigiram-se para uma das suas extremidades, erguendo duas nuvens de poeira e com o sol refletindo em suas calotas. Um terceiro veículo foi ao seu encontro na ponta do campo. A cabine deste último estava cheia de alguma coisa e, de repente, compreendi a função daqueles dois buracos atrás do gol. Descarregaram o conteúdo da terceira picape. A multidão murmurou por antecipação.

— Quer ficar? — perguntou Farid muito sério.

— Não — disse eu. Nunca na vida quis tanto estar longe de um lugar quanto naquele momento. — Mas temos que ficar.

Dois *talib*, com os seus Kalashnikovs pendurados nos ombros, ajudaram o homem de olhos vendados a descer da primeira picape e dois outros fizeram o mesmo com a mulher de *burqa* verde. Os joelhos da mulher fraquejaram e ela desabou no chão. Os soldados a ergueram, mas ela caiu de novo. Quando tentaram erguê-la outra vez, ela começou a gritar e a espernear. Enquanto viver, nunca vou me esquecer do som daquele grito. Era o lamento de um animal selvagem tentando arrancar a pata estraçalhada de uma daquelas armadilhas para ursos. Mais dois *talib* acorreram para forçá-la a entrar em um dos buracos, que lhe batia na altura do peito. Já o homem de olhos vendados deixou-se levar com toda calma para o buraco que lhe era destinado. Agora, só se via o torso dos dois condenados.

Um clérigo gorducho, de barba branca, usando roupas cinzentas, parou junto às traves e pigarreou, segurando um microfone. Às suas costas, a mulher continuava a gritar dentro do buraco. Ele recitou uma oração interminável do Corão e a sua voz nasalada ondulava em meio ao silêncio repentino da multidão. Lembrei de uma coisa que *baba* tinha me dito muito tempo atrás: "Estou cagando para as barbas de todos esses macacos hipócritas... Tudo o que sabem fazer é ficar desfiando aquelas contas de oração e recitando um livro escrito em uma língua que às vezes nem mesmo entendem. Que Deus nos proteja se um dia o Afeganistão cair nas mãos dessa gente."

Terminada a oração, o clérigo pigarreou.

— Irmãos e irmãs! — bradou ele em farsi, e a sua voz ressoou por todo o estádio. — Estamos aqui hoje para executar um ato de *shari'a*. Estamos aqui hoje para fazer justiça. Estamos aqui hoje porque a vontade de Allah e a palavra do profeta Muhammad (que a paz esteja com ele) estão vivas e vigorosas no Afeganistão, nossa pátria amada.

Ouvimos o que Deus diz e obedecemos a Ele porque não passamos de criaturas humildes e impotentes diante de Sua grandeza. E o que é que Ele diz? Estou lhes perguntando. O QUE É QUE DEUS DIZ? Diz que todo pecador deve receber punição condizente com o pecado que cometeu. Essas palavras não são minhas, nem tampouco de meus irmãos. São as palavras de DEUS! — bradou ele, apontando para o céu com a mão livre.

Minha cabeça latejava e o sol parecia ter ficado muito mais quente.

— Todo pecador deve receber punição condizente com o pecado que cometeu — repetia o clérigo ao microfone, erguendo a voz e pronunciando cada palavra bem devagar, de um jeito dramático. — E que punição, irmãos e irmãs, é condizente com o adultério? Como devemos punir aqueles que desonraram a santidade do casamento? Como devemos tratar aqueles que cuspiram na face de Deus? Que resposta devemos dar àqueles que atiraram pedras nas janelas da casa de Deus? DEVEMOS DEVOLVER AS PEDRAS QUE FORAM ATIRADAS POR ELES! — Desligou o microfone. Um murmúrio surdo se espalhou pela multidão.

Ao meu lado, Farid abanava a cabeça.

— E eles se dizem muçulmanos... — sussurrou.

Nesse momento, um homem alto, de ombros largos, desceu da picape. O seu surgimento provocou gritos e aplausos de uns poucos espectadores. Desta vez, porém, ninguém recebeu chicotadas por gritar alto demais. Os trajes brancos do sujeito grandalhão reluziam ao sol da tarde. A bainha da sua túnica se agitava com o vento e ele abriu os braços como Jesus na cruz. Saudou a multidão virando-se lentamente, fazendo um giro completo. Quando ficou de frente para o nosso setor, vi que estava usando óculos escuros redondos, como aqueles que John Lennon usava.

— Esse deve ser o nosso homem — disse Farid.

O talib alto, de óculos escuros, foi se dirigindo para uma pilha de pedras que tinham sido descarregadas da terceira picape. Pegou uma delas e exibiu-a para a multidão. O barulho praticamente cessou, sendo substituído por uma espécie de zumbido que foi se espalhando pelo estádio. Olhei à minha volta e vi que todos estavam estalando a língua, em sinal de desaprovação. Assumindo uma postura absurdamente parecida com a de um arremessador de beisebol no seu montículo, o *talib* atirou a pedra no homem de olhos vendados que estava em um dos buracos. Acertou em um dos lados da cabeça. A mulher recomeçou a gritar. A multidão fez um "Oh!" assustado. Fechei os olhos e tapei o rosto com as mãos. Os "Oh!" do público acompanhavam cada pedra arremessada, e aquilo durou ainda algum tempo. Quando os gritos cessaram, perguntei a Farid se tinha terminado. Ele disse que não. Supus que as gargantas tivessem se cansado. Não sei por quanto tempo ainda fiquei ali, com o rosto coberto com as mãos. Só sei que, quando voltei a abrir os olhos, ouvi gente ao meu redor perguntando "*Mord? Mord?* Ele morreu?"

O homem dentro do buraco não passava, agora, de uma massa disforme, ensangüentada e em frangalhos. Tinha a cabeça pendida para frente, com o queixo encostando no peito. O *talib* de óculos como os de John Lennon estava olhando para um outro homem agachado junto ao buraco, jogando uma pedra para cima e voltando a apanhá-la com a mão. O sujeito agachado tinha uma das extremidades de um estetoscópio nos ouvidos e a outra encostada no peito do homem que estava no buraco. Tirou o estetoscópio dos ouvidos e abanou a cabeça para o *talib* de óculos escuros. A multidão soltou um gemido.

John Lennon voltou para o seu montículo.

Quando estava tudo terminado, depois que os cadáveres ensangüentados já tinham sido atirados na traseira das picapes vermelhas sem a menor cerimônia — um em cada veículo —, uns poucos homens armados de pás apressaram-se em tapar os buracos. Um deles tentou até encobrir as grandes manchas de sangue atirando terra sobre elas. Alguns minutos mais tarde, os times voltaram a campo. E o segundo tempo do jogo já estava em andamento.

Marcamos um encontro para as três horas da tarde. A rapidez com que conseguimos marcá-lo me surpreendeu. Estava contando com alguma demora, no mínimo todo um interrogatório, ou que talvez até quisessem examinar os nossos documentos. Mas tudo aquilo serviu para me lembrar como as coisas são inoficiais no Afeganistão, mesmo quando se trata de questões oficiais. Tudo o que Farid precisou fazer foi dizer a um dos *talib* munidos de chicotes que tínhamos assuntos pessoais a tratar com o homem de branco. Farid e ele trocaram algumas palavras. Então, o sujeito do chicote fez que sim com a cabeça e gritou algo em *pashtu* para um jovem que estava no campo. Este correu até a baliza onde o *talib* de óculos escuros estava conversando com o clérigo gorducho que tinha feito o sermão. Os três confabularam entre si. Vi o indivíduo de óculos escuros olhar para cima. Ele assentiu com um gesto. Disse algo ao ouvido do mensageiro. O jovem trouxe a mensagem para nós.

Estava combinado, então. Às três horas.

VINTE E DOIS

FARID FOI ENTRANDO LENTAMENTE com o Land Cruiser pela alameda que levava a um casarão em Wazir Akbar Khan. Estacionou à sombra dos salgueiros que se derramavam por sobre os muros do condomínio situado à rua 15, a Sarak-e-Mehmana, a tal "rua das Visitas". Desligou o motor e ficamos ali sentados por um minuto, sem dizer absolutamente nada, só ouvindo o barulhinho daquela máquina que ia esfriando. Farid se remexeu no banco e ficou brincando com as chaves ainda penduradas na ignição. Percebi que estava se preparando para me dizer alguma coisa.

— Acho que vou ficar esperando no carro — disse ele afinal, com um tom de quem estava pedindo desculpas. Nem olhou para mim. — Agora é com você. Eu...

Dei um tapinha no seu braço.

— Você já fez muito mais do que foi pago para fazer. Não estou contando que vá comigo — afirmei. No entanto adoraria não ter que entrar lá sozinho. Apesar do que descobri a respeito de *baba*, queria que ele estivesse ao meu lado nesse instante. Ele irromperia pela porta da frente e pediria para ser levado à presença do responsável, "cagando para as barbas" de qualquer um que se metesse em seu caminho. Mas *baba* estava morto há um bom tempo; morto e enterrado no setor afegão de um pequeno cemitério em Hayward. Ainda no mês passado, Soraya e eu tínhamos posto um buquê de frésias e margaridas no seu túmulo. Agora, eu tinha que me virar sozinho.

Saí do carro e me encaminhei para o grande portão de madeira. Toquei a campainha, mas não ouvi ruído algum — a luz ainda não havia voltado. Tive que bater. Pouco depois, ouvi vozes abafadas vindo do lado de dentro, e dois homens empunhando Kalashnikovs vieram abrir.

Olhei para Farid, que estava sentado no carro.

— Daqui a pouco estou de volta — murmurei, sem ter a mínima certeza de que isso fosse realmente acontecer.

Os homens armados me revistaram da cabeça aos pés, apalpando as minhas pernas e as minhas virilhas. Um deles disse alguma coisa em *pashtu* e ambos deram risadinhas. Finalmente entramos. Os dois guardas foram me escoltando através de um gramado muito bem tratado, e passamos por gerânios e arbustos baixos plantados junto ao muro. No fundo do quintal, havia um velho poço. Lembrei que a casa de *kaka* Homayoun, em Jalalabad, tinha um poço igualzinho a esse, e que as gêmeas, Fazila e Karima, e eu gostávamos de jogar pedras lá dentro para ouvir o barulhinho que faziam ao cair na água.

Subimos alguns degraus e penetramos em uma casa espaçosa, escassamente decorada. Atravessamos o saguão — que tinha uma das paredes recoberta por uma enorme bandeira do Afeganistão —, e os dois homens me levaram ao andar de cima, para uma sala com dois sofás idênticos, estofados de verde, e um grande aparelho de televisão em um canto. Um tapete de orações, mostrando um desenho ligeiramente oblongo de Meca, estava pendurado em uma parede. O mais velho dos dois guardas me indicou um dos sofás com o cano do fuzil. Sentei. Ambos saíram da sala.

Cruzei e descruzei as pernas. Fiquei sentado com as mãos suadas sobre os joelhos. Será que desse jeito ia parecer nervoso? Juntei as mãos, mas decidi que era ainda pior, e cruzei os braços. O sangue latejava nas minhas têmporas. Estava me sentindo extremamente só. Os pensamentos me passavam pela cabeça, mas, na verdade, não queria pensar em nada, porque uma parte de mim, que tinha juízo, sabia que isso em que eu havia me metido era uma insanidade. Estava a milhares de quilômetros de distância da minha mulher, sentado em um lugar que parecia até uma daquelas salas reservadas dos tribunais, esperando por um homem que eu tinha visto assassinar duas pessoas nesse mesmo dia. Era realmente uma insanidade. Pior ainda: era uma irresponsabilidade. Havia uma chance muito plausível de que, por minha culpa, Soraya se tornasse uma *biwa*, uma viúva, aos trinta e seis anos. "Esse não é você, Amir", dizia uma parte de mim. "Você é um covarde. É isso que você é de verdade. E nem é tão mau assim, já que o seu único mérito é o de nunca ter mentido a si mesmo a este respeito. Não quanto a isto. Não há nada de errado com a covardia, contanto que ela esteja aliada à prudência. Mas, quando um covarde se esquece de quem ele é... Que Deus o proteja..."

Perto do sofá, havia uma mesinha de centro. Os seus pés se cruzavam, formando um "X", e, no ponto em que se encontravam, tinha uma argola metálica com umas bolotas de latão do tamanho de uma noz. Já tinha visto uma mesa assim antes. Mas onde? Então, me lembrei. Foi naquela casa de chá lotada, lá em Peshawar, na noite em que fui dar uma volta. Em cima da mesa, havia uma tigela com uvas rosadas. Peguei uma delas e enfiei na boca. Tinha que me ocupar com alguma coisa, qualquer coisa, para calar aquela voz dentro da minha cabeça. A uva estava bem doce. Apanhei outra, sem saber que seria o último bocado de comida sólida que ia comer por muito tempo.

A porta se abriu e os dois homens armados voltaram. Entre eles, o *talib* alto e vestido de branco — que continuava usando os óculos escuros como os de John Lennon —, mais parecendo um guru místico, estilo *new age*, de ombros largos.

Ele se sentou defronte de mim e apoiou uma das mãos no braço do sofá. Durante um bom tempo, não disse nada. Só ficou sentado ali, me olhando, com uma das mãos tamborilando no estofado do móvel enquanto a outra desfiava as contas de um rosário azul-turquesa. Agora estava usando um paletó preto sobre a túnica branca, e um relógio de ouro. Vi uma mancha de sangue na sua manga esquerda. Achei morbidamente fascinante que ele não tivesse trocado de roupa depois das execuções daquela manhã.

De quando em quando, a mão desimpedida se erguia e os seus dedos grossos batiam em alguma coisa no ar. Faziam movimentos lentos, para cima e para baixo, para um lado e para o outro, como se o homem estivesse acariciando um animal de estimação invisível. Uma das suas mangas se arregaçou e pude ver umas marcas no seu braço — já tinha visto aquelas mesmas marcas entre os moradores de rua que viviam nos becos sombrios de San Francisco.

A sua pele era muito mais clara que a dos dois outros homens, quase doentia, e um punhado de minúsculas gotas de suor reluzia em sua testa, logo abaixo da borda do turbante negro. A sua barba, que lhe batia no peito como a dos demais, também era mais clara.

— *Salaam alaykum* — disse ele.

— *Salaam* — respondi.

— Podemos nos livrar de você agora mesmo, como sabe — prosseguiu ele.

— O que foi que disse?

Ele ergueu a mão e fez um gesto para um dos homens armados. "Rriss." De repente, lá estava eu sentindo fisgadas no rosto, e o guarda sacudia a minha barba para cima e para baixo, dando risadinhas. O *talib* sorriu debochado.

— É uma das mais bem-feitas que vi nesses últimos tempos. Mas, na verdade, acho que fica muito melhor assim. Não concorda? — Mexeu os dedos, estalou-os, abrindo e fechando o punho. — Então, *Inshallah*, gostou do espetáculo de hoje?

— O que foi aquilo...? — indaguei, esfregando o rosto e torcendo para que a minha voz não traísse o terror que estava sentindo por dentro.

— O exercício público da justiça é o maior de todos os espetáculos, meu irmão. Tem drama. Suspense. E, o que é melhor ainda, educação em massa. — Estalou os dedos. O mais jovem dos guardas acendeu um cigarro para ele. O *talib* riu. Resmungou algo consigo mesmo. As suas mãos tremiam e ele quase deixou o cigarro cair. — Mas se está querendo um espetáculo de verdade, deveria ter estado comigo em Mazar. Foi em agosto de 1998.

— Como?

— Deixamos eles lá, jogados pelas ruas, feito lixo. Sabe como é...

Percebi onde ele estava querendo chegar.

Ficou de pé, deu uma volta em torno do sofá, e, depois, mais outra. Sentou novamente. Começou a falar depressa.

— Fomos de porta em porta, convocando os homens e os meninos. E os fuzilamos bem ali, na frente de suas famílias. Para que todos vissem. Para que se lembrassem de quem eram, qual era o seu lugar. — Agora, estava quase ofegante. — Às vezes, arrombávamos as portas e entrávamos pelas casas adentro. E... eu... varria a sala com o cano da minha metralhadora e atirava, atirava até a fumaça me cegar. — Inclinou-se na minha direção, como alguém prestes a revelar um grande segredo. — Ninguém pode conhecer o verdadeiro sentido da palavra "LIBERAÇÃO" até ter feito uma coisa como essa: ficar parado em uma sala repleta de alvos, deixar as balas voarem, sem qualquer culpa ou remorso. Tendo plena consciência de ser uma pessoa virtuosa, boa e decente. Sabendo que está realizando o trabalho de Deus. É de tirar o fôlego... — Beijou o rosário e inclinou a cabeça. — Lembra disso, Javid?

— Lembro, *agha sahib* — respondeu o mais jovem dos guardas. — Como poderia esquecer?

Eu tinha lido nos jornais sobre o massacre dos hazaras em Mazar-i-Sharif. Aconteceu logo depois que o Talibã tomou a cidade, que foi uma das últimas a cair. Lembro de Soraya, sem um pingo de sangue no rosto, me mostrando aquela matéria durante o café da manhã.

— De porta em porta... Só parávamos para comer e rezar — prosseguiu o *talib*. E disse isso de um jeito prazeroso, como quem fala de uma festa fantástica de que participou. — Deixamos os corpos pelas ruas, e, se as pessoas da família tentassem rastejar para arrastá-los de volta para dentro de casa, atirávamos nelas também. Ficaram ali na rua por vários dias. Entregues aos cachorros. Carne de cachorro para cachorros. — Apagou o cigarro. Esfregou os olhos com as mãos trêmulas. — Você veio da América?

— Vim.

— Como tem passado aquela prostituta ultimamente?

Senti uma súbita vontade de urinar. Rezei para que passasse.

— Estou procurando um menino.

— Só você? — perguntou ele. Os homens com os Kalashnikovs riram. Tinham os dentes esverdeados de tanto mascar *naswar*.

— Pelo que soube, ele está aqui, com o senhor — disse eu. — O nome dele é Sohrab.

— Quero lhe fazer uma pergunta... O que você fica fazendo por lá, com aquela prostituta? Por que não está aqui, com os seus irmãos muçulmanos, servindo ao seu país?

— Estive fora por muito tempo. — Foi tudo o que me ocorreu dizer. Estava com a cabeça tão quente... Apertei os joelhos tentando segurar a bexiga.

O *talib* se virou para os dois homens parados junto à porta.

— Isso é uma resposta? — perguntou.

— Não, *agha sahib* — disseram os dois em uníssono, com um sorriso.

Voltou os olhos para mim. Deu de ombros.

— Eles estão dizendo que isso não é uma resposta. — Deu uma tragada no cigarro. — No meio que freqüento, há quem acredite que abandonar o próprio *watan*, quando ele mais precisa da gente, é o mesmo que traição. Poderia mandar prendê-lo por traição. Poderia até mesmo mandar fuzilá-lo. Essa idéia lhe dá medo?

— Só estou aqui por causa do menino.

— Isso lhe dá medo?

— Dá.

— É bom mesmo — disse ele. Recostou-se novamente no sofá. Apagou o cigarro.

Pensei em Soraya. Fiquei um pouco mais calmo. Lembrei do seu sinal de nascença em forma de foice, da curva elegante do seu pescoço, dos seus olhos luminosos. Lembrei da noite de nosso casamento, quando ficamos olhando para a imagem um do outro refletida no espelho, debaixo do véu verde, e como o seu rosto enrubesceu quando sussurrei que a amava. Lembrei de nós dois dançando uma velha canção afegã, girando e girando, e todos nos olhando e batendo palmas, o mundo inteiro parecendo um borrão de flores, vestidos, *smokings* e rostos sorridentes.

O *talib* estava dizendo alguma coisa.

— Desculpe. Não ouvi.

— Perguntei por que você quer vê-lo? Gostaria de ver o meu menino, não é? — Seu lábio superior se contraiu em um ricto debochado quando ele pronunciou essas últimas palavras.

— Gostaria.

Um dos guardas saiu da sala. Ouvi o rangido de uma porta se abrindo. Ouvi o guarda dizer alguma coisa em *pashtu*, em tom severo. Depois, passos, e o tilintar de sinos acompanhando cada passo. Lembrei do homem do macaco que Hassan e eu sempre íamos procurar em Shar-e-Nau. Nós lhe dávamos uma rupia da nossa mesada para ver uma dança. O sininho no pescoço do seu macaco fazia o mesmo som tilintante.

Então, a porta se abriu e o guarda entrou. Vinha trazendo um aparelho de som portátil nos ombros. Atrás dele, entrou um menino usando um *pirhan-tumban* azul-escuro, solto.

A semelhança era desconcertante. De tirar o fôlego. Pela foto Polaroid tirada por Rahim Khan eles não pareciam tão idênticos assim.

O garoto tinha o rosto de lua cheia do pai, o mesmo queixo protuberante, as orelhas dobradas feito conchas e a mesma compleição franzina. Era aquela cara de boneca chinesa da minha infância; o rosto que espiava por cima das cartas de baralho desbotadas, em todos aqueles dias de inverno; o rosto por detrás do cortinado quando dormíamos no telhado da casa de meu pai no verão. Ele tinha a cabeça raspada, os olhos pintados com delineador e as bochechas brilhando com um vermelho artificial. Quando parou no meio da sala, os sininhos presos nos seus tornozelos também pararam de tilintar.

Deu com os olhos em mim. Fitou-me por um instante. Depois, desviou o olhar. Ficou olhando para os próprios pés descalços.

Um dos guardas apertou um botão e o aposento se encheu de música *pashtu*. A tabla, o harmônio, e os lamentos de uma *dil-roba*. Deduzi que a música não era um pecado tão grave assim, desde que tocada para ouvidos Talibã. Os três homens começaram a bater palmas.

— *Wah wah! Mashallah!* — gritavam eles.

Sohrab ergueu os braços e começou a rodar lentamente. Ficou na ponta dos pés, rodopiou graciosamente, caiu de joelhos, voltou a se erguer e rodopiou novamente. Girava as mãozinhas, estalava os dedos e inclinava a cabeça para um lado e para o outro, como um pêndulo. Batia com os pés no chão e os sininhos tilintavam em perfeita harmonia com o ritmo da tabla. Ficava o tempo todo de olhos fechados.

— *Mashallah!* — bradavam eles. — *Shahbas!* Bravo! — Os dois guardas assobiavam e riam. O *talib* vestido de branco balançava a cabeça para frente e para trás, ao som da música, com a boca entreaberta em uma expressão maliciosa.

Sohrab ficou dançando em círculos, de olhos fechados, até a música acabar. Os sininhos tilintaram pela última vez quando ele bateu com os pés no chão no momento em que se ouvia a última nota da canção. Estancou no meio de um rodopio.

— *Bia, bia*, meu garoto — disse o *talib*, mandando que ele se aproximasse. Sohrab foi até ele, de cabeça baixa, e parou entre as suas coxas. O *talib* o abraçou. — Como é talentoso esse meu menino hazara, não é mesmo? — perguntou ele. As suas mãos foram deslizando pelas costas de Sohrab, descendo, depois subindo, e se aninharam debaixo dos braços do garoto. Um dos guardas cutucou o outro e deu uma risadinha disfarçada. O *talib* ordenou que nos deixassem a sós.

— Pois não, *agha sahib* — disseram eles, e saíram da sala.

O *talib* virou o menino, fazendo-o ficar de frente para mim. Passou os braços pela cintura de Sohrab e apoiou o queixo no seu ombro. Ele continuava fitando os próprios pés, mas me lançava uns olhares furtivos, encabulado. A mão do homem começou a deslizar pela barriga do menino, para cima e para baixo. Para cima e para baixo, bem devagar, suavemente.

— Fico imaginando... — disse o *talib*, com os olhos injetados me perscrutando por sobre os ombros de Sohrab. — O que terá acontecido com o velho *Babalu*?

Aquela pergunta me atingiu em cheio, como uma martelada entre os olhos. Senti que a cor do meu rosto desaparecia. As minhas pernas ficaram geladas. Entorpecidas.

Ele começou a rir.

— Estava pensando o quê? Que bastava pôr uma barba postiça para que eu não o reconhecesse? Eis aí uma coisa a meu respeito que aposto que você nunca soube: jamais esqueço um rosto. Jamais. — Roçou a orelha de Sohrab com os lábios, mantendo os olhos em mim. — Soube que seu pai morreu. Tsc, tsc, tsc... Sempre quis enfrentá-lo. Mas, pelo visto, vou ter que me contentar com o covarde do filho dele. — Tirou então os óculos escuros e cravou os olhos azuis injetados de sangue nos meus.

Tentei respirar, mas não consegui. Tentei piscar, mas não consegui. O momento parecia surreal — surreal, não, *absurdo*; tirou o meu fôlego, fez o mundo ao meu redor ficar imóvel. O meu rosto estava ardendo. Como é mesmo aquele velho ditado sobre o vaso ruim? Era exatamente isso que acontecia com o meu passado: não conseguia me livrar dele nunca. O nome daquele indivíduo surgiu lá das profundezas e não quis dizê-lo, como se o simples fato de pronunciar aquele nome significasse invocá-lo. Mas ele já estava ali, em carne e osso, sentado a pouco mais de três metros de mim, depois de todos esses anos. E o nome acabou me escapando da boca:

— Assef!

— Amir *jan.*

— O que é que você está fazendo aqui? — perguntei, plenamente consciente da estupidez daquela pergunta, mas incapaz de pensar em qualquer outra coisa que pudesse dizer.

— Eu? — exclamou ele erguendo uma das sobrancelhas. — Mas, estou exatamente no meu elemento. Eu é que pergunto o que você está fazendo aqui...

— Já lhe disse — respondi. Minha voz estava tremendo. Adoraria que não estivesse; adoraria que a minha carne não estivesse se encolhendo e grudando nos ossos.

— O menino?

— É.

— Por quê?

— Pago por ele — disse eu. — Posso telegrafar pedindo que me mandem dinheiro.

— Dinheiro? — exclamou Assef com um risinho abafado. — Já ouviu falar de Rockingham no oeste da Austrália? É um pedacinho do paraíso. Você precisava ver, são quilômetros e quilômetros de praia. Água verde, céu azul. Meus pais moram lá, em uma mansão de frente para o mar. Tem um campo de golfe nos fundos da casa, e um pequeno lago. Meu pai joga golfe todos os dias. Minha mãe prefere o tênis. Meu pai diz que o *backhand* dela é terrível. Eles são donos de um restaurante afegão e de duas joalherias; e ambos os negócios vão indo muitíssimo bem. — Pegou uma uva rosada e, com todo carinho, a pôs na boca de Sohrab. — Portanto, se eu precisar de dinheiro, é só pedir para eles me mandarem. — Deu um beijo no pescoço de Sohrab. O menino se encolheu ligeiramente e voltou a fechar os olhos. — Além disso, não lutei contra os *shorawi* por dinheiro. Também não me uni ao Talibã por dinheiro. Quer saber por que me juntei a eles?

Meus lábios estavam secos. Passei a língua neles e percebi que ela também estava seca.

— Está com sede? — perguntou ele, dando um sorriso afetado.

— Não.

— Olhe que acho que está com sede...

— Estou ótimo — respondi. Na verdade, a sala tinha ficado quente demais e o suor brotava de todos os meus poros, fazendo minha pele pinicar. Isso estava acontecendo mesmo? Eu estava realmente sentado diante de Assef?

— Você é quem sabe... — disse ele. — Em todo caso... Onde é que eu estava mesmo? Ah, sim, como me juntei ao Talibã. Bom, como deve se lembrar, nunca fui um cara lá muito religioso. Um dia, porém, tive uma revelação. Foi na prisão que isso aconteceu. Quer ouvir a história?

Fiquei calado.

— Ótimo. Vou lhe contar — exclamou ele. — Passei algum tempo na cadeia, em Poleh-Charkhi, logo depois que Babrak Karmal tomou o poder, em 1980. Acabei indo parar lá uma noite, quando um grupo de soldados *parchami* invadiu a nossa casa e mandou que meu pai e eu fôssemos com eles, sob a mira de um revólver. Os filhos-da-puta não alegaram nenhum motivo e nem responderam às perguntas de minha mãe. Não que isso fosse alguma coisa incompreensível, pois todo mundo sempre soube que os comunistas eram a escória mesmo. Eram todos gente de famílias humildes, sem estirpe. Os mesmos cachorros que não serviam nem para lamber as minhas botas antes da vinda dos *shorawi* agora me davam ordens, com uma arma na mão, a bandeira *parchami* na lapela, todos com aquele indefectível discursinho sobre a queda da burguesia e agindo como se fossem os maiorais. Estava acontecendo a mesma coisa por toda parte: os ricos eram arrebanhados e atirados na cadeia para servir de exemplo para os camaradas.

"O fato é que fomos amontoados em grupos de seis naquelas celas minúsculas, do tamanho de uma geladeira. Toda noite, o comandante, uma coisa meio hazara, meio usbeque, que fedia como um burro podre, mandava que um dos prisioneiros fosse arrastado para fora da cela e o espancava até que a sua cara redonda ficasse pingando de suor. Depois, acendia um cigarro, estalava os dedos e ia embora. Na noite seguinte, escolhia outra pessoa. Certa noite, foi a mim que escolheu. Isso não podia ter acontecido em pior hora. Há três dias que eu vinha mijando sangue. Cálculos renais. E, se você nunca teve uma pedra nos rins, pode acreditar quando lhe digo que é a pior dor que se possa imaginar. Minha mãe também tinha isso e lembro que me disse, uma vez, que preferia enfrentar um parto a ter uma daquelas crises de passagem de um cálculo. De todo modo, não podia fazer nada. Me tiraram da cela e ele começou a me chutar. Estava com umas botas que iam até os joelhos, com biqueiras metálicas, que ele usava toda noite para a sua brincadeirinha de chutes. E resolveu usá-las em mim. Gritei, gritei, e ele continuou me chutando. De repente, deu um chute no meu rim esquerdo e a pedra passou. Assim, sem mais nem menos. Ah, que alívio! — Assef riu. — Aí, eu gritei: '*Allah-u-akbar*', e ele chutou com mais força ainda, e comecei a rir. O comandante ficou louco da vida e me atingiu com mais força. Quanto mais fortes eram os seus chutes, mais eu ria. Jogaram-me de volta à cela ainda rindo. E continuei rindo sem parar porque, de repente, compreendi que aquilo tinha sido uma mensagem de Deus: ele estava do *meu* lado. Queria que eu vivesse por alguma razão.

"Sabe, topei com esse comandante no campo de batalha alguns anos depois. É engraçado como Deus age. Fui encontrá-lo em uma trincheira, nos arredores de Meymanah, sangrando, com um estilhaço de granada no peito. Continuava usando aquelas mesmas botas. Perguntei se lembrava de mim. Respondeu que não. Eu lhe disse a mesma coisa que disse a você ainda agora, que nunca esqueço um rosto. E atirei no saco dele. Desde então, venho cumprindo a minha missão."

— E que missão é essa? — ouvi minha própria voz perguntando. — Apedrejar adúlteros? Violentar crianças? Açoitar mulheres que usam saltos altos? Massacrar hazaras? Tudo em nome do islã? — As palavras foram brotando subitamente, de modo inesperado; foram saindo antes que eu pudesse contê-las. Adoraria poder trazê-las de volta. Engoli-las. Mas já tinham saído. Sabia que tinha ultrapassado uma barreira, e que qualquer esperança que ainda pudesse ter, por menor que fosse, de escapar dali com vida tinha desaparecido com essas palavras.

Por um breve instante, um lampejo de surpresa atravessou o rosto de Assef, mas logo se dissipou.

— Pelo que vejo, essa história pode acabar ficando muito divertida — disse ele, dando uma risadinha. — Mas há coisas que traidores como você não podem compreender.

— O quê, por exemplo?

As sobrancelhas de Assef se crisparam.

— Coisas como ter orgulho do seu povo, dos seus costumes, da sua língua. O Afeganistão é como uma bela casa cheia de lixo espalhado, e alguém tem que retirar esse lixo.

— Era isso que vocês estavam fazendo indo de porta em porta, lá em Mazar? Retirando o lixo?

— Exatamente.

— No Ocidente, existe uma expressão para isso — disse eu. — Limpeza étnica.

— É mesmo? — O rosto de Assef se iluminou. — Limpeza étnica... Gosto disso. Soa bem.

— Tudo o que quero é o garoto.

— Limpeza étnica... — murmurou Assef, saboreando aquelas palavras.

— Quero o menino — repeti. Os olhos de Sohrab se voltaram rapidamente para mim. Eram olhos de cordeiro abatido. Tinham até mesmo aquele contorno negro. Lembrei que, no dia do *Eid-e-qorban*, no quintal dos fundos lá de casa, o mulá pintava os olhos do cordeiro de negro, e lhe dava um torrão de açúcar antes de lhe cortar a garganta. Julguei ter visto um lampejo de súplica no olhar de Sohrab.

— Quero saber por quê — disse Assef. Mordiscou a orelha de Sohrab com a ponta dos dentes e, depois, a soltou. Gotas de suor lhe escorriam pela testa.

— Isso é problema meu.

— O que pretende fazer dele? — perguntou. E, dando um sorriso cínico, acrescentou: — Ou *com* ele?

— Isso é nojento — disse eu.

— Como pode saber? Já experimentou?

— Quero levá-lo para um lugar melhor.

— Diga-me por quê.

— Isso é problema meu — repeti. Não sei o que me levou a agir assim, dando essas respostas tão ásperas. Talvez o fato de achar que ia morrer de qualquer jeito.

— O que me intriga — disse Assef —, o que me intriga é você ter vindo de tão longe, Amir, de tão longe por causa de um hazara. Por que está aqui? Por que está aqui *de verdade*?

— Tenho os meus motivos — respondi.

— Pois, então, muito bem — disse ele, debochado. Deu um empurrão em Sohrab, fazendo-o recuar em direção à mesinha. O menino esbarrou nela e a derrubou, espalhando as uvas. Caiu em cima delas, de cara no chão, e manchou a camisa com o suco roxo das frutas. Os pés da mesa, com aquela argola de bolotas de latão no ponto em que se cruzavam, estavam agora apontando para o teto.

— Pois pode levá-lo — prosseguiu Assef. Ajudei Sohrab a se levantar, dei umas batidinhas nas suas calças para tirar as uvas esmigalhadas que tinham ficado grudadas ali, como mariscos em um ancoradouro.

— Ande, pode levá-lo — insistiu Assef, apontando para a porta.

Peguei Sohrab pela mão. Era uma mãozinha pequena, com a pele seca e calejada. Seus dedos se fecharam segurando a minha. Revi Sohrab naquela foto Polaroid, o seu jeito de abraçar a perna de Hassan e de recostar a cabeça no quadril do pai. Ambos estavam sorrindo. Enquanto atravessávamos a sala, os sininhos foram tilintando.

O máximo que fizemos foi chegar até a porta.

— É claro — bradou Assef às nossas costas — que eu não disse que podia levar ele assim, a troco de nada.

Parei e me voltei para ele.

— E o que você quer?

— Vai ter que ganhar esse menino.

— O que você quer?

— Temos um negócio pendente, você e eu — disse ele. — Está lembrado, não está?

Ele não tinha com que se preocupar. Eu nunca poderia esquecer do dia seguinte ao golpe de Estado, quando Daoud Khan derrubou o rei. Durante toda a minha vida adulta, sempre que ouvia o nome de Daoud Khan, o que via era Hassan apontando o estilingue para a cara de Assef e dizendo que teriam de passar a chamá-lo "Assef, o Caolho", em vez de "Assef *Goshkhor*". Lembro da inveja que senti da coragem de Hassan. Assef tinha ido embora jurando que, um dia, nos pegaria a ambos. Cumpriu a promessa com relação a Hassan. Agora, tinha chegado a minha vez.

— Tudo bem — disse eu, sem saber o que mais poderia dizer. Não estava disposto a implorar, o que só tornaria aquele momento ainda mais agradável para ele.

Assef mandou que os guardas entrassem novamente.

— Ouçam bem — recomendou ele. — Daqui a pouco, vou fechar esta porta. Então, ele e eu vamos resolver uma velha pendência. Seja lá o que for que ouvirem, não entrem! Estão entendendo? Não entrem!

Os guardas fizeram que sim com a cabeça. Olharam para Assef e, depois, para mim.

— Está certo, *agha sahib* — disseram.

— Quando tudo terminar, só um de nós dois vai sair desta sala com vida — prosseguiu Assef. — Se for ele, é porque terá conquistado a própria liberdade e vocês vão deixá-lo passar, entenderam?

O mais velho dos guardas se remexeu, inquieto.

— Mas, *agha sahib*...

— Se for ele, vocês vão deixá-lo passar! — gritou Assef. Os dois homens recuaram, mas assentiram outra vez. E se viraram para sair. Um deles fez menção de pegar Sohrab.

— Deixe o garoto aqui — disse Assef. E sorriu. — Vai ser bom para ele assistir. Lições nunca são demais para um menino.

Os guardas saíram. Assef deixou de lado as contas de oração. Meteu a mão no bolso do paletó preto. O que tirou dali não me surpreendeu absolutamente: o soco-inglês de aço inoxidável.

ELE USAVA GEL NO CABELO e tinha um bigodinho tipo Clark Gable acima dos lábios grossos. O gel tinha molhado a touca cirúrgica verde, de tecido não-tecido, formando uma mancha escura que tinha o feitio da África. É isso que lembro a respeito dele. Isso e o cordão de ouro com o pingente "Allah" pendurado no seu pescoço moreno. Está acima de mim, me olhando, e falando rapidamente em uma língua que não entendo. Urdu, acho eu. Não tiro os olhos do seu pomo-de-adão, que fica subindo e descendo, subindo e descendo, e quero lhe perguntar que idade tem, afinal. Ele parece jovem demais, como um ator de alguma dessas novelas de TV estrangeiras. Mas tudo o que consigo balbuciar é: "Acho que foi uma boa briga. Acho que foi uma boa briga."

NÃO SEI SE FOI UMA BOA BRIGA para Assef. Não acredito que tenha sido. Como poderia ser? Era a primeira vez que eu brigava com alguém. Durante toda a minha vida, nunca dei um soco que fosse.

Minhas lembranças da briga com Assef eram incrivelmente nítidas, mas por fragmentos. Lembro que ele ligou o som antes de enfiar o soco-inglês na mão. O tapete de oração, aquele que tinha um desenho oblongo de Meca, se soltou da parede e caiu na minha cabeça; e a poeira que havia nele me fez espirrar. Lembro de Assef atirando uvas na minha cara, rosnando e arreganhando os dentes lustrosos de saliva, e revirando os olhos injetados de sangue. Lembro que, lá pelas tantas, o seu turbante caiu mostrando cachos de cabelo louro que lhe batiam nos ombros.

E o final, é claro. Isso é algo que continuo vendo com absoluta nitidez. E vou ver para o resto da vida.

De um modo geral, o que lembro é isso: o soco-inglês brilhando à luz da tarde; como aquilo era frio, das primeiras vezes que me acertou, e como esquentou depressa por causa do meu sangue. Eu sendo atirado de encontro à parede e um prego, onde antes deveria haver um quadro pendurado, se cravando nas minhas costas. Sohrab gritando. A tabla, o harmônio, uma *dil-roba* tocando. Eu atirado contra a parede. O soco-inglês estraçalhando o meu maxilar. Eu engasgando com os meus próprios dentes, engolindo-os, pensando nas tantas horas que tinha passado escovando e usando fio dental. Eu sendo atirado de encontro à parede. Caindo no chão. O sangue que escorria do meu lábio superior manchando o tapete lilás. A dor me dilacerando a barriga e eu me perguntando se teria condições de voltar a respirar novamente. O barulho das minhas costelas estalando, como os galhos de árvore que Hassan e eu quebrávamos para usar como espadas e lutar feito Simbad naqueles velhos filmes. Sohrab gritando. Meu rosto batendo na quina da televisão. Mais estalos, só que, desta vez, logo abaixo do meu olho esquerdo. Música tocando. Sohrab gritando. Dedos agarrando o meu cabelo, puxando a minha cabeça para trás. O brilho do aço inoxidável. Lá vem ele de novo. Mais uma vez, os estalos, agora no meu nariz. Engolir a dor e perceber que os meus dentes não ficavam mais alinhados como antes. Ser chutado. Sohrab gritando.

Não sei em que altura da briga comecei a rir, mas foi o que fiz. Doía rir. Doía o rosto, doíam as costelas, doía a garganta. Mas eu continuava rindo sem parar. E, quanto mais eu ria, mais ele me chutava, me esmurrava, me arranhava.

— Onde está a graça? — urrava Assef, sem parar de me acertar. Seu cuspe entrou no meu olho. Sohrab gritou.

— Onde está a graça? — berrou ele. Mais uma costela estalou. Desta vez, um pouco mais abaixo, do lado esquerdo. O que me parecia tão engraçado era que, pela primeira vez, desde aquele inverno de 1975, estava me sentindo em paz. Ria porque tinha percebido que, em algum cantinho escondido da minha mente, sempre estivera procurando por isso. Lembrei daquele dia, no alto da colina, quando atirei as romãs em Hassan, tentando provocá-lo. Ele só ficou parado ali, sem fazer nada, com o suco vermelho empapando a sua camisa como se fosse sangue. Depois, tirou uma romã da minha mão e a esmagou na própria testa. "Está satisfeito agora?", sussurrou ele então, entre dentes. "Está se sentindo melhor?" Não, de jeito nenhum; não fiquei satisfeito, nem me senti melhor. Mas agora, sim. O meu corpo estava todo quebrado — só mais tarde ia descobrir em que estado ele realmente estava —, mas me sentia *curado*. Enfim curado. E ria.

Então, veio o final. E isso é uma coisa que vou levar comigo para o túmulo.

Lá estava eu, no chão, rindo, com Assef encarapitado em cima do meu peito. O rosto dele era a própria imagem da loucura, emoldurado por mechas de cabelo que balançavam a alguns centímetros do meu rosto. Com uma das mãos, me segurava pelo pescoço. A outra, que tinha o soco-inglês, estava levantada bem acima do seu ombro. Então, ele ergueu o punho fechado ainda mais alto, preparando-se para um novo soco.

De repente...

— *Bas!* — disse uma vozinha frágil.

Ambos olhamos.

— Por favor, chega.

Lembrei de uma coisa que o diretor do orfanato tinha dito quando abriu a porta para Farid e para mim. Qual era mesmo o nome dele? Zaman? "Os dois são inseparáveis", disse ele. "Aonde quer que ele vá, lá está a atiradeira enfiada na sua cintura."

— Chega.

Dois riscos pretos de delineador desciam pelo seu rosto, se misturando com as lágrimas, borrando o ruge das bochechas. O seu lábio superior tremia. O nariz escorria.

— *Bas!* — disse ele com a voz rouca.

A sua mão estava erguida acima do ombro, segurando a lingüeta de couro presa aos elásticos inteiramente retesados. Havia algo ali, alguma coisa amarela e brilhante. Pisquei os olhos para me livrar do sangue e vi que era uma das bolotas de latão daquela argola que prendia os pés da mesa. O estilingue estava apontado para o rosto de Assef.

— Chega, *agha*. Por favor — disse Sohrab, com a voz rouca e trêmula. — Pare de machucar ele.

Assef abriu a boca, mas não saiu som algum. Começou a dizer alguma coisa, mas parou.

— O que você pensa que está fazendo? — exclamou ele afinal.

— Pare, por favor — disse Sohrab, com os olhos verdes cheios de lágrimas e a maquiagem toda borrada.

— Largue isso, seu hazara — disse Assef entre dentes. — Largue isso, ou o que estou fazendo com ele vai parecer um simples puxão de orelhas comparado ao que vou fazer com você.

As lágrimas escorriam pelo seu rosto. Sohrab abanou a cabeça.

— Por favor, *agha* — disse ele. — Pare.

— Largue isso.

— Não machuque mais ele.

— Largue isso.

— Por favor.

— Largue isso!

— *Bas.*

— Largue isso! — berrou Assef, soltando o meu pescoço e partindo para cima de Sohrab.

O estilingue zuniu quando Sohrab largou a lingüeta. E ouvi Assef gritando. Levou a mão ao lugar onde, um minuto antes, ficava o seu olho esquerdo. O sangue escorria por entre seus dedos. Sangue e mais alguma coisa, alguma coisa branca e gelatinosa. "Isso se chama fluido vítreo", pensei eu com toda clareza. "Li em algum lugar. Fluido vítreo."

Assef estava rolando pelo tapete. Rolava de um lado para o outro, gritando, sempre com a mão em concha sobre a órbita ensangüentada.

— Vamos! — exclamou Sohrab. Pegou a minha mão e me ajudou a ficar de pé. Cada centímetro do meu corpo espancado gritava de dor. Às nossas costas, Assef continuava a berrar.

— Fora! Caiam fora daqui! — gritava ele.

Cambaleando, abri a porta. Os guardas arregalaram os olhos ao me ver, e me perguntei que aparência teria. Minha barriga doía a cada respiração. Um dos guardas disse algo em *pashtu* e os dois passaram correndo por nós para entrar na sala onde Assef continuava gritando.

— Fora!

— *Bia!* — disse Sohrab me puxando pela mão. — Vamos!

Saí tropeçando pelo corredor, com a mãozinha de Sohrab segurando a minha. Dei uma última olhada para trás. Os guardas estavam debruçados sobre Assef, fazendo alguma coisa em seu rosto. Foi então que compreendi: a bolota de latão ainda estava enfiada na órbita vazia do seu olho.

O mundo inteiro se sacudia para cima e para baixo, dava guinadas para um lado e para o outro, enquanto eu ia descendo a escada, cambaleando, me apoiando em Sohrab. Lá no andar de cima, os gritos de Assef não paravam. Eram os berros de um animal ferido. Conseguimos chegar do lado de fora, ao ar livre, eu com o braço passado nos ombros de Sohrab, e vi Farid vir correndo em nossa direção.

— *Bismillah! Bismillah!* — exclamou ele, arregalando os olhos ao me ver. Passou meu braço pelos seus ombros e me levantou no colo. Sempre correndo, me levou para o furgão. Acho que gritei. Vi as suas sandálias golpeando o chão e batendo em seus calcanhares escuros e calejados. Respirar doía. Depois, lá estava eu olhando para o teto do Land Cruiser, deitado no banco de trás, naquele estofamento bege e rasgado, e ouvindo o "bip, bip, bip" indicando que as portas estavam abertas. Ouvi passos apressados em redor do carro. Farid e Sohrab trocando algumas palavras rapidamente. As portas batendo e o barulho do motor sendo ligado. O carro arrancou e senti uma mão pequenina na minha testa. Ouvi vozes pela rua, alguns gritos e vi árvores que passavam pela janela. Sohrab soluçava. Farid continuava repetindo *"Bismillah! Bismillah!"*.

Foi mais ou menos por essa altura que desmaiei.

VINTE E TRÊS

ROSTOS DESPONTAVAM EM MEIO À NÉVOA, detinham-se ali por algum tempo e, depois, desapareciam. Aproximavam-se, faziam perguntas. Todos faziam perguntas. Sei quem sou? Está doendo em algum lugar? Sei quem sou, sim, e dói tudo. Quero lhes dizer isso, mas falar também dói. Sei disso porque, algum tempo atrás, talvez há um ano, ou dois, ou dez, tentei falar com uma criança de ruge no rosto e olhos pintados de preto. Aquela criança. É, estou vendo ela agora. Estamos em um carro bem xumbrega, a criança e eu, e acho que não é Soraya que está dirigindo porque ela nunca corre tanto assim. Quero dizer alguma coisa para essa criança — parece que é muito importante. Mas não me lembro do que quero dizer, nem por que motivo isso seria tão importante. Talvez quisesse lhe dizer que parasse de chorar; que, agora, tudo ia ficar bem. Talvez não. Por alguma razão que não consigo lembrar, quero agradecer a essa criança.

Rostos. Todos eles estão usando gorros verdes. Entram e saem do meu campo de visão. Falam depressa; usam umas palavras que não entendo. Ouço outras vozes, outros ruídos, bipes e alarmes. Mais e mais rostos. Me olhando bem de perto. Não lembro de nenhum deles, a não ser o daquele homem com gel no cabelo e o bigodinho tipo Clark Gable; aquele que tinha a mancha no formato da África no gorro. O Sr. Galã de Novela de TV. É engraçado. Estou com vontade de rir. Mas rir também dói.

Apago.

ELA DIZ QUE SE CHAMA AISHA, "como a esposa do profeta". O seu cabelo, já meio grisalho, está repartido no meio e preso em um rabo-de-cavalo. No nariz, tem um *piercing* em formato de sol. Usa lentes bifocais que fazem os seus olhos ficarem saltados. Também está de verde e tem as mãos macias. Vê que estou olhando para ela e sorri. Diz algo em inglês. Sinto alguma coisa me espetando em um dos lados do peito.

Apago.

TEM UM HOMEM PARADO junto da minha cama. Eu o conheço. É moreno, magricela, e tem uma barba comprida. Está usando um chapéu — como é mesmo que se chamam esses chapéus? *Pakols?* Usa o tal chapéu meio descaído para um lado, como alguém famoso cujo nome me escapa agora. Conheço esse homem. Ele me levou de carro para um lugar qualquer, alguns anos atrás. Eu o conheço. Tem algo de errado com a minha boca. Ouço alguma coisa borbulhando.

Apago.

O MEU BRAÇO DIREITO ESTÁ ARDENDO. A mulher de óculos bifocais, e com o *piercing* em formato de sol, está debruçada sobre o meu braço, prendendo nele um tubo de plástico transparente. Ela diz que é "o potássio". "É como uma ferroada de abelha, não é?", pergunta. É verdade. Como é mesmo o nome dela? Tem alguma coisa a ver com um profeta. Também conheço essa mulher de algum tempo atrás. Ela usava rabo-de-cavalo. Agora, está com o cabelo puxado para trás, preso em um coque. Soraya estava com o cabelo desse jeito quando nos falamos pela primeira vez. Quando foi isso? A semana passada?

Aisha! Claro...

Tem alguma coisa errada com a minha boca. E aquele negócio me espetando no peito.

Apago.

ESTAMOS NAS MONTANHAS SULAIMAN, no Baluquistão, e meu pai está lutando com o urso negro. É o *baba* da minha infância, o *toophan agha*, o gigantesco espécime do pashtun poderoso, e não aquele homem que definhava debaixo dos cobertores, aquele homem de rosto encovado e olhos fundos. Homem e fera se embolam em um trecho do terreno onde havia capim, e o cabelo escuro e cacheado de *baba* esvoaça. A fera ruge, ou talvez tenha sido *baba*. Voam cuspe e sangue; chocam-se patas e mãos. Os dois caem no chão, com um barulho surdo, e lá está *baba* sentado no peito do urso, enfiando os dedos pelo focinho do animal adentro. Ele ergue os olhos para mim e, então, posso ver. Ele sou eu. Eu é que estou lutando com o urso.

Acordo. O homem moreno e magricela está ali outra vez, ao lado da cama. O nome dele é Farid, agora me lembro. E, com ele, o menino do carro. O seu rosto me faz lembrar o som de sinos. Estou com sede.

Apago.

E continuo assim, apagando e voltando.

O NOME DO HOMEM DE BIGODINHO tipo Clark Gable era dr. Faruqi, como acabei descobrindo. E ele não era galã de novela de TV coisa nenhuma. Era cirurgião de cabeça e pescoço, embora eu continue pensando nele como alguém chamado Armand, em alguma novela sensual passada em uma ilha dos trópicos.

"Onde estou?" era o que queria perguntar. Mas a minha boca não abria. Franzi as sobrancelhas. Soltei um grunhido. Armand sorriu mostrando uns dentes branquíssimos.

— Ainda não, Amir — disse ele. — Logo, logo. Depois que os arames forem retirados. — Ele falava inglês com um forte sotaque urdu.

"Arames?"

Armand cruzou os braços. Era bastante cabeludo e usava uma aliança de ouro.

— Você deve estar se perguntando que lugar é esse e o que aconteceu. É perfeitamente normal. O período pós-cirúrgico sempre deixa a pessoa muito desnorteada. Então, vou lhe contar o que sei.

Queria lhe perguntar sobre os arames. Período pós-cirúrgico? Onde estava Aisha? Queria que ela sorrisse para mim, queria sentir as suas mãos macias nas minhas.

Armand franziu as sobrancelhas e ergueu uma delas de um jeito ligeiramente cheio de si.

— Você está em um hospital de Peshawar. Chegou há dois dias. É preciso que saiba, Amir, que sofreu alguns ferimentos bem significativos. Diria mesmo que tem muita sorte por estar vivo, meu amigo — disse isso balançando o indicador para frente e para trás, como um pêndulo. — Teve ruptura do baço. Provavelmente, e ainda bem, uma ruptura tardia, pois havia sinais de um princípio de hemorragia em sua cavidade abdominal. Meus colegas da unidade de cirurgia geral tiveram de realizar uma esplenectomia de emergência. Se a ruptura tivesse ocorrido um pouco mais cedo, você teria morrido de hemorragia interna. — Deu-me uns tapinhas no braço, o que estava com o soro, e sorriu. — Teve também várias costelas fraturadas. E uma delas provocou um pneumotórax.

Franzi a testa. Tentei abrir a boca. Lembrei dos arames.

— Isso significa que um dos seus pulmões foi perfurado — explicou Armand. Deu um puxão no tubo de plástico transparente que estava do meu lado esquerdo. Senti de novo aquela fisgada no peito.

— Vedamos o vazamento com esse dreno torácico. — Acompanhei com os olhos o tubo saindo das ataduras que envolviam meu peito e vi que ia dar em um reservatório parcialmente cheio, com colunas de água. Era dali que vinha aquele barulho de borbulhas. — Também sofreu diversas lacerações. Isto quer dizer "cortes" — acrescentou.

Pensei em lhe dizer que sabia o que a palavra significava; afinal, eu era escritor. Já ia tentando abrir a boca. Tinha esquecido os arames de novo.

— A pior laceração foi no seu lábio superior — disse Armand. — O impacto abriu o lábio em dois, deixando o meio inteiramente separado. Mas não se preocupe, pois o pessoal da cirurgia plástica costurou as duas partes e todos eles acham que o resultado ficou ótimo. É claro que você vai ter uma cicatriz... Isso é inevitável.

"Houve ainda uma fratura orbital do lado esquerdo; ou seja, do osso da cavidade orbital, e tivemos que reconstituí-lo também. Os arames do seu rosto vão ser retirados dentro de umas seis semanas — prosseguiu Armand. — Até lá, só líquidos e vitaminas. Você vai emagrecer um pouco e, por algum tempo, vai ficar falando como Al Pacino no primeiro filme da série *O poderoso chefão* — acrescentou ele rindo. — Mas, hoje, tem um trabalho a fazer. Sabe qual é?

Fiz que não com a cabeça.

— O seu trabalho de hoje é expelir gases. Faça isso, e começaremos a lhe dar alimentação líquida. Se não peidar, não come — disse ele, rindo novamente.

Mais tarde, depois que Aisha trocou o soro e levantou a cabeceira da cama como eu tinha pedido, fiquei pensando no que havia acontecido comigo. Baço rompido. Dentes quebrados. Pulmão perfurado. Cavidade orbital arrebentada. Mas, enquanto observava um pombo bicar uma migalha de pão no peitoril da janela, lembrei de outra coisa que Armand/dr. Faruqi tinha dito: "O impacto abriu o lábio em dois," disse ele, "deixando o meio inteiramente separado". Deixando o meio inteiramente separado. Como um lábio leporino.

No dia seguinte, Farid e Sohrab vieram me visitar.

— Hoje você sabe quem somos nós? Já está conseguindo se lembrar? — perguntou Farid, e não era só de brincadeira.

Fiz que sim com a cabeça.

— *Al hamdullellah!* — exclamou ele radiante. — Chega de tantos disparates.

— Obrigado, Farid — disse eu, sem mexer o rosto todo preso por arames. Armand tinha razão: parecia mesmo Al Pacino em *O poderoso chefão*. E a minha língua estava sempre me surpreendendo porque se enfiava pelos espaços que ficavam sobrando entre os dentes que eu tinha engolido. — Muito obrigado mesmo. Por tudo.

Ele fez um aceno com a mão e ficou vermelho.

— *Bas*. Não tem nada que agradecer — disse. Virei-me para Sohrab. Ele estava de roupa nova, um *pirhan-tumban* marrom-claro, um pouco grande demais, e usava um barrete preto. Olhava para os próprios pés, brincando com o fio do soro enrolado em cima da cama.

— Nunca fomos apresentados de verdade — disse eu estendendo a mão para ele. — Meu nome é Amir.

Ele olhou para a minha mão e, depois, para mim.

— Você é o Amir *agha* de quem o pai me falou? — perguntou.

— Sou. — Lembrei das palavras da carta de Hassan. "Falei muito de você para Farzana *jan* e para Sohrab. Contei-lhes como crescemos juntos, como brincávamos e corríamos pelas ruas. Eles riram muito de todas as travessuras que nós dois aprontávamos!" — Tenho que agradecer a você também, Sohrab *jan* — disse eu. — Você salvou a minha vida.

O menino não disse nada. Baixei a mão quando vi que ele não ia apertá-la.

— Gostei da sua roupa nova — murmurei.

— Era do meu filho — disse Farid. — Já está pequena para ele. E acho que ficou ótima em Sohrab. — Acrescentou que Sohrab poderia ficar na sua casa até que encontrássemos um lugar para ele. — Não temos muito espaço, mas o que se há de fazer? Não posso deixá-lo pelas ruas. Além disso, os meus filhos gostaram dele. *Ha*, Sohrab? — Mas o menino continuou de olhos baixos, enrolando o fio no dedo.

— Tem uma coisa que venho querendo perguntar — disse Farid com alguma hesitação. — O que aconteceu naquela casa? O que aconteceu entre você e o *talib*?

— Digamos que nós dois tivemos o que merecíamos — respondi.

Farid fez que sim com a cabeça e não insistiu. Ocorreu-me que, em algum ponto, entre o momento em que saímos de Peshawar para o Afeganistão e agora, tínhamos nos tornado amigos. — Também tenho pensado em perguntar uma coisa.

— O que é?

Não queria perguntar. Tinha medo da resposta.

— E Rahim Khan? — disse eu.

— Foi embora.

Meu coração deu um pulo.

— Ele...?

— Não. Só... foi embora. — Estendeu para mim um papel do-brado e uma chave. — O proprietário me entregou isso quando fui procurá-lo. Nós viajamos em um dia e Rahim Khan foi embora no dia seguinte.

— Embora para onde?

Farid deu de ombros.

— O proprietário não sabe. Só disse que Rahim Khan deixou a carta e a chave para você, e se despediu. — Olhou o relógio. — É melhor irmos andando. *Bia*, Sohrab.

— Ele pode ficar mais um pouco? — perguntei. — Venha buscá-lo mais tarde. — Voltei-me para Sohrab. — Quer ficar um pouqui-nho mais aqui comigo?

Ele deu de ombros e não respondeu.

— Claro que sim — disse Farid. — Venho buscá-lo um pouco antes da *namaz* do final da tarde.

HAVIA MAIS TRÊS PACIENTES no mesmo quarto que eu. Dois homens de uma certa idade — um deles com a perna engessada, o outro, chiando com asma —, e um rapaz de quinze ou dezesseis anos que tinha sido operado do apêndice. O velho de perna engessada ficou nos observando, olhando ora para mim, ora para o menino hazara sentado em um banquinho. As famílias dos meus companheiros de quarto — senhoras usando *shalwar-kameezes* de cores brilhantes, crianças, homens de barrete — entravam e saíam fazendo bastante barulho. Tinham trazido *pakoras, naan, samosas, biryani*. Às vezes, tinha gente que apenas entrava no quarto, como o homem alto e bar-budo que apareceu imediatamente antes de Farid e Sohrab chegarem. Usava uma manta marrom enrolada no corpo. Aisha lhe perguntou alguma coisa em urdu. Ele não lhe deu a mínima atenção e espiou cada canto do quarto. Achei que tinha demorado um pouco demais olhando para mim. Quando a enfermeira foi falar com ele outra vez, o homem simplesmente deu meia-volta e saiu.

— Como você está? — perguntei, dirigindo-me a Sohrab. Ele deu de ombros e continuou olhando para as próprias mãos.

— Está com fome? Aquela senhora ali me deu um prato de *biryani*, mas não posso comer nada disso — prossegui. Não sabia mais o que lhe dizer. — Quer?

Ele fez que não com a cabeça.

— Quer falar?

Ele abanou a cabeça novamente.

Ficamos sentados ali por algum tempo, calados. Eu, recostado na cama, com dois travesseiros nas costas, e Sohrab no banquinho de três pernas ao lado da cama. A certa altura, peguei no sono, e, quando acordei, já estava começando a escurecer, as sombras tinham se espalhado, e Sohrab ainda estava sentado perto de mim. Continuava de olhos baixos, fitando as próprias mãos.

NAQUELA NOITE, DEPOIS QUE FARID veio buscar Sohrab, abri a carta de Rahim Khan. Tinha demorado o máximo possível para fazer isso.

Amir jan,

Inshallah *esta carta vá encontrá-lo são e salvo. Peço a Deus que não tenha posto você em perigo, e que o Afeganistão não tenha lhe feito mal algum. Desde que viajou, tenho rezado por você.*

Tinha razão em achar que eu sabia durante todos esses anos. Era verdade. Hassan me contou tudo, pouco tempo depois do ocorrido. O que você fez foi errado, Amir jan, *mas não se esqueça que era apenas um menino quando isso aconteceu. Um menino com problemas. Nessa época, você era excessivamente duro consigo mesmo e continua sendo — como pude ver em seus olhos aqui em Peshawar. Mas espero que pense bem nisso: um homem que não tem consciência, que não tem bondade, não sofre. Tenho esperanças de que o seu sofrimento termine com essa viagem ao Afeganistão.*

Amir jan, *tenho vergonha pelas mentiras que lhe contamos durante todos esses anos. Você teve toda razão em se zangar naquele dia em que nos encontramos. Tinha o direito de saber. E Hassan também. Sei que isso não absolve ninguém de coisa alguma, mas a Cabul onde vivíamos naquela época era um mundo estranho, um mundo em que certas coisas tinham mais importância que a verdade.*

Amir jan, sei como seu pai era severo com você. Via o quanto você sofria e como desejava o afeto dele, e o meu coração sofria junto com você. Mas seu pai era um homem dividido entre duas pessoas, Amir jan: você e Hassan. Ele os amava a ambos, mas não podia amar Hassan do jeito que desejava, abertamente, como pai. Então, descontou em você. Amir, a metade socialmente legitimada, a metade que representava as riquezas que ele tinha herdado e os privilégios do pecar impunemente que vêm junto com elas. Quando via você, via a si mesmo. E a sua própria culpa. Você ainda está com raiva e sei que é cedo demais para esperar que aceite isso, mas talvez, um dia, possa compreender que, quando seu pai era severo com você, também estava sendo severo consigo mesmo. Como você, seu pai era uma alma torturada, Amir jan.

Não posso descrever como foi profunda a tristeza que tomou conta de mim quando fiquei sabendo da morte dele. Eu o amava porque ele era meu amigo, mas também porque era um bom homem, talvez até um grande homem. E é isso que quero que você entenda: que o bem, o verdadeiro bem, nasceu do remorso que seu pai sentia. Às vezes, acho que tudo o que ele fez — dar comida aos pobres nas ruas, construir o orfanato, dar dinheiro aos amigos que estivessem precisando — foi o jeito que encontrou para se redimir. E acredito, Amir jan, que a verdadeira redenção é isso: é a culpa levar a pessoa a fazer o bem.

Sei que, no fim, Deus vai perdoar. Vai perdoar a seu pai, a mim e também a você. Espero que possa fazer o mesmo. Perdoe seu pai, se puder. Perdoe-me, se quiser. Mas, acima de tudo, perdoe a si mesmo.

Deixei algum dinheiro para você; na verdade, é a maior parte do que estou deixando. Acho que terá despesas quando voltar, e essa quantia deve ser suficiente para cobri-las. Há um banco em Peshawar; Farid sabe onde fica. O dinheiro está em um cofre. Deixei a chave também.

Quanto a mim, já é hora de ir embora. Resta-me pouco tempo e quero passá-lo sozinho. Por favor, não me procure. É a última coisa que lhe peço.

Eu o entrego nas mãos de Deus.

Seu amigo de sempre,
Rahim

Passei nos olhos a manga da camisola do hospital. Dobrei a carta e a enfiei debaixo do colchão.

"Amir, a metade socialmente legitimada, a metade que representava as riquezas que ele tinha herdado e os privilégios do pecar impunemente que vêm junto com elas." Quem sabe não era por isso que *baba* e eu tínhamos nos dado muito melhor nos Estados Unidos. Vendendo objetos usados por alguns trocados, tendo empregos subalternos, morando naquele apartamento sebento — a versão primeiro-mundista de um casebre. Nos Estados Unidos, ao olhar para mim, *baba* talvez visse um pedacinho de Hassan. "Como você, seu pai era uma alma torturada", escreveu Rahim Khan. Talvez. Nós dois tínhamos pecado e traído. Mas *baba* encontrou um jeito de transformar o seu remorso em bondade. E eu, o que tinha feito, a não ser descontar a minha culpa nas próprias pessoas que tinha traído e, depois, tentar esquecê-las? O que tinha feito, a não ser me tornar um insone?

O que é que eu tinha feito para tentar corrigir aquilo tudo?

Quando a enfermeira — não Aisha, mas uma mulher de cabelo vermelho cujo nome me foge agora — entrou no quarto com uma seringa na mão e me perguntou se eu ia precisar de uma injeção de morfina, respondi que sim.

Tiraram o dreno torácico na manhã seguinte, bem cedo, e Armand autorizou a enfermagem a me dar uns goles de suco de maçã. Quando Aisha pôs a xícara com o suco na mesinha perto da cama, pedi que me arranjasse um espelho. Ela ergueu os óculos bifocais para a testa, enquanto abria as cortinas deixando que o sol da manhã inundasse o quarto.

— Não se esqueça — disse ela, olhando para trás — que, em poucos dias, a sua aparência já estará bem melhor. O meu genro teve um acidente de moto no ano passado. Seu rosto bonito foi arrastado pelo asfalto e ficou roxo feito uma berinjela. Agora, está lindo outra vez, como um astro de cinema de Lollywood.

Apesar daquelas palavras tranqüilizadoras, olhar para o espelho e ver aquela coisa que insistia em se mostrar como sendo o meu rosto meio que me tirou o fôlego. Era como se alguém tivesse enfiado o bocal de uma bomba de ar por debaixo da minha pele e bombeado muito. Os meus olhos estavam inchados e roxos. O pior de tudo, porém, era a boca, uma pústula grotesca, toda roxa e vermelha, cheia de talhos e pontos. Tentei sorrir e senti nos lábios uma fisgada de dor. Não ia conseguir fazer isso por um bom tempo. Havia pontos do lado esquerdo do meu rosto, debaixo do queixo, e também na testa, logo abaixo da nascida do cabelo.

O velho de perna quebrada disse alguma coisa em urdu. Respondi dando de ombros e fazendo um aceno com a cabeça. Ele apontou para o próprio rosto, deu uns tapinhas e abriu um sorriso largo e desdentado.

— Muito bom — disse, em inglês. — *Inshallah*.

— Obrigado — sussurrei.

Farid e Sohrab chegaram logo depois que larguei o espelho. Sohrab sentou na banqueta e encostou a cabeça na grade lateral da cama.

— Sabe — disse Farid —, quanto mais cedo você sair daqui, melhor.

— O dr. Faruqi disse que...

— Não estou falando do hospital. Estou falando de Peshawar.

— Por quê?

— Não acredito que esteja a salvo por muito tempo — respondeu ele, baixando a voz. — O Talibã tem amigos por aqui. Vão começar a procurar por você.

— Talvez já tenham começado — murmurei. De repente, lembrei do homem barbudo que tinha entrado no quarto e ficado ali parado me olhando.

Farid se abaixou um pouco.

— Assim que puder andar, vou levá-lo para Islamabad. Lá também não é muito seguro. Na verdade, nenhum lugar no Paquistão é, mas é melhor do que aqui. Pelo menos você vai ganhar mais algum tempo.

— Farid *jan*, isso também não vai ser nada seguro para você. Talvez não deva mais ser visto comigo. Tem que pensar na sua família.

Ele fez um gesto com a mão.

— Os meus meninos são pequenos, mas são muito espertos. Sabem tomar conta das mães e das irmãs. — Sorriu. — Além do mais, não disse que ia fazer isso de graça.

— Nem eu concordaria, se você propusesse — disse eu. Esqueci que não podia sorrir, e tentei. Um filetinho de sangue escorreu pelo meu queixo. — Posso lhe pedir mais um favor?

— Por você, faria isso mil vezes — respondeu ele.

E, em um instante, lá estava eu chorando. Engoli ar, engasguei, com as lágrimas rolando pelo meu rosto e a minha boca em carne viva dando fisgadas de dor.

— O que aconteceu? — perguntou Farid assustado.

Escondi o rosto com uma das mãos e ergui a outra. Sabia que o quarto inteiro estava me olhando. Depois, me senti cansado, oco.

— Desculpe — disse. Sohrab estava olhando para mim com as sobrancelhas franzidas.

Quando consegui falar, disse a Farid o que queria que ele fizesse.

— Rahim Khan me disse que eles moram aqui em Peshawar.

— Talvez seja melhor escrever o nome deles — disse Farid, fitando-me com ar cauteloso, como se estivesse imaginando que diabos aquela frase poderia provocar em mim. Rabisquei os nomes em um pedaço de papel-toalha: "John e Betty Caldwell."

Farid pôs o papel dobrado no bolso.

— Vou procurá-los o mais depressa possível — disse ele. E acrescentou, virando-se para Sohrab: — Quanto a você, volto para buscá-lo de tarde. Não vá cansar muito Amir *agha*.

Mas Sohrab estava perto da janela, onde uma meia dúzia de pombos se agitava, bicando a madeira e migalhas de pão velho.

Em uma das gavetas da mesinha de cabeceira tinha encontrado um velho exemplar da *National Geographic*, um lápis mordido, um pente com alguns dentes faltando e o que estava tentando alcançar agora, com o rosto banhado de suor por causa do esforço que fazia: um baralho. Tinha contado as cartas mais cedo e, para minha surpresa, o baralho estava completo. Perguntei a Sohrab se queria jogar. Não esperava nem que respondesse, que dirá que aceitasse o meu convite. Estava calado desde que tínhamos fugido de Cabul. Mas ele se virou lá da janela e disse:

— O único jogo que sei é *panjpar*.

— Já estou até com pena de você — balbuciei. — Pois sou a maior fera no *panjpar*. Mundialmente conhecido.

Ele veio se sentar no banquinho ao meu lado. Dei as suas cinco cartas.

— Quando seu pai e eu éramos da sua idade, jogávamos esse jogo. Principalmente no inverno, quando nevava e não podíamos ir brincar lá fora. Ficávamos jogando até o sol se pôr.

Sohrab jogou uma carta para mim e apanhou outra da pilha. Fiquei olhando para ele, disfarçadamente, vendo-o refletir com as cartas na mão. Era igualzinho ao pai em vários aspectos: o jeito de segurar as cartas com ambas as mãos, o jeito de examiná-las apertando os olhos, o jeito de olhar as pessoas, quase sempre evitando encará-las.

Ficamos jogando em silêncio. Ganhei a primeira partida, deixei que ele ganhasse a segunda, e perdi as outras cinco jogando limpo, sem trapaças.

— Você é tão bom quanto seu pai; talvez até melhor — disse eu depois de mais uma derrota. — Às vezes, ganhava dele, mas acho que era porque ele me deixava ganhar. — Depois de um instante calado, acrescentei: — Seu pai e eu fomos amamentados pela mesma mulher.

— Eu sei.

— O que... o que ele contou sobre nós dois?

— Que você foi o melhor amigo que ele teve na vida — disse ele.

Revirei o valete de ouros entre os dedos, sacudi a carta para frente e para trás.

— Sabe, acho que não fui um amigo tão bom assim — disse eu. — Mas queria ser seu amigo. Acredito que posso ser um bom amigo para você. Acha que é possível? Gostaria disso? — Pus a mão em seu braço com toda cautela, mas ele se retraiu. Largou as cartas e empurrou o banquinho. Voltou para a janela. O céu estava rajado de vermelho e roxo, pois o sol começava a se pôr sobre Peshawar. Da rua subiram uma série de buzinas, o zurro de um asno, o apito de um guarda. Sohrab ficou parado ali, sob aquela luz avermelhada, com a testa encostada na vidraça e as mãos enfiadas debaixo dos braços.

AISHA TINHA UM AUXILIAR QUE VEIO me ajudar a dar os primeiros passos naquela mesma noite. Só dei uma volta pelo quarto, segurando, com uma das mãos, o suporte do soro e agarrando, com a outra, o braço do enfermeiro. Levei dez minutos para chegar de volta à cama e, a essa altura, a incisão no meu abdome já estava latejando e eu estava banhado em suor. Deitei na cama, ofegante, ouvindo o meu coração pulsando acelerado e pensando na saudade que sentia de minha mulher.

Sohrab e eu passamos boa parte do dia seguinte jogando *panjpar*, sempre calados. E no outro dia também. Quase não falávamos. Ficávamos apenas jogando. Eu, recostado na cama; ele, sentado no banquinho de três pernas. E a nossa rotina só era quebrada pela voltinha que eu dava pelo quarto ou por uma ida ao banheiro lá no saguão. Mais tarde, à noite, tive um sonho. Sonhei que Assef estava parado na porta do meu quarto no hospital, ainda com a bolota de latão enfiada no olho. "Nós dois somos iguais", dizia ele. "Você foi criado junto com ele, mas é *meu* irmão gêmeo."

NO DIA SEGUINTE DE MANHÃ, disse a Armand que estava indo embora.

— Ainda é cedo para ter alta — protestou ele. Pela primeira vez, não estava vestido como cirurgião, mas usando um terno azul-marinho e uma gravata amarela. O cabelo estava novamente com gel.
— Você ainda está tomando antibióticos no soro e...

— Tenho que ir — disse eu. — Agradeço tudo o que fez por mim. O que todos vocês fizeram. De verdade. Mas tenho que ir embora.

— Para onde? — perguntou ele.

— Prefiro não dizer.

— Mas você mal pode andar...

— Consigo ir até o final do saguão e voltar — disse eu. — Vou ficar bem. — O plano era o seguinte: sair do hospital. Apanhar o dinheiro no cofre do banco e pagar as despesas médicas. Ir até o orfanato e entregar Sohrab a John e Betty Caldwell. Depois, arranjar alguém que me levasse a Islamabad e alterar os planos de viagem. Me dar mais alguns dias, até estar me sentindo melhor. E, então, pegar um avião para casa.

Pelo menos, era isso que pretendia fazer. Até Farid e Sohrab chegarem.

— Os seus amigos, esses tais de John e Betty Caldwell, não estão em Peshawar — disse Farid.

Levei dez minutos só para vestir o *pirhan-tumban*. O meu peito, no lugar que tinha sido aberto para eles introduzirem o dreno, doía quando eu levantava o braço, e a minha barriga latejava sempre que eu inclinava o corpo para frente. A minha respiração ficou ofegante com o simples esforço que fiz para pôr os meus poucos pertences em uma sacola de papel pardo. Mas consegui me aprontar e já estava sentado na beira da cama quando Farid apareceu com essa notícia. Sohrab sentou na cama ao meu lado.

— Onde é que eles foram? — perguntei.

Farid abanou a cabeça.

— Você não está entendendo...

— Porque Rahim Khan disse que...

— Fui ao consulado dos Estados Unidos — prosseguiu Farid pegando a sacola de papel. — Nunca houve ninguém chamado John ou Betty Caldwell em Peshawar. Segundo os funcionários do consulado, eles nunca existiram. Pelo menos não aqui, em Peshawar.

Perto de mim, Sohrab estava folheando o velho exemplar da *National Geographic*.

FOMOS APANHAR O DINHEIRO NO BANCO. O gerente, um sujeito barrigudo, com rodelas de suor debaixo dos braços, ficou o tempo todo sorrindo e afirmando que ninguém no banco tinha tocado no dinheiro.

— Absolutamente ninguém — disse ele muito sério, balançando o indicador à minha frente do mesmo jeito que Armand tinha feito.

Sair andando de carro por Peshawar com tanto dinheiro dentro de uma sacola de papel foi uma experiência ligeiramente assustadora. Além disso, eu suspeitava que qualquer homem barbudo que ficasse me olhando fosse um matador do Talibã, enviado por Assef. E duas coisas se combinavam para me deixar com medo: há um monte de homens barbudos em Peshawar, e todo mundo fica olhando para a gente.

— O que vamos fazer com ele? — perguntou Farid, me ajudando a andar bem devagar da tesouraria do hospital até o carro. Sohrab estava no banco de trás do Land Cruiser, olhando o trânsito pela janela baixada, com o queixo apoiado nas mãos.

— Ele não pode ficar em Peshawar — respondi, ofegante.

— Não, Amir *agha*, de jeito nenhum — disse Farid. Tinha lido a pergunta por detrás das minhas palavras. — Sinto muito. Gostaria de...

— Não tem problema, Farid — disse eu. Consegui lhe dar um sorriso cansado. — Você já tem muitas bocas para alimentar. — Um cachorro tinha parado perto do furgão, ficando de pé nas patas traseiras e, com as dianteiras apoiadas na porta, abanava o rabo. Sohrab estava brincando com ele. — Acho que vou levá-lo para Islamabad, até segunda ordem — acrescentei.

PASSEI QUASE TODAS AS QUATRO HORAS de viagem até Islamabad dormindo. Sonhei à beça, e praticamente só me lembro de um emaranhado de imagens, alguns retalhos de memória visual que me passavam pela cabeça como se fosse em um arquivo giratório. *Baba* marinando carne de cordeiro para o meu aniversário de treze anos. Soraya e eu fazendo amor pela primeira vez, com o sol nascendo a leste, as músicas do casamento ainda ecoando nos nossos ouvidos, as mãos dela, pintadas de hena, segurando as minhas. A vez que *baba* nos levou, a mim e a Hassan, até uma plantação de morangos em Jalalabad — o dono tinha nos dito que poderíamos comer o quanto quiséssemos, contanto que comprássemos pelo menos quatro quilos —, e nós dois acabamos com dor de barriga. Como parecia escuro, quase negro, o sangue de Hassan na neve, pingando dos fundilhos das suas calças. "O sangue é uma coisa poderosa, *bachem*." *Khala* Jamila dando uns tapinhas no joelho de Soraya e dizendo: "Deus sabe o que faz. Quem sabe não era mesmo para ser?" As noites em que dormíamos no telhado da casa de meu pai. *Baba* me dizendo que o único pecado realmente grave era roubar. "Quando mente, está roubando de alguém o direito de saber a verdade." Rahim Khan ao telefone, dizendo que havia um jeito de voltar a ser bom. "Um jeito de ser bom de novo..."

VINTE E QUATRO

SE PESHAWAR ERA A CIDADE QUE ME FAZIA lembrar do que Cabul tinha sido um dia, então Islamabad era a cidade que Cabul poderia ter se tornado no futuro. As ruas eram mais largas que as de Peshawar, mais limpas e todas arborizadas com hibiscos e *flamboyants*. Os *bazaars* eram mais organizados e bem menos atravancados de pedestres e riquixás. A arquitetura também era mais elegante, mais moderna, e vi parques onde floresciam rosas e jasmins à sombra das árvores.

Farid encontrou um pequeno hotel em uma rua transversal, perto das colinas Margalla. No caminho, passamos pela famosa mesquita Shah Faisal, considerada a maior do mundo, com as suas imensas vigas de concreto e os seus gigantescos minaretes. Sohrab se animou todo ao ver o prédio, debruçou na janela e ficou olhando para ele até Farid dobrar a esquina.

O QUARTO DO HOTEL REPRESENTAVA um progresso considerável com relação àquele onde Farid e eu ficamos lá em Cabul. Os lençóis eram limpos, os tapetes também, e o banheiro, impecável. Tinha xampu, sabonete, lâminas de barbear, uma banheira e toalhas com cheirinho de limão. E nenhuma mancha de sangue nas paredes. Mas não era só: havia um aparelho de TV sobre uma mesinha, defronte das duas camas de solteiro.

— Olhe! — disse eu, dirigindo-me a Sohrab. Liguei o botão, já que não havia controle remoto, e fui passando pelos canais. Encontrei um programa infantil com fantoches, que eram carneirinhos todos peludos, cantando em urdu. Sohrab sentou em uma das camas e abraçou as pernas junto ao peito. As imagens da TV se refletiam nos seus olhos verdes enquanto ele olhava fixo para a tela, balançando o corpo para frente e para trás. Lembrei daquela vez em que prometi a Hassan que compraria uma televisão colorida para a família dele, quando ambos fôssemos adultos.

— Tenho que ir andando, Amir *agha* — disse Farid.

— Passe a noite aqui — retruquei. — É uma longa viagem. Você pode ir amanhã de manhã.

— *Tashakor* — disse ele. — Mas quero voltar ainda esta noite. Estou com saudade dos meus filhos. — Quando estava saindo do quarto, parou diante da porta e disse: — Adeus, Sohrab *jan*. — Esperou pela resposta, mas Sohrab não lhe deu a mínima atenção. Continuou balançando o corpo para frente e para trás, com o rosto iluminado pelo brilho prateado das imagens que iam surgindo na tela.

Já fora do quarto, dei a Farid um envelope. Quando ele o abriu, ficou de queixo caído.

— Não sei como lhe agradecer — disse eu. — Você fez tanto por mim...

— Quanto tem aí? — perguntou ele, ligeiramente atordoado.

— Pouco mais de dois mil dólares.

— Dois mil... — balbuciou ele. O seu lábio inferior estava tremendo. Mais tarde, quando já estava saindo com o carro, buzinou duas vezes e acenou com a mão. Respondi acenando também. Nunca mais voltei a vê-lo.

Quando entrei de novo no quarto do hotel, encontrei Sohrab deitado na cama, encolhido como um "C". Os seus olhos estavam fechados, mas não saberia dizer se estava dormindo. Tinha desligado a televisão. Sentei na minha cama, fazendo uma careta de dor, e enxuguei o suor da testa. Fiquei me perguntando quanto tempo ainda ia continuar doendo para eu me levantar, me sentar, me virar na cama. Quando é que teria condições de comer coisas sólidas. O que ia fazer com aquele menino ferido, que estava deitado ali, na outra cama, embora uma parte de mim já soubesse a resposta para essa pergunta.

Havia uma garrafa com água na mesinha de cabeceira. Enchi um copo e tomei dois dos comprimidos de Armand. A água estava quente e amarga. Fechei as cortinas, fui me ajeitando na cama e me deitei. Parecia que o meu peito ia se esgarçar. Quando a dor diminuiu um pouquinho, e consegui respirar novamente, puxei o cobertor até o peito e fiquei esperando que os comprimidos de Armand fizessem efeito.

QUANDO ACORDEI, O QUARTO ESTAVA mais escuro. O pedacinho de céu que aparecia por entre as cortinas tinha o tom roxo do crepúsculo, e a noite já vinha chegando. Os lençóis estavam encharcados e a minha cabeça latejava. Tinha sonhado de novo, mas não conseguia me lembrar de nada.

Meu coração deu um salto quando olhei para a cama de Sohrab e vi que estava vazia. Chamei por ele. Tomei um susto com o som da minha própria voz. Era uma situação das mais desnorteadoras: eu, sentado em um quarto escuro de hotel, a milhares de quilômetros de casa, com o corpo todo arrebentado e chamando por um menino que só tinha conhecido uns poucos dias antes. Chamei novamente, mas não ouvi nada. Com muito esforço, saí da cama, procurei no banheiro, fui olhar no estreito corredor do lado de fora do quarto. Ele tinha ido embora.

Tranquei a porta e fui mancando até o escritório do gerente, no saguão de entrada, agarrando, com uma das mãos, o corrimão que havia no corredor para conseguir me firmar. Em um canto do saguão, havia uma palmeira de plástico empoeirada e, no papel de parede, flamingos que voavam. Quando cheguei, o gerente estava lendo um jornal por trás do balcão de tampo de fórmica da recepção. Descrevi

Sohrab e perguntei se ele o tinha visto. O homem baixou o jornal e tirou os óculos de leitura. Tinha o cabelo todo emplastrado e um bigodinho quadrado já com alguns fios grisalhos. O seu cheiro me lembrava vagamente uma fruta tropical que não consegui identificar.

— Meninos gostam de andar por aí — disse ele, com um suspiro. — Tenho três. Passam o dia inteiro correndo de um lado para o outro, e deixando a mãe preocupada.

Abanou-se com o jornal, sem tirar os olhos do meu rosto.

— Não acredito que ele esteja correndo por aí — disse eu. — Não somos de Islamabad. Estou com medo que ele possa se perder.

O gerente balançou a cabeça para um lado e para o outro.

— Então devia ter ficado de olho nele, moço.

— Sei disso — concordei. — Só que peguei no sono e, quando acordei, ele não estava mais lá.

— Mas a gente precisa tomar conta das crianças...

— Eu sei — exclamei, com a pulsação cada vez mais acelerada. Como é que aquele homem podia fazer tão pouco caso da minha apreensão? Ele passou o jornal para a outra mão, e recomeçou a se abanar.

— Agora estão querendo bicicletas...

— Quem?

— Os meus filhos — respondeu ele. — Vivem dizendo "Pai, pai, por favor, se comprar bicicletas para nós, vamos nos comportar direitinho. Por favor, pai" — prosseguiu ele, com um risinho nasalado. — Bicicletas! A mãe deles me mata, pode acreditar no que lhe digo.

Imaginei Sohrab caído em uma vala. Ou na mala de algum carro, amarrado e amordaçado. Não queria ter o sangue dele nas mãos. Mais isso, não!

— Por favor — disse eu. Apertei os olhos. Li o nome do gerente no crachá preso na sua camisa de algodão azul, de mangas curtas. — O senhor o viu, sr. Fayyaz?

— O menino?

Engoli a raiva.

— É, o menino! O menino que veio comigo. Pelo amor de Deus, o senhor o viu ou não?

Ele parou de se abanar. Estreitou os olhos.

— Não venha com irritação para cima de mim, meu amigo. Não fui eu quem perdeu o menino!

O fato de ele ter toda razão não impediu que eu ficasse lívido.

— O senhor está certo. Eu é que estou errado. A culpa é toda minha. Agora, pode me dizer se o viu?

— Desculpe — disse ele, lacônico. Pôs os óculos de novo. Abriu o jornal ruidosamente. — Não vi, não.

Fiquei parado ali, diante do balcão, por um minuto, fazendo um esforço para não gritar. Quando já estava saindo do saguão, ele perguntou:

— Tem alguma idéia de onde ele possa ter ido?

— Não — respondi. Estava me sentindo cansado. Cansado e apavorado.

— Alguma coisa que pudesse interessá-lo? — indagou o gerente. Vi que tinha voltado a dobrar o jornal. — Os meus filhos, por exemplo, fazem qualquer coisa para ver filmes de ação americanos, principalmente com aquele tal de Arnold Whatsanegger...

— A mesquita! — exclamei. — A mesquita enorme! — Lembrei que Sohrab tinha saído da pasmaceira habitual quando passamos diante dela; lembrei do jeito como se debruçou na janela para ficar olhando para o prédio.

— A Shah Faisal?

— Isso mesmo. Pode me levar até lá?

— Sabia que é a maior mesquita do mundo? — indagou ele à guisa de resposta.

— Não, mas...

— Só o átrio comporta quatro mil pessoas.

— Pode me levar até lá?

— Fica apenas a um quilômetro daqui — disse ele. Mas já estava saindo do seu lugar atrás do balcão.

— Pago pela corrida — disse eu.

Ele suspirou e abanou a cabeça.

— Espere aqui. — E desapareceu pela porta de um quarto nos fundos. Saiu de lá usando outros óculos e trazendo um molho de chaves na mão. Atrás dele, vinha uma mulher baixinha e gorducha, com um sári cor de laranja, que tomou o seu lugar na recepção. — Não vou levá-lo até lá por dinheiro — disse ele passando por mim feito uma bala. — Estou fazendo isso porque também sou pai.

PENSEI QUE FÔSSEMOS FICAR RODANDO pela cidade inteira até a noite. Já me via indo à polícia, descrevendo Sohrab para os guardas, sob o olhar reprovador de Fayyaz. Ouvia o delegado, com voz cansada e desinteressada, fazendo as perguntas de praxe. E, por detrás dessas perguntas oficiais, uma outra, extra-oficial: quem diabos vai se preocupar com mais uma criança afegã morta?

Mas acabamos encontrando Sohrab a uns quinhentos metros da mesquita, sentado no estacionamento parcialmente vazio, na borda de um canteirinho gramado. Fayyaz parou o carro ali perto para eu descer.

— Tenho que voltar — disse ele.

— Está ótimo. Podemos ir a pé — disse eu. — Muito obrigado, sr. Fayyaz. Obrigado mesmo.

Depois que desci, ele se inclinou no banco da frente.

— Posso lhe dizer uma coisa?

— Claro.

Na penumbra do crepúsculo, o seu rosto era apenas um par de óculos refletindo a pouca luz que ainda havia.

— O que acontece com vocês, afegãos, é que... bem, vocês são um povo meio irresponsável.

Estava cansado e com dor. As minhas mandíbulas latejavam. E aqueles malditos ferimentos no meu peito e na minha barriga pareciam arame farpado por baixo da pele. Assim mesmo, porém, comecei a rir.

— O que... o que fiz... — principiou Fayyaz, mas eu já estava às gargalhadas, com o riso saindo aos trancos pela minha boca costurada. — Que gente mais maluca... — exclamou ele. E saiu com o carro, cantando os pneus, com o vermelho das lanternas traseiras brilhando na luz pálida do anoitecer.

— VOCÊ ME DEU O MAIOR SUSTO — disse eu. Sentei ao seu lado, me encolhendo de dor ao curvar o corpo.

Sohrab estava fitando a mesquita. A Shah Faisal tinha o feitio de uma gigantesca tenda. Carros iam e vinham; fiéis vestidos de branco entravam e saíam. Ficamos sentados ali em silêncio, eu recostado na árvore, Sohrab perto de mim, com os joelhos encolhidos contra o peito. Ouvimos a chamada para a oração, vimos as centenas de lâmpadas do prédio se acenderem quando escureceu. A mesquita brilhava como um diamante na escuridão. Chegava a iluminar o céu, e o rosto de Sohrab.

— Já esteve alguma vez em Mazar-i-Sharif? — indagou ele, com o queixo apoiado nos joelhos.

— Há muito tempo. Não me lembro muito bem da cidade.

— O pai me levou lá uma vez, quando eu era pequeno. A mãe e Sasa também foram com a gente. O pai comprou um macaco para mim no *bazaar*. Não um de verdade. Um daqueles de encher. Ele era marrom e tinha uma gravata-borboleta.

— Acho que tive um desses quando era criança.

— O pai me levou à Mesquita Azul — disse ele. — Lembro que tinha um montão de pombos do lado de fora da *masjid* e eles não tinham nenhum medo das pessoas. Vieram direto para cima de nós. Sasa me deu uns pedacinhos de *naan* para eu jogar para eles. Em um minuto, estava cercado de pombos arrulhando por todo lado. Foi bem divertido.

— Você deve sentir muita saudade dos seus pais — disse eu. Sempre me perguntei se teria visto o Talibã arrastando os dois pela rua. Espero que não.

— Você tem saudade dos seus? — perguntou ele, encostando o peito nos joelhos e erguendo os olhos para mim.

— Se tenho saudade dos meus pais? Bom, não conheci a minha mãe. Já o meu pai morreu há alguns anos, e sinto saudade dele sim. Às vezes muita saudade.

— Lembra como ele era?

Pensei no pescoço grosso de *baba*, nos seus olhos negros, no cabelo castanho e rebelde. Sentar no colo dele era como sentar em um par de troncos de árvore.

— Lembro sim — respondi. — E do cheiro dele também.

— Estou começando a esquecer o rosto dos meus pais — disse Sohrab. — Isso é ruim?

— Não — respondi. — O tempo é assim mesmo. — Lembrei de uma coisa. Procurei no bolso da frente do casaco. Achei o instantâneo Polaroid de Hassan e Sohrab. — Olhe aqui — disse.

Ele pôs a foto a um palmo do rosto, virando-a um pouco para que a luz da mesquita a iluminasse. Ficou olhando para ela por um bom tempo. Achei que fosse chorar, mas não chorou. Simplesmente ficou segurando a fotografia com as duas mãos, passando o polegar sobre ela. Lembrei de uma frase que li em algum lugar, ou que talvez tenha ouvido alguém dizer: "Há muitas crianças no Afeganistão, mas muito pouca infância." Sohrab estendeu a mão para me devolver o retrato.

— Pode ficar com ela — disse eu. — É sua.

— Obrigado — respondeu ele. Olhou para a foto mais uma vez e meteu-a no bolso do casaco. Uma carroça puxada por um cavalo entrou no estacionamento. Sininhos balançavam no pescoço do animal, tilintando a cada passo que ele dava.

— Tenho pensado muito em mesquitas ultimamente — disse Sohrab.

— Tem mesmo? Mas, pensado o quê?

Ele deu de ombros.

— Só pensado. — Ergueu o rosto e me encarou. Agora estava chorando, de mansinho, calado. — Posso lhe perguntar uma coisa, Amir *agha*?

— Claro que pode.

— Será que... — principiou ele, e a sua voz ficou embargada. — Será que Deus vai me mandar para o inferno por causa do que eu fiz com aquele homem?

Esbocei um gesto na sua direção, mas ele recuou. E eu também.

— Não — respondi. — Claro que não. — Queria puxá-lo para mim, abraçá-lo, dizer que era o mundo que tinha sido mau com ele, e não o contrário.

O seu rosto se contraiu, fazendo um esforço para aparentar serenidade.

— O pai sempre dizia que é errado machucar as pessoas, mesmo as malvadas. Porque elas não têm condições de fazer outra coisa, e porque, às vezes, as pessoas más podem se tornar boas.

— Nem sempre, Sohrab.

Ele me olhou com um ar intrigado.

— Conheço aquele homem que maltratou você há muitos anos — disse eu. — Acho que percebeu isso pela conversa que tivemos. Ele... tentou me machucar uma vez, quando eu tinha a sua idade, mas seu pai me salvou. Seu pai era muito corajoso e estava sempre me livrando das encrencas, me defendendo. Aí, um dia, o sujeito malvado resolveu atacar o seu pai e o machucou muito, muito mesmo... e eu... e eu não pude salvar o seu pai como ele sempre me salvava.

— Por que alguém ia querer machucar meu pai? — perguntou Sohrab com uma vozinha ofegante. — Ele nunca fez mal a ninguém.

— Tem razão. Seu pai era um bom homem. Mas é isso que estou tentando lhe dizer, Sohrab *jan*. Que há gente muito má neste mundo, e que, às vezes, essas pessoas continuam más para sempre. Às vezes, a gente tem que enfrentá-las. O que você fez com aquele homem é o que eu deveria ter feito muitos anos atrás. Você lhe deu o que ele merecia, e ele merecia até mais que isso.

— Você acha que o pai está desapontado comigo?

— Tenho certeza que não — respondi. — Você salvou a minha vida, lá em Cabul. Sei que ele está muito orgulhoso por você ter feito isso.

Sohrab enxugou o rosto com a manga da camisa. Uma bolha de cuspe que tinha se formado em seus lábios estourou. Ele cobriu o rosto com as mãos e ficou chorando por um bom tempo, até que voltou a falar.

— Tenho saudade do pai, e da mãe também — disse, com voz rouca. — E tenho saudade de Sasa e de Rahim Khan *sahib*. Mas, às vezes, fico feliz por eles não estarem... não estarem mais aqui.

— Por quê? — perguntei, pondo a mão em seu braço. Ele se retraiu.

— Porque... — balbuciou ele por entre os soluços — porque não quero que me vejam assim... Estou tão sujo... — Respirou fundo e soltou o ar em um grito ofegante. — Estou tão sujo e tão cheio de pecados...

— Você não está sujo, Sohrab — disse eu.

— Aqueles homens...

— Você não está sujo não.

— ...eles fizeram umas coisas... o homem mau e os outros dois... fizeram umas coisas... fizeram umas coisas comigo.

— Você não está sujo, e também não está cheio de pecados. — Toquei novamente em seu braço e, mais uma vez, ele se retraiu. Estendi a mão de novo, suavemente, e o trouxe para mais perto de mim. — Não vou machucá-lo — sussurrei. — Prometo. — Ele ainda resistiu um pouquinho. Depois relaxou. Deixou que eu o abraçasse e apoiou a cabeça no meu peito. Fiquei ali, com aquele menininho que estremecia nos meus braços a cada soluço que dava.

Existe um parentesco entre as pessoas que mamaram do mesmo leite. Agora, enquanto a dor daquela criança ia encharcando a minha camisa, percebi que esse parentesco tinha criado raízes também entre nós dois. O que aconteceu naquela sala com Assef nos ligou um ao outro irremediavelmente.

Fiquei esperando a hora certa, o momento certo para fazer a pergunta que vinha martelando em minha cabeça e me tirando o sono à noite. Decidi que o momento era agora, bem aqui, neste instante, com as luzes resplandecentes da casa de Deus brilhando sobre nós.

— Você gostaria de ir morar nos Estados Unidos, comigo e com a minha mulher?

Sohrab não respondeu. Continuou soluçando, encostado no meu peito, e deixei que ficasse assim.

DURANTE UMA SEMANA NENHUM DE NÓS mencionou o que eu tinha perguntado, como se aquela pergunta não houvesse existido. Então, um dia, Sohrab e eu pegamos um táxi para ir até o mirante Daman-e-Koh, ou "a bainha da montanha". Encarapitado a meio caminho na subida das colinas Margalla, o mirante tem uma vista panorâmica de Islamabad, com as suas fileiras de avenidas limpas e arborizadas, e o seu casario branco. O motorista nos disse que, lá de cima, podíamos ver o palácio presidencial.

— Depois de uma chuva, quando o ar está límpido, pode-se ver até além de Rawalpindi — acrescentou. Pelo retrovisor, percebi que os seus olhos iam de mim para Sohrab, e vice-versa, sem parar. Vi também o meu próprio rosto. Já não estava tão inchado quanto antes, mas tinha um tom amarelado, por causa da quantidade de hematomas que começavam a desaparecer.

Sentamos em um banco de uma das áreas para piquenique, à sombra de um eucalipto. Estava fazendo calor e o sol brilhava lá no alto, em um céu azul-topázio. Nos bancos vizinhos, famílias comiam *samosas* e *pakoras*. Em algum lugar, um rádio tocava uma canção indiana que me pareceu conhecida, de algum velho filme, talvez *Pakeeza*. Crianças, várias delas da idade de Sohrab, corriam atrás de bolas de futebol, rindo e gritando. Lembrei do orfanato de Karteh-Seh, lembrei do rato que passou correndo entre os meus pés, lá no escritório de Zaman. Senti o peito apertado por uma onda de raiva inesperada pensando em como os meus compatriotas estavam destruindo o seu próprio país.

— O que foi? — perguntou Sohrab. Dei um sorriso forçado e disse que não era nada de importante.

Abrimos uma toalha de banho do hotel sobre a mesa de piquenique e ficamos jogando *panjpar*. Achei bom estar ali, com o filho de meu meio-irmão, jogando cartas, sentindo o calor do sol batendo na minha nuca. A canção acabou e começou uma outra que não reconheci.

— Olhe! — exclamou Sohrab, apontando para o alto com as cartas. Olhei para cima e vi um falcão voando em círculos naquele céu imenso e límpido.

— Não sabia que havia falcões em Islamabad — disse eu.

— Nem eu — retrucou ele, acompanhando com os olhos os giros da ave. — Tem falcões lá onde você mora?

— Em San Francisco? Acho que sim. Embora não possa dizer que já tenha visto muitos deles.

— Ah... — disse ele. Fiquei com esperança de que fizesse mais perguntas, mas ele simplesmente recomeçou a distribuir as cartas e perguntou se podíamos comer. Abri a sacola de papel e lhe dei um sanduíche de carne. Já o meu almoço consistia em mais um copo de suco de banana com laranja, preparado no liquidificador do sr. Fayyaz que aluguei por uma semana. Chupei o canudo e a minha boca se encheu da doçura daquelas frutas misturadas. Escorreu um pouco do líquido pelo canto dos meus lábios. Sohrab me deu um guardanapo e ficou me olhando enquanto eu limpava a boca. Sorri para ele e ele sorriu para mim.

— Seu pai e eu éramos irmãos — disse eu. Aquilo saiu assim, sem mais nem menos. Quis dizer isso naquela noite, quando estávamos sentados perto da mesquita, mas não disse. No entanto ele tinha o direito de saber; e eu não queria esconder nada, nunca mais. — Na verdade, meio-irmãos. Nosso pai era o mesmo.

Sohrab parou de mastigar e largou o sanduíche.

— O pai nunca me disse que tinha um irmão.

— É porque ele não sabia.

— Por que não?

— Porque ninguém contou para ele — respondi. — Nem para mim. Só fui descobrir isso há muito pouco tempo.

Sohrab piscou os olhos. Como se estivesse me olhando, me olhando *de verdade*, pela primeira vez.

— Mas por que as pessoas esconderam isso do pai e de você?

— Sabe que foi exatamente a pergunta que me fiz ainda outro dia? E encontrei uma resposta, mas ela não é boa. Digamos que ninguém nos contou porque seu pai e eu... não deveríamos ser irmãos.

— Porque ele era hazara?

Forcei meus olhos a continuarem fitando Sohrab.

— É.

— O seu pai... — principiou ele olhando para o sanduíche. — O seu pai amava você e meu pai do mesmo jeito?

Lembrei de um dia distante, no lago Ghargha, quando *baba* se permitiu dar uns tapinhas nas costas de Hassan porque a pedra dele pulou na água mais vezes do que a minha. Revi *baba* no quarto do hospital, radiante porque estavam removendo as ataduras dos lábios de Hassan.

— Acho que ele nos amava igualmente, mas de jeitos diferentes.

— Ele tinha vergonha do meu pai?

— Não — respondi. — Acho que ele se envergonhava de si mesmo.

Sohrab pegou de volta o sanduíche e começou a mordiscá-lo em silêncio.

Fomos embora no final da tarde, cansados, por causa do calor, mas aquele era um cansaço gostoso. Durante toda a viagem de volta, senti que Sohrab estava me olhando. Pedi que o motorista parasse diante de uma loja que vendia cartões telefônicos. Dei a ele o dinheiro e uma gorjeta, pedindo-lhe que desse um pulo até lá e comprasse um para mim.

À noite, ficamos deitados na cama vendo um programa de entrevistas na TV. Dois religiosos, com longas barbas grisalhas e turbantes brancos, recebiam telefonemas de fiéis do mundo inteiro. Um indivíduo chamado Ayub, que estava ligando da Finlândia, perguntou se o filho adolescente poderia ir para o inferno por usar as calças tão baixo que o cós da cueca ficava aparecendo.

— Vi uma foto de San Francisco uma vez — disse Sohrab.

— É mesmo?

— Tinha uma ponte vermelha e um prédio com um teto pontudo.

— Você devia ver as ruas de lá — disse eu.

— O que tem nelas? — indagou ele. Estava olhando para mim nesse momento. Na tela da TV, os dois mulás confabulavam entre si.

— São umas ladeiras tão íngremes que, quando a gente está subindo por elas, tudo o que consegue ver é o capô do carro e o céu — respondi.

— Parece assustador — comentou ele. Virou-se na cama ficando de frente para mim e de costas para a TV.

— Assusta mesmo, mas só nas primeiras vezes — prossegui. — Depois a gente se acostuma.

— Lá neva?

— Não, mas tem muita neblina. Sabe aquela ponte vermelha que você viu?

— Sei.

— Às vezes, a neblina fica tão cerrada, pela manhã, que só dá para ver a pontinha dos seus pilares, lá no alto.

Desta vez ele sorriu, encantado.

— Puxa!

— Sohrab?

— O quê?

— Você pensou naquilo que perguntei outro dia?

O sorriso desapareceu do seu rosto. Ele virou de barriga para cima e cruzou as mãos atrás da cabeça. Afinal, os mulás chegaram à conclusão que o filho de Ayub iria para o inferno por usar as calças do jeito que usava. Alegaram que isso estava no *Haddith*.

— Andei pensando nisso, sim — disse Sohrab.

— E...?

— E fico com medo.

— Sei que é um pouco assustador — disse eu me agarrando àquela pontinha de esperança. — Mas você vai aprender inglês bem depressa, e logo vai se acostumar com...

— Não foi isso que quis dizer. Isso também me dá medo, mas...

— Mas o quê?

Sohrab se virou de novo para mim. Encolheu os joelhos.

— E se você se cansar de mim? E se a sua mulher não gostar de mim?

Levantei o mais depressa que pude e atravessei o espaço que nos separava. Sentei na cama ao seu lado.

— Nunca vou me cansar de você, Sohrab — disse eu. — Nunca mesmo. É verdade. Juro. Você é meu sobrinho, lembra? E Soraya *jan* é uma mulher muito legal. Pode confiar em mim, ela vai adorar você. Tenho certeza. — Resolvi arriscar. Me inclinei e peguei a mão dele. Sohrab ficou um pouco tenso, mas me deixou segurá-la.

— Não quero ir para outro orfanato — disse ele.

— Eu nunca deixaria isso acontecer. Prometo — retruquei, segurando sua mão entre as minhas. — Venha comigo.

Suas lágrimas estavam molhando o travesseiro. Por um bom tempo, ficou calado. Depois, apertou a minha mão. E fez que sim com a cabeça. Fez que sim.

Só consegui completar a ligação na quarta tentativa. O telefone tocou três vezes antes que ela atendesse.

— Alô? — Eram sete e meia da noite em Islamabad, portanto, mais ou menos a mesma hora da manhã na Califórnia. O que significava que Soraya tinha se levantado há cerca de uma hora, e estava se aprontando para ir para a escola.

— Sou eu — disse. Estava sentado na cama, olhando para Sohrab, que dormia.

— Amir! — exclamou ela quase gritando. — Você está bem? Onde está?

— No Paquistão.

— Por que não telefonou antes? Quase morri de *tashweesh*! Minha mãe tem rezado e feito *nazr* diariamente.

— Desculpe por não ter telefonado. Agora estou bem. — Tinha lhe dito que ficaria fora por uma semana, ou duas no máximo. Já fazia quase um mês que tinha viajado. Sorri. — E diga a *khala* Jamila que pare de matar carneiros.

— O que quer dizer com "agora estou bem"? E o que aconteceu com a sua voz?

— Não precisa se preocupar com isso. Estou bem. De verdade. Soraya, tenho que lhe contar uma história. Uma história que já devia ter contado há muito tempo. Mas, antes, preciso lhe dizer uma coisa.

— O que é? — perguntou ela, e a sua voz soou mais baixa, mais cautelosa.

— Não vou voltar sozinho. Estou levando um garotinho comigo. — E, depois de uma pausa, acrescentei: — Queria que nós o adotássemos.

— O *quê?*

Olhei para o relógio.

— Daqui a cinqüenta e sete minutos esse maldito cartão vai acabar e tenho muitas coisas para lhe contar — disse eu. — Sente em algum lugar — acrescentei. Então, ouvi o barulho de uma cadeira sendo arrastada às pressas pelo assoalho.

— Pode falar — disse ela.

E, desta vez, fiz o que não tinha feito em quinze anos de casado: contei tudo para minha mulher. Tudo mesmo. Tinha imaginado esse momento mil vezes, e sempre fiquei com medo. Quando falei, porém, senti como se tivesse tirado um peso do meu peito. E achei que Soraya devia ter sentido alguma coisa bem parecida na noite do nosso *khastegari*, depois que me falou do seu passado.

Quando terminei a minha história, ela estava chorando.

— O que você acha? — perguntei.

— Não sei o que pensar, Amir. Você me contou tanta coisa de uma vez só...

— Sei disso.

Ouvi que assoava o nariz.

— Uma coisa, porém, eu sei: você tem que trazê-lo para casa. Quero que faça isso.

— Tem certeza? — perguntei, fechando os olhos e sorrindo.

— Se tenho certeza? — exclamou ela. — Ele é seu *qaom*, Amir, é sua família e, portanto, é meu *qaom* também. Claro que tenho certeza. Você não pode deixá-lo aí pelas ruas. — Calou-se por um instante. — Como ele é?

Olhei para Sohrab dormindo na cama ao meu lado.

— É doce, de um jeito meio sério.

— Também, não é para menos... — disse ela. — Quero conhecê-lo, Amir. Quero mesmo.

— Soraya?

— O quê?

— *Dostet darum.* Amo você.

— Amo você também — disse ela. Pelo seu jeito de falar, dava para perceber que estava sorrindo. — E trate de se cuidar.

— Pode deixar. Só mais uma coisa. Não diga aos seus pais quem ele é. Se tiverem que saber, que seja por mim.

— Tudo bem.

Desligamos o telefone.

O GRAMADO DEFRONTE DA EMBAIXADA dos Estados Unidos em Islamabad era aparado com capricho, pontilhado de canteiros de flores circulares, e cercado por uma borda de arbustos podados bem certinho. O prédio em si era como outros tantos pela cidade: baixo e branco. Passamos por diversos postos de controle antes de chegar até lá e três agentes de segurança diferentes me submeteram a uma revista corporal completa, depois que os arames da minha mandíbula fizeram disparar o detector de metais. Quando conseguimos enfim entrar, vindo do calor do lado de fora, o ar-condicionado bateu em cheio no meu rosto como um jato de água gelada. A secretária que ficava na recepção, uma loura de uns cinqüenta e poucos anos, de rosto fino e magro, sorriu quando eu disse como me chamava. Estava usando uma blusa bege e um terninho preto. Depois de várias semanas, era a primeira mulher que via usando algo que não fosse uma *burqa* ou um *shalwar-kameez*. Procurou na agenda do dia, batendo com a borracha da ponta do lápis na mesa. Encontrou o meu nome e me mandou sentar.

— Gostariam de uma limonada? — perguntou ela.

— Não, obrigado — respondi.

— E o seu filho?

— Como?

— O rapazinho bonito — disse ela, olhando para Sohrab.

— Ah! Seria ótimo. Obrigado.

Sohrab e eu sentamos no sofá de couro preto defronte da mesa da recepcionista, perto de uma grande bandeira dos Estados Unidos. Sohrab pegou uma revista na mesinha de centro com tampo de vidro. Ficou virando as páginas, sem olhar realmente as figuras.

— O que foi? — indagou ele.

— O que foi o quê?

— Você está sorrindo — respondeu.

— Estava pensando em você — disse eu.

Ele riu, nervoso. Pegou outra revista e levou menos de trinta segundos para folheá-la.

— Não precisa ficar com medo — disse eu pondo a mão no seu braço. — Essa gente é boazinha. Relaxe. — O conselho servia para mim também. Não tinha parado de me remexer no sofá, desamarrando e amarrando de novo o cadarço dos sapatos. A secretária pôs um copo grande com limonada e gelo em cima da mesinha. — Pronto. Aqui está — disse ela.

Sohrab sorriu, encabulado.

— *Thank you very much* — disse ele, em inglês. O que saiu foi alguma coisa como *"Tank you wery match"*. E era tudo o que sabia de inglês, segundo me disse. Isso e *"Have a nice day"*.

Ela riu.

— Não há de quê — respondeu. E voltou para a sua mesa, com o barulhinho dos saltos dos sapatos batendo no chão.

— *Have a nice day* — disse Sohrab.

RAYMOND ANDREWS ERA UM SUJEITO baixinho, com umas mãozinhas miúdas, as unhas muitíssimo bem-cuidadas e uma aliança de casamento no dedo anular. Me recebeu com um breve aperto de mão e senti como se estivesse apertando um passarinho. "Nosso destino está nessas mãos", pensei, enquanto Sohrab e eu nos sentávamos nas cadeiras defronte da escrivaninha dele. Na parede, às suas costas, estava pendurado um pôster de *Les Misérables*, ao lado de um mapa topográfico dos Estados Unidos. No parapeito da janela, um pé de tomates plantado em um vaso pegava sol.

— Fuma? — perguntou ele com uma voz de barítono profundo que destoava de sua pequena estatura.

— Não, obrigado — respondi, sem me importar absolutamente com o fato de Andrews mal ter olhado para Sohrab e também não me encarar enquanto falava. Ele abriu uma gaveta da escrivaninha e acendeu um cigarro tirado de um maço já meio vazio. Da mesma gaveta tirou ainda um frasco de loção. Ficou olhando para o pé de tomates, esfregando a loção nas mãos, com o cigarro pendendo do canto da boca. Depois, fechou a gaveta, apoiou os cotovelos na mesa e exalou. — Então — disse ele, acompanhando com os olhos cinzentos a fumaça do cigarro —, conte-me a sua história.

Estava me sentindo como Jean Valjean sentado diante de Javert. Disse para mim mesmo que agora estava em solo americano, que aquele sujeito estava do meu lado, que era pago para ajudar pessoas como eu. — Quero adotar este menino e levá-lo comigo quando voltar para os Estados Unidos — disse eu.

— Conte-me a sua história — repetiu ele, apertando com o indicador um tantinho de cinza que tinha caído na escrivaninha impecável e jogando aquilo na lata de lixo.

Contei a versão que tinha arquitetado, depois de falar com Soraya por telefone. Fui ao Afeganistão para buscar o filho de meu meio-irmão. Encontrei o menino em condições deploráveis, abandonado em um orfanato. Paguei uma quantia em dinheiro ao diretor da instituição e consegui retirar o menino de lá. Então, voltei com ele para o Paquistão.

— O senhor é meio-tio do menino?

— Sou.

Andrews olhou para o relógio. Inclinou-se e virou o vaso com o pé de tomates no parapeito da janela.

— Conhece alguém que possa atestar isso?

— Conheço, mas não sei onde ele se encontra agora.

Ele se virou para mim e assentiu com um gesto. Tentei decifrar o seu rosto, mas não consegui. E me perguntei se ele já teria usado aquelas mãozinhas em um jogo de pôquer.

— Presumo que não mandou pôr esses arames no seu rosto porque era a última moda — afirmou ele. Sohrab e eu estávamos em maus lençóis. Agora sabia disso. Disse-lhe que tinha sido agredido por um assaltante em Peshawar.

— Claro — disse ele. Pigarreou. — O senhor é muçulmano?

— Sou.

— Praticante?

— Sou.

Na verdade, nem me lembrava da última vez que tinha apoiado a testa no chão para rezar. Mas depois me lembrei: foi no dia em que o dr. Amani nos deu o diagnóstico de *baba*. Ajoelhei então no tapete de orações e só conseguia recordar alguns fragmentos de versículos aprendidos na escola.

— Isso ajuda um pouco, no seu caso, mas não muito — prosseguiu ele, coçando um ponto qualquer no repartido impecável de seu cabelo ruivo.

— O que quer dizer com isso? — perguntei. Peguei a mão de Sohrab e enlacei os meus dedos nos seus. Ele só fazia olhar para Andrews e para mim com um ar de quem não estava entendendo nada.

— Há uma resposta longa, e tenho certeza de que é a que vou acabar lhe dando. Mas não quer primeiro a resposta curta?

— Acho que sim — respondi.

Andrews apagou o cigarro, franzindo os lábios.

— Desista.

— Como?

— Da requisição para adotar esse rapazinho. Desista. É o conselho que lhe dou.

— O seu conselho foi devidamente registrado — disse eu. — Mas, agora, quem sabe o senhor não me diz por quê?

— Isso significa que o senhor está querendo a resposta longa — retrucou ele, impassível, sem demonstrar qualquer reação diante do meu tom ríspido. Juntou as mãos como se estivesse de joelhos na frente da Virgem Maria. — Admitamos que essa sua história seja verdadeira, embora eu seja capaz de apostar os meus vencimentos como boa parte dela foi inventada ou omitida. Não que isso tenha alguma importância, note bem. O senhor está aqui, ele está aqui, e isso é tudo o que conta. Mesmo assim, a sua requisição esbarra com obstáculos significativos, sendo que um deles, e não é o mais simples, é o fato de essa criança não ser órfã.

— Claro que é.

— Não. Legalmente, não é.

— Os pais dele foram executados no meio da rua. Todos os vizinhos viram — disse eu, feliz por estarmos falando inglês.

— O senhor tem as certidões de óbito?

— *Certidões de óbito?* Mas estamos falando do Afeganistão! A maioria das pessoas por lá não tem nem certidão de *nascimento*...

Os seus olhos vidrados nem sequer piscavam.

— Não sou eu quem faz as leis, meu senhor. Apesar da sua indignação, continua sendo necessário provar que os pais faleceram. Só assim o menino pode ser legalmente declarado órfão.

— Mas...

— O senhor queria a resposta longa. Pois é o que estou fazendo. O problema que terá de enfrentar a seguir é obter a cooperação do país de origem da criança. Ora, isso já é difícil nas circunstâncias mais favoráveis, e, para usar as suas próprias palavras, estamos falando do Afeganistão. Não temos embaixada em Cabul. O que torna as coisas extremamente complicadas. Praticamente impossíveis.

— O senhor está dizendo que devo atirá-lo de volta às ruas? — exclamei.

— Não foi isso que eu disse.

— Ele foi vítima de abuso sexual — prossegui, lembrando dos sininhos nos tornozelos de Sohrab, dos seus olhos pintados com delineador.

— Lamento muito — disse a boca de Andrews. No entanto, pelo seu jeito de me olhar, poderíamos perfeitamente estar falando sobre o tempo que fazia lá fora. — Mas isso não vai fazer com que o serviço de imigração libere um visto para esse menino.

— O que é que o senhor está dizendo?

— Estou dizendo que, se quiser ajudar, mande dinheiro para uma organização de ajuda humanitária que goze de boa reputação. Ou aliste-se como voluntário em um campo de refugiados. Mas, a essa altura dos acontecimentos, temos desencorajado veementemente qualquer cidadão dos Estados Unidos a tentar adotar crianças afegãs.

Levantei da cadeira.

— Vamos embora, Sohrab — disse eu, em farsi. Sohrab veio para perto de mim e apoiou a cabeça no meu quadril. Lembrei da foto Polaroid em que ele e Hassan estavam parados desse mesmo jeito.

— Posso lhe fazer uma pergunta, sr. Andrews?

— Pois não.

— O senhor tem filhos?

Pela primeira vez, ele piscou.

— E então, tem? É uma pergunta simples.

Ele ficou calado.

— Foi o que pensei — disse eu, pegando Sohrab pela mão. — Deveriam ter posto nessa cadeira alguém que soubesse o que é querer um filho. — Virei para sair, e Sohrab veio vindo logo atrás.

— E eu, posso lhe fazer uma pergunta? — indagou Andrews.

— Faça.

— O senhor prometeu a essa criança que a levaria consigo?

— Qual é o problema?

Ele abanou a cabeça.

— É sempre um perigo prometer certas coisas a uma criança. — Suspirou e abriu novamente a gaveta da escrivaninha. — Pretende realmente levar isso adiante? — prosseguiu ele, remexendo em uns papéis.

— Claro que pretendo.

Andrews apanhou um cartão de visitas.

— Então, eu o aconselho a procurar um bom advogado especializado em imigração. Omar Faisal trabalha aqui, em Islamabad. Pode dizer a ele que foi indicado por mim.

Peguei o cartão.

— Obrigado — murmurei.

— Boa sorte — disse ele. Quando estávamos saindo da sala, olhei para trás. Andrews estava de pé, parado em um retângulo de sol, olhando pela janela com um ar ausente, girando o vaso de tomates na direção do sol, cuidando da planta com todo carinho.

— Passar bem — disse a secretária quando já estávamos de saída.

— O seu chefe bem que poderia ser um pouco mais gentil — disse eu. Na verdade, esperava que ela revirasse os olhos, talvez assentindo, como se dissesse "Sei disso. É o que todo mundo diz". Em vez disso, ela baixou a voz. — Pobre Ray. Nunca mais foi o mesmo desde que a filha morreu.

Ergui uma sobrancelha.

— Suicídio — sussurrou ela.

No táxi, voltando para o hotel, Sohrab apoiou a cabeça no vidro da janela e ficou olhando os prédios que passavam, as fileiras de eucaliptos. Seu hálito embaçava o vidro. Ele limpava e, depois, embaçava de novo. Fiquei esperando que me perguntasse alguma coisa sobre a entrevista, mas não perguntou nada.

A água escorria do outro lado da porta fechada do banheiro. Desde que chegamos àquele hotel, Sohrab tomava um banho bem demorado toda noite, antes de ir para a cama. Em Cabul, água quente nas torneiras é como os pais, um artigo raro. Agora, Sohrab passava quase uma hora no banho, mergulhado naquela água ensaboada, se esfregando. Sentado na beira da cama, liguei para Soraya. Dei uma olhada para a fina réstia de luz por baixo da porta do banheiro. "Será que já está se sentindo limpo, Sohrab?"

Contei para ela o que Raymond Andrews tinha me dito.

— O que você acha? — perguntei.

— Temos de acreditar que ele está enganado — respondeu ela.

Soraya me disse que tinha telefonado para algumas agências de adoção que tratavam de casos internacionais. Ainda não tinha encontrado uma que se dispusesse a fazer isso com o Afeganistão, mas ia continuar procurando.

— Como foi que os seus pais receberam a notícia?

— *Madar* está feliz por você. Sabe muito bem como ela o adora, Amir. A seus olhos, nada do que você possa fazer é errado. Já *padar*... bem, como sempre, ele é um pouco mais difícil. Não tem falado muito sobre isso.

— E você? Está feliz?

Ouvi ela mudando o fone para a outra mão.

— Acho que vamos fazer muito bem ao seu sobrinho, mas talvez esse menininho também nos faça muito bem.

— Era exatamente o que eu estava pensando.

— Sei que pode parecer loucura, mas me peguei imaginando qual seria a *qurma* favorita dele, ou a matéria preferida na escola. Já me vejo ajudando com o dever de casa... — Ela riu. No banheiro, a torneira tinha sido fechada. Dava para ouvir Sohrab lá dentro, se remexendo, derramando água pelas bordas da banheira.

— Você vai ser maravilhosa... — disse eu.

— Ah, já ia esquecendo! Telefonei para *kaka* Sharif!

Lembrei dele no nosso *nika*, recitando aquele poema escrito no papel de carta do hotel. Lembrei do seu filho segurando o Corão acima das nossas cabeças quando estávamos caminhando em direção ao palco, sorrindo para as máquinas fotográficas. — E o que foi que ele disse?

— Bem, ele vai mexer os pauzinhos para nos ajudar. Vai ligar para alguns dos seus amigos no serviço de imigração — respondeu ela.

— Isso é uma ótima notícia — disse eu. — Mal posso esperar para ver você e Sohrab se encontrarem.

— E eu mal posso esperar para ver você — disse ela.

Desliguei sorrindo.

Logo depois, Sohrab saiu do banheiro. Se tinha dito umas dez palavras, desde que saímos da entrevista com Raymond Andrews, foi muito. E, todas as vezes que tentei puxar conversa, ele só fez que sim com a cabeça ou deu uma resposta monossilábica. Pulou na cama, puxou o cobertor até o queixo e, em minutos, estava roncando.

Desembacei parte do espelho do banheiro e fiz a barba com um dos barbeadores antiquados do hotel, um daqueles que a gente abre e enfia a gilete. Depois, tomei meu banho. Fiquei deitado na banheira até a água que estava pelando esfriar e a minha pele ficar toda arrepiada. Fiquei mergulhado ali, pensando, imaginando coisas...

Omar Faisal era um sujeito gorducho, moreno, com covinhas no rosto, olhos pretos redondos e um sorriso afável mostrando dentes separados. Seu cabelo grisalho, já rareando, estava preso em um rabo-de-cavalo. Ele usava um terno de veludo cotelê marrom, com rodelas de couro nos cotovelos, e tinha uma pasta surrada, abarrotada. Como a pasta não tinha mais alça, ele a carregava junto ao peito. Era aquele tipo de pessoa que começa várias das suas frases rindo e pedindo desculpas desnecessárias, do gênero "Sinto muito, estarei aí às cinco". Risos. Quando telefonei, insistiu que era melhor ele vir ao nosso encontro.

— Sinto muito — disse em um inglês perfeito, sem nenhum sotaque —, os motoristas desta cidade são uns vigaristas. Se farejarem um estrangeiro, vão triplicar o preço da corrida.

Empurrou a porta, todo sorrisos e pedidos de desculpas, um tanto ofegante e suando muito. Enxugou a testa com um lenço e foi abrindo a pasta, remexendo o seu conteúdo à cata de um bloco e pedindo desculpas pelas folhas de papel que espalhou em cima da minha cama. Sentado na sua cama, com as pernas cruzadas, Sohrab tinha um olho na televisão sem som e outro naquele advogado irrequieto. De manhã, eu lhe disse que Faisal viria e ele apenas fez que sim com a cabeça. Esteve a ponto de perguntar alguma coisa, mas desistiu e continuou vendo o programa com uns bichos que falavam.

— Pronto — disse Faisal, folheando um bloco amarelo, tipo formulário oficial. — Tomara que os meus filhos saiam à mãe em termos de organização. Desculpe. Provavelmente isso não é o tipo de coisa que gostaria de ouvir de seu possível advogado, não é mesmo? — comentou ele, rindo.

— Bem, Raymond Andrews o tem em alta conta.

— O sr. Andrews... É... Um sujeito decente. Na verdade, ele me telefonou e me falou a seu respeito.

— É mesmo?

— É sim.

— Então já está a par da minha situação.

Faisal deu uns tapinhas nas gotas de suor que bordejavam o seu lábio superior.

— Estou a par da versão da situação que você lhe contou — disse ele, dando um sorriso tímido que formou duas covinhas no seu rosto.

Virou-se para Sohrab. — Esse deve ser o rapazinho que está causando tantos problemas... — acrescentou, em farsi.

— Este é Sohrab — disse eu. — Sohrab, este aqui é o dr. Faisal, o advogado de quem lhe falei.

Sohrab escorregou pela beirada da cama e veio cumprimentar Omar Faisal.

— *Salaam alaykum* — disse ele com uma voz sumida.

— *Alaykum salaam*, Sohrab — respondeu Faisal. — Sabe que tem o nome de um grande guerreiro?

Sohrab fez que sim com a cabeça. Voltou para a cama e se deitou de lado para ver televisão.

— Não sabia que falava farsi tão bem — comentei em inglês. — Foi criado em Cabul?

— Não. Nasci em Karachi. Mas morei efetivamente em Cabul por vários anos. Em Shar-e-Nau, perto da mesquita Haji Yaghoub — disse ele. — Mas, na verdade, fui criado em Berkeley. Meu pai abriu uma loja de música lá, em fins dos anos 1960. Amor livre, faixas na cabeça, camisetas de batique, e tudo o mais — prosseguiu. Inclinou-se para frente. — Foi na época de Woodstock.

— Pô, legal — disse eu, e Faisal riu tanto que recomeçou a suar.

— Bom, seja como for — retomei —, o que contei ao sr. Andrews é praticamente o que aconteceu, a não ser por umas duas coisinhas. Ou talvez três. Vou lhe dar a versão não-censurada.

Faisal lambeu a ponta do dedo, procurou uma folha em branco no bloco e tirou a tampa da caneta.

— Eu lhe agradeço por isso, Amir. E que tal falarmos só inglês daqui para a frente?

— Ótimo.

Contei tudo o que tinha acontecido. Falei do meu encontro com Rahim Khan, da viagem para Cabul, do orfanato, do apedrejamento no estádio Ghazi.

— Meu Deus! — sussurrou ele. — Lamento muito. Tenho tantas boas lembranças de Cabul... É difícil acreditar que estejamos falando do mesmo lugar...

— Esteve por lá recentemente?

— Não.

— Pode ter certeza de que não é Berkeley — disse eu.

— Continue.

Contei todo o resto. O encontro com Assef, a briga, Sohrab e o estilingue, nossa fuga de volta para o Paquistão. Quando terminei, ele rabiscou algumas anotações, respirou fundo e me deu um olhar sério.

— Bem, Amir, você tem uma batalha árdua pela frente.

— Alguma chance de vencê-la?

Ele repôs a tampa na caneta.

— Correndo o risco de parecer Raymond Andrews, diria que não é provável. Impossível não é, mas é pouco provável — respondeu ele. E o sorriso afável tinha desaparecido, bem como o ar brincalhão dos seus olhos.

— Mas são justamente as crianças como Sohrab que mais precisam de um lar — disse eu. — Essas regras e esses regulamentos não fazem o menor sentido para mim.

— E é para mim que você vem dizer isso, Amir? — exclamou ele. — Acontece que, considerando-se a atual legislação sobre imigração, as políticas dos órgãos de adoção e a situação política do Afeganistão, o circo está armado, e ele não é nada propício ao que você está pretendendo.

— Não consigo entender — insisti. E estava com vontade de esmurrar alguma coisa. — Quer dizer, entender eu entendo, mas não consigo compreender.

Omar assentiu com a cabeça, uma ruga profunda lhe franzindo a testa.

— É, mas é assim. Nos tempos que se seguem a um desastre, quer ele seja natural ou provocado pelo homem, e o Talibã é um desastre, pode acreditar em mim, Amir, fica sempre difícil provar que uma criança é órfã. Elas são levadas para campos de refugiados, ou os pais simplesmente as abandonam porque não têm condições de criá-las. Acontece o tempo todo. Por isso o serviço de imigração não emite vistos, a não ser que fique provado que a criança se enquadra na definição legal de órfão disponível para adoção. Sinto muito, sei que parece ridículo, mas você vai precisar das certidões de óbito.

— Você já morou no Afeganistão — retruquei. — Sabe muito bem como é improvável que eu consiga isso.

— Eu sei — disse ele. — Mas suponhamos que fique provado que a criança não tem nem pai nem mãe vivos. Mesmo assim, o serviço de imigração acredita que o procedimento ideal para uma adoção é entregar a criança a alguém do seu próprio país, a fim de que a sua herança seja preservada.

— Que herança? — exclamei. — O Talibã destruiu qualquer herança que um afegão pudesse ter. Viu o que eles fizeram com os Budas gigantes de Bamiyan?

— Sinto muito, Amir, mas estou lhe explicando como o serviço de imigração funciona — disse Omar, pondo a mão no meu braço. Olhou para Sohrab e sorriu. Voltou-se então outra vez para mim. — Além disso, uma criança tem de ser legalmente adotada segundo as leis e as regulamentações do seu próprio país. Acontece que, quando esse país está imerso no caos, ou seja, exatamente o caso do Afeganistão, os órgãos oficiais estão sempre ocupados demais com as emergências, e tratar de processos de adoção nunca vai ser uma das suas prioridades.

Suspirei, esfregando os olhos. Atrás deles, estava se instalando uma dor de cabeça lancinante.

— Mas vamos supor que, de uma forma ou de outra, o Afeganistão consiga reunir as tais certidões — prosseguiu Omar, cruzando os braços sobre a barriga proeminente. — Ele ainda pode não permitir essa adoção. Na verdade, mesmo as nações muçulmanas mais moderadas são reticentes quanto a adoções porque, na maioria desses países, a lei islâmica, a *Shari'a*, não reconhece essa prática.

— Você está me dizendo para desistir? — perguntei, pressionando a testa com a palma da mão.

— Você cresceu nos Estados Unidos, Amir. Se há uma coisa que aquele país me ensinou é que, para eles, desistir equivale a mijar na jarra de limonada das bandeirantes. Mas, como seu advogado, o meu papel é lhe transmitir os fatos — afirmou ele. — Além de tudo isso, as agências de adoção costumam mandar membros de sua equipe para avaliar o meio em que vivem as crianças, e nenhuma agência, em sã consciência, vai mandar alguém para o Afeganistão.

Olhei para Sohrab sentado na cama, vendo TV, mas também prestando atenção em nós. Estava na mesma posição em que seu pai tanto gostava de ficar, com o queixo apoiado nos joelhos.

— Sou meio-tio dele. Isso não ajuda em nada?

— Ajuda, se puder provar. Sinto muito, mas não tem nenhum documento ou alguém que pudesse testemunhar a seu favor?

— Nenhum documento — disse eu, com a voz cansada. — E ninguém sabia nada sobre isso. Sohrab não sabia até eu lhe contar. E eu mesmo só vim a descobrir essa história bem recentemente. A única outra pessoa que estava a par de tudo foi embora, talvez já tenha até morrido.

— Humm...

— Quais são as minhas opções, Omar?

— Vou ser franco com você. Não são muitas.

— Céus, o que é que vou fazer?

Omar respirou fundo, deu umas batidinhas no queixo com o lápis, soltou o ar.

— Você sempre pode preencher um formulário requerendo um órfão, e torcer para que tudo dê certo. Pode também tentar uma adoção independente. O que significa que terá de viver com Sohrab aqui no Paquistão, dia após dia, durante os próximos dois anos. Pode pedir asilo para ele. É um processo demorado, e terá de provar que existe perseguição política. Há ainda a possibilidade de você requerer um visto humanitário. Mas essa é uma decisão que compete ao procurador-geral, e esse tipo de visto não é concedido com facilidade. — Ele fez uma pausa. — E tem ainda uma outra opção que, provavelmente, acaba sendo a sua melhor chance.

— Qual é? — perguntei me inclinando para a frente.

— Você pode abandoná-lo em um orfanato daqui e, depois, preencher o formulário requerendo um órfão. Dar entrada no processo I-600 e na avaliação familiar enquanto ele está em um lugar seguro.

— O que é isso?

— Ah, desculpe, o I-600 é uma formalidade do serviço de imigração. A avaliação familiar é feita pela agência de adoção que você escolher — explicou Omar. — Sabe como é, eles precisam ter certeza de que você e sua mulher não são uma dupla de loucos furiosos.

— Isso eu não quero fazer — disse eu, olhando novamente para Sohrab. — Prometi a ele que não o mandaria de volta para um orfanato.

— Mas, como já disse, pode ser a sua melhor chance.

Conversamos ainda por algum tempo. Depois, fui acompanhá-lo até o carro, um velho Fusca. A essa altura, o sol estava começando a se pôr em Islamabad, formando uma auréola chamejante a oeste da cidade. Vi o carro estremecer sob o peso de Omar enquanto, sabe-se lá como, ele dava um jeito de se enfiar ao volante.

— Amir — chamou ele, baixando o vidro da janela.

— Sim?

— Queria dizer uma coisa sobre o que você está tentando fazer. Acho que é muito legal.

Saiu com o carro, acenando para mim. Fiquei parado na porta, acenando também, e desejei que Soraya pudesse estar ali comigo.

QUANDO VOLTEI PARA O QUARTO, Sohrab tinha desligado a televisão. Sentei na beirada da minha cama e lhe pedi que viesse sentar ao meu lado.

— O dr. Faisal acha que tem um jeito de você poder ir comigo para os Estados Unidos — disse.

— É? — indagou ele dando um ligeiro sorriso, coisa que não tinha feito nem uma única vez nos últimos dias. — E quando é que podemos ir?

— Bom, aí é que está o problema. Pode demorar um pouco. Mas ele disse que é possível, e que vai nos ajudar. — Pus a mão na sua nuca. Lá fora, o chamado para a oração ressoava pelas ruas.

— Quanto tempo demora? — perguntou ele.

— Não sei. Um pouco.

Sohrab deu de ombros e voltou a sorrir, desta vez era um sorriso mais largo.

— Não tem importância. Posso esperar. É que nem maçã ácida.

— Maçã ácida?

— Um dia, quando eu era bem pequenininho mesmo, trepei em uma árvore e comi uma daquelas maçãs verdes, ácidas. Minha barriga inchou e ficou dura feito um tambor. Doeu à beça. A mãe disse que, se eu tivesse esperado as maçãs amadurecerem, não teria ficado doente. Agora, quando quero alguma coisa de verdade, tento lembrar do que ela disse sobre as maçãs.

— Maçãs ácidas... — disse eu. — *Mashallah*, você é sem dúvida o sujeitinho mais esperto que já conheci, Sohrab *jan*. — Ele ficou vermelho até a raiz dos cabelos.

— Você vai me levar àquela ponte vermelha? Aquela da neblina? — indagou ele.

— Claro que vou — respondi. — Claro que vou.

— E vamos andar de carro por aquelas ruas onde a gente só consegue ver o capô do carro e o céu?

— Vamos passar por todas elas — disse eu. Meus olhos se encheram de lágrimas e pisquei para disfarçar.

— O inglês é difícil de aprender?

— Acho que em um ano você vai estar falando tão bem quanto fala farsi.

— Verdade?

— É. — Pus um dedo no seu queixo e virei o seu rosto para mim. — Só que tem mais uma coisa, Sohrab.

— O que é?

— O dr. Faisal acha que ajudaria muito se pudéssemos... se eu lhe pedisse para ficar em uma casa para crianças por algum tempo.

— Uma casa para crianças? — perguntou ele, e o seu sorriso desapareceu. — Você quer dizer um orfanato?

— Seria só por algum tempo.

— Não! — exclamou ele. — Não. Por favor.

— Só por algum tempo, Sohrab. Prometo.

— Você prometeu que nunca ia me pôr em um lugar desses, Amir *agha* — disse ele. Tinha a voz embargada e as lágrimas começavam a escorrer dos seus olhos. Aquilo foi como uma punhalada para mim.

— É diferente. Vai ser aqui, em Islamabad, e não em Cabul. E vou vir visitá-lo o tempo todo, até conseguir tirá-lo de lá e levá-lo para os Estados Unidos.

— Não, por favor! Não! — pediu ele com a voz rouca. — Tenho medo desses lugares! Vão me machucar! Não quero ir para lá.

— Ninguém vai machucar você. Nunca mais.

— Vão sim! Sempre dizem que não vão, mas é mentira. Eles são uns mentirosos. Deus, por favor!

Com o polegar, enxuguei a lágrima que lhe escorria pelo rosto.

— Lembra das maçãs ácidas? É exatamente a mesma coisa — disse eu com carinho.

— Não é não! Esse lugar não. Ah, meu Deus. Por favor, não! — Sohrab estava tremendo, com o nariz escorrendo e o catarro se misturando com as lágrimas.

— Ei! — sussurrei, puxando-o para junto de mim e abraçando aquele corpinho que se sacudia. — Shhh! Vai dar tudo certo. Vamos para casa juntos. Você vai ver, vai dar tudo certo.

A voz dele soou abafada contra o meu peito, mas pude perceber o pânico que havia ali.

— Por favor, prometa que não vai fazer isso! Ah, meu Deus, Amir *agha*! Prometa que não vai fazer isso!

Como poderia fazer essa promessa? Apertei Sohrab nos meus braços, bem junto do peito, e fiquei balançando para frente e para trás. Ele ficou chorando em minha camisa até as lágrimas secarem, até o tremor cessar e as suas súplicas se transformarem em murmúrios indecifráveis. Fiquei esperando, balançando com ele, até que a sua respiração voltou ao normal e o seu corpo relaxou. Lembrei de uma coisa que tinha lido há muito tempo: "É assim que as crianças lidam com o terror. Adormecem."

Peguei Sohrab no colo e o pus na cama. Então, deitei também e, pela janela, fiquei olhando aquele céu arroxeado sobre Islamabad.

O CÉU JÁ ESTAVA BEM ESCURO quando o telefone me acordou. Esfreguei os olhos e acendi a lâmpada da mesinha de cabeceira. Passava um pouco das dez e meia da noite. Tinha dormido bem umas três horas. Atendi o telefone.

— Alô?

— É uma ligação dos Estados Unidos — anunciou a voz entediada do sr. Fayyaz.

— Obrigado — disse eu. A luz do banheiro estava acesa; Sohrab estava tomando o seu banho noturno. Depois de alguns estalidos, ouvi a voz de Soraya.

— *Salaam!* — Ela parecia empolgada.

— Oi.

— Como foi o encontro com o tal advogado?

Contei o que Omar Faisal tinha sugerido.

— Bom, pode esquecer essa história — disse ela. — Não vamos precisar fazer nada disso.

Sentei na cama.

— *Rawsti?* Por quê? O que é que houve?

— Já tive a resposta de *kaka* Sharif. Ele tinha dito que o "x" do problema era trazer Sohrab para os Estados Unidos. Uma vez que estivesse aqui, existem meios para mantê-lo no país. Então, *kaka* Sharif deu uns telefonemas para alguns amigos do serviço de imigração. Ontem me ligou de volta dizendo que está praticamente certo que vai conseguir um visto humanitário para Sohrab.

— Não brinque! — exclamei eu. — Ah, graças a Deus! Sharif *jan* é o máximo!

— Sei disso. De qualquer forma, seremos responsáveis por ele. Tudo deve acontecer bem depressa. Ele me disse que o visto tem validade por um ano, tempo suficiente para se fazer um pedido de adoção.

— Isso vai sair mesmo, Soraya? Hein?

— Parece que sim — respondeu ela. Aparentemente, estava feliz. Disse-lhe que a amava e ela me disse que me amava também. E desliguei.

— Sohrab! — gritei, levantando da cama. — Tenho ótimas notícias! — Bati na porta do banheiro. — Sohrab! Soraya *jan* acabou de ligar da Califórnia. Não teremos que pôr você em um orfanato, Sohrab. Vamos para os Estados Unidos, nós dois. Está me ouvindo? Vamos para os Estados Unidos!

Empurrei a porta. Fui até a banheira.

De repente, estava ajoelhado no chão, gritando. Gritando por entre os dentes cerrados. Gritando tanto que pensei que a minha garganta fosse se rasgar e o meu peito, estourar.

Mais tarde, disseram que eu ainda estava gritando quando a ambulância chegou.

VINTE E CINCO

NÃO ME DEIXARAM ENTRAR.

Vi ele sendo levado através de uma série de portas duplas, daquelas de vaivém, e fui atrás. Empurrei as portas. Um cheiro de iodo e água oxigenada me chegou às narinas, mas tudo o que tive tempo de ver foram dois homens, usando gorros cirúrgicos, e uma mulher de verde debruçada sobre uma maca. Um lençol branco tinha caído um pouco para um dos lados da maca e estava arrastando pelos ladrilhos encardidos do chão. Dois pezinhos ensangüentados apareciam por debaixo do lençol, e notei que a unha do dedão do pé esquerdo estava lascada. Então, um homem alto e corpulento, vestido de azul, põe a mão espalmada no meu peito e me empurra de volta porta afora, encostando uma aliança fria na minha pele. Tento entrar de novo, xingo o tal homem, mas ele diz que não posso ficar ali, e diz isso em inglês, educada, mas energicamente.

— O senhor vai ter que aguardar — afirma ele, levando-me de volta à sala de espera. Quando as portas de vaivém se fecham às suas costas, com uma espécie de suspiro, tudo o que consigo ver são os gorros cirúrgicos dos homens por aquelas estreitas vidraças retangulares.

Ele me deixou em um amplo corredor sem janelas, apinhado de gente. Algumas pessoas estavam sentadas em cadeiras metálicas de dobrar, encostadas às paredes; outras, no fino tapete puído. Quis recomeçar a gritar e me lembrei da última vez que tinha me sentido desse jeito. Foi naquela viagem com *baba*, dentro do tanque daquele caminhão, mergulhado na escuridão juntamente com outros refugiados. Quis fugir de onde estava, fugir da realidade, subir feito uma nuvem e sair voando por aí afora, me fundir com essa noite úmida de verão e desaparecer bem longe daqui, além das colinas. Mas estou aqui, com as pernas pesando como chumbo, os pulmões vazios, a garganta ardendo. Não há a menor possibilidade de sair voando por aí. Não vai haver outra realidade esta noite. Fecho os olhos e sinto os cheiros do corredor penetrarem pelas minhas narinas: suor e amônia, álcool e *curry*. No teto, mariposas se atiram contra as lâmpadas frias acinzentadas que se estendem por todo o corredor, e ouço o ruído das suas asas batendo feito papel. Ouço conversas, soluços abafados, gente que funga, alguém que geme, mais alguém que suspira, portas de elevador abrindo com um "plim", o alto-falante chamando por alguém em urdu.

Volto a abrir os olhos e agora sei o que devo fazer. Olho ao meu redor, com o coração martelando no peito, o sangue pulsando nos ouvidos. À esquerda, há um quartinho escuro. Lá dentro, encontro o que estava procurando. Serve perfeitamente. Apanho um lençol branco da pilha de roupas dobradas e levo-o comigo para o corredor. Vejo uma enfermeira conversando com um guarda perto do banheiro. Pego a mulher pelo braço, puxando-a, quero saber para que lado fica o oeste. Ela não me entende e as rugas em seu rosto se acentuam quando franze a testa. Estou com a garganta doendo e os olhos ardendo por causa do suor. A cada inspiração, é como se inalasse fogo, e acho que estou chorando. Pergunto outra vez. Imploro. É o policial que me mostra a direção.

Estendo o meu *jai-namaz* improvisado, o meu tapete de oração, e me ajoelho, baixando a testa até o chão, com as lágrimas encharcando o lençol. Me inclino voltado para o Oeste. Só então lembro que faz uns quinze anos que não rezo. Esqueci as orações há muito tempo. Mas isso não tem importância. Vou dizer as poucas palavras de que ainda consigo me lembrar: *La illaha il Allah, Muhammad u rasul ullah.* Não há outro Deus senão Allah, e Mohammad é o Seu mensageiro. Agora percebo que *baba* estava errado. Existe um Deus, sim, sempre existiu. Posso vê-Lo ali, nos olhos das pessoas que estão nesse corredor do desespero. Aqui é a Sua verdadeira casa; é aqui que aqueles que perderam Deus voltam a encontrá-Lo; não naquela *masjid* branca, com as suas lâmpadas que brilham como diamantes e os seus minaretes altíssimos. Existe um Deus, tem que existir, e agora vou rezar, vou pedir que Ele me perdoe por não ter Lhe dado a devida importância durante todos esses anos, que me perdoe por eu ter traído, mentido e pecado impunemente, e só ter pensado em recorrer a Ele nos momentos de necessidade; pedir-Lhe que seja clemente e misericordioso como o Seu livro diz que Ele é. Inclino a cabeça para o Oeste, beijo o chão e prometo fazer *zakat*, prometo fazer as *namaz*, fazer jejum durante o Ramadan e continuar jejuando quando o Ramadan já tiver terminado. Prometo que vou decorar cada palavra do Seu livro sagrado, e que vou fazer uma peregrinação àquela cidade quentíssima do deserto para me curvar também diante da *Ka'bah*. Vou fazer tudo isso e, de hoje em diante, vou pensar Nele diariamente, se Ele me conceder um único pedido. As minhas mãos estão manchadas com o sangue de Hassan. Que Deus não permita que elas se manchem também com o sangue do filho dele.

Ouço uma choradeira e percebo que sou eu. Os meus lábios estão salgados por causa das lágrimas que me escorrem pelo rosto. Sinto que todos os olhos daquele corredor estão voltados para mim, mas continuo inclinado na direção do Oeste. Rezo. Rezo para não estar sendo punido pelos meus pecados como sempre temi que viesse a acontecer.

ISLAMABAD ESTÁ IMERSA EM UMA NOITE escura e sem estrelas. Passaram-se algumas horas e estou sentado no chão de um minúsculo saguão, perto do corredor que leva ao setor de emergência. À minha frente, uma mesinha de um marrom desbotado está repleta de jornais e de revistas amassados: um exemplar da *Time*, de abril de 1996; um jornal paquistanês, com a foto de um menino atropelado e morto por um trem uma semana atrás; uma revista trazendo, na capa lustrosa, astros de Lollywood sorridentes. Há uma velha, trajando um *shalwar-kameez* verde-jade e um xale de crochê, cochilando em uma cadeira de rodas defronte de mim. De quando em quando, ela acorda e murmura uma prece em árabe. Desanimado, pergunto com meus botões que preces serão ouvidas esta noite, se as dela ou as minhas. Vi o rosto de Sohrab, com aquele queixo proeminente, as orelhas miúdas que pareciam conchas, os olhos oblíquos e puxados como folhas de bambu, iguaizinhos aos de seu pai. Uma tristeza tão profunda quanto a noite lá fora tomou conta de mim, e senti um nó na garganta.

Precisava respirar.

Levantei e abri as janelas. O ar que passa pela tela é quente e empoeirado — tem cheiro de tâmaras excessivamente maduras e de esterco. Obrigo os meus pulmões a absorverem grandes tragos desse ar, mas ele não alivia o aperto que sinto no peito. Me deixo cair de volta ao chão. Pego a revista *Time* e passo os olhos pelas suas páginas. Mas não consigo ler; não consigo prestar atenção em nada. Então, atiro a revista na mesa e volto a olhar fixo para o ziguezague das rachaduras no chão de cimento, para as teias de aranha pendendo da junção do teto com a parede, para as moscas mortas acumuladas no parapeito da janela. Acima de tudo, porém, olho para o relógio na parede. Passa um pouco das quatro da manhã e já faz umas cinco horas que fui empurrado para fora daquelas portas duplas de vaivém. E, até agora, não tive notícia alguma.

O chão começa a parecer que faz parte do meu corpo, e a minha respiração vai ficando mais pesada, mais lenta. Quero dormir, fechar os olhos e deitar a cabeça nesse piso frio e empoeirado. Pegar no sono. Talvez, quando acordar, descubra que tudo aquilo que vi no banheiro do hotel fazia parte de um sonho: as gotas pingando da torneira e caindo com um "plinc" naquela água ensangüentada; o braço esquerdo pendurado na borda da banheira; a gilete em cima da caixa de descarga da privada — a mesma gilete que eu tinha usado para fazer a barba na véspera —, e os olhos dele ainda entreabertos, mas sem vida. Isso mais que tudo. Queria esquecer aqueles olhos.

O sono logo veio, e me deixei levar. Sonhei com coisas que não consegui lembrar depois.

ALGUÉM ESTÁ BATENDO no meu ombro. Abro os olhos. Tem um homem ajoelhado ao meu lado. Está usando um gorro como o daquele indivíduo que estava por trás das portas de vaivém, e tem uma máscara cirúrgica cobrindo a sua boca — o meu coração quase pára quando vejo uma gota de sangue naquela máscara. O homem tem o retrato de uma garotinha de olhos meigos colado no bipe. Tira a máscara e fico feliz por não ter que continuar olhando para o sangue de Sohrab. A pele dele é escura como aquele chocolate suíço importado que Hassan e eu comprávamos no *bazaar* em Shar-e-Nau; o seu cabelo está começando a rarear e os seus olhos castanho-claros são guarnecidos de cílios recurvados. Com um sotaque britânico, ele me diz que é o dr. Nawaz e, de repente, quero distância daquele homem, pois não sei se consigo agüentar a notícia que veio me dar. O dr. Nawaz me explica que o menino teve ferimentos profundos e perdeu uma grande quantidade de sangue, e a minha boca começa a murmurar aquela oração de novo:

"La illaha il Allah, Muhammad u rasul ullah."

Tiveram que fazer várias transfusões de glóbulos vermelhos...

"Como é que vou contar a Soraya?"

Foi preciso reanimá-lo duas vezes...

"Vou fazer *namaz*, vou fazer *zakat*."

Eles o teriam perdido se o seu coração não fosse jovem e forte...

"Vou jejuar."

Ele está vivo.

O dr. Nawaz sorri. Levo um momento para processar o que ele acaba de dizer. Então, ele continua a falar, mas já não estou ouvindo. Porque peguei as suas mãos e as trouxe até o meu rosto. Choro aliviado nas mãos pequenas e rechonchudas daquele estranho que agora está calado. Esperando.

A UNIDADE DE TERAPIA INTENSIVA é uma sala em forma de L, mergulhada na penumbra, com uma parafernália de monitores que apitam e de máquinas que zumbem. O dr. Nawaz me leva até duas fileiras de leitos separadas por umas cortinas de plástico branco. O de Sohrab é o último, perto do canto mais próximo ao posto de enfermagem, onde duas enfermeiras usando trajes cirúrgicos estão rabiscando anotações em pranchetas e conversando em voz baixa. No silêncio do elevador, ao lado do dr. Nawaz, pensei que ia chorar de novo na hora em que visse Sohrab. Mas, quando me sentei na cadeira que ficava ao pé de sua cama, olhando para o seu rostinho branco por detrás de um reluzente emaranhado de tubos plásticos e fios de soro, os meus olhos estavam secos. Vendo o seu peito subir e descer ao ritmo do aparelho de ventilação, um estranho entorpecimento toma conta de mim, o mesmo entorpecimento que um homem deve sentir alguns segundos depois de dar uma guinada ao volante e, por muito pouco, conseguir evitar uma colisão frontal.

Tiro uma soneca e, quando acordo, vejo o sol surgindo em um céu esbranquiçado através da janela que fica perto do posto de enfermagem. A claridade vai penetrando no aposento, conduzindo a minha sombra na direção de Sohrab. Ele não se mexeu.

— O senhor deveria dormir um pouco — diz uma enfermeira. Não a reconheço. Com certeza houve mudança de turno enquanto eu estava cochilando. Ela me leva então a um outro saguão contíguo à UTI. Não há ninguém ali. Me entrega um travesseiro e um cobertor hospitalar. Agradeço e me deito no sofá de vinil, em um canto do aposento. Pego no sono quase imediatamente.

Sonho que estou no saguão lá do térreo. O dr. Nawaz vem vindo na minha direção e me levanto para ir ao seu encontro. Ele tira a máscara cirúrgica e, de repente, as suas mãos são mais brancas do que eu achava; tem as unhas feitas, a linha do repartido do cabelo é impecável, e vejo que não é o dr. Nawaz, mas sim Raymond Andrews, o homenzinho da embaixada que tinha o pé de tomates plantado em um vaso. Andrews empina o queixo. Aperta os olhos.

DURANTE O DIA, O HOSPITAL era um labirinto de milhares de corredores angulosos, com um borrão de branco fluorescente pairando sobre as nossas cabeças. Fiquei conhecendo tudo aquilo; fiquei sabendo que o botão do quarto andar, no elevador da ala leste, não acendia;

que a porta do banheiro masculino do mesmo andar estava emperrada, e era preciso usar o ombro para abri-la. Fiquei sabendo que a vida no hospital tem um ritmo, com o corre-corre das atividades imediatamente antes da mudança de turno matinal, o atropelo do meio do dia, a calma e o silêncio das horas mais tardias da noite, só ocasionalmente interrompidos pela passagem de médicos e enfermeiras correndo para reanimar alguém. De dia, ficava velando na cabeceira de Sohrab e, de noite, vagava pelo emaranhado de corredores do hospital, ouvindo os saltos dos meus sapatos ressoando no chão de ladrilhos, pensando no que diria a Sohrab quando ele acordasse. Acabava voltando para a UTI, para perto do aparelho de ventilação que ficava junto da sua cama, sem ter a mínima idéia do que poderia lhe dizer.

Depois de três dias na UTI, retiraram o aparelho de ventilação e transferiram Sohrab para um leito no andar térreo. Eu não estava lá quando ele foi removido. Naquela noite, tinha voltado para o hotel para tentar dormir um pouco, mas acabei passando a noite inteira me revirando na cama. Pela manhã, tentei não olhar para a banheira. Ela agora estava limpa. Alguém tinha lavado o sangue, posto capachos novos pelo chão, esfregado as paredes. Mas não pude me impedir de sentar naquela borda fria. Fiquei imaginando Sohrab abrindo a torneira de água quente para enchê-la. Vi ele se despindo. Girando o cabo do barbeador e abrindo as duas lingüetas de segurança, retirando a gilete, segurando-a entre o polegar e o indicador. Vi ele entrando na água, ficando deitado ali por um instante, com os olhos fechados. Perguntei a mim mesmo qual teria sido o seu último pensamento enquanto erguia a gilete e, depois, a baixava.

Estava saindo do saguão quando o sr. Fayyaz, o gerente do hotel, me alcançou.

— Lamento muito — disse ele —, mas tenho que lhe pedir para deixar o meu hotel, por favor. Isso é muito ruim para os negócios, muito ruim.

Disse-lhe que compreendia e encerrei a conta. Ele não cobrou pelos três dias que passei no hospital. Esperando um táxi, diante da porta, pensei no que o sr. Fayyaz tinha dito naquela noite em que saímos procurando por Sohrab: "O que acontece com vocês, afegãos, é que... bem, vocês são um povo meio irresponsável." Na hora, ri, mas, agora, fiquei refletindo sobre isso. Como é que pude ir dormir depois de dar a Sohrab a notícia que ele mais temia?

Quando entrei no táxi, perguntei se o motorista conhecia alguma livraria persa. Ele me disse que havia uma, a poucos quilômetros ao sul. Demos uma passada lá antes de ir para o hospital.

O NOVO QUARTO DE SOHRAB tinha as paredes creme, descascadas, com frisos cinza-escuros, e o chão de azulejos que um dia devem ter sido brancos. O seu companheiro de quarto era um adolescente punjabi que, como fiquei sabendo mais tarde pelas enfermeiras, tinha quebrado a perna ao cair do teto de um ônibus em movimento. A perna do garoto estava engessada, erguida, e presa a umas espécies de tenazes com correias de onde pendiam vários pesos.

A cama de Sohrab ficava perto da janela, e a parte dos pés estava iluminada pelo sol do final da manhã, que passava pelos retângulos da vidraça. Um segurança uniformizado estava parado junto à janela, comendo sementes de melancia torradas — Sohrab estava sob vigilância vinte e quatro horas por dia. Era a regra do hospital nos casos de tentativa de suicídio, como me explicou o dr. Nawaz. Ao me ver, o segurança levou a mão ao quepe e saiu do quarto.

Sohrab usava um pijama do hospital, de mangas curtas. Estava deitado de barriga para cima, com o cobertor puxado até o peito e o rosto virado para a janela. Achei que estivesse dormindo, mas, quando arrastei a cadeira para mais perto da cama, as suas pálpebras se moveram e se abriram. Ele me olhou e desviou os olhos. Estava muito pálido, apesar das transfusões que lhe deram, e havia uma grande mancha roxa na dobra do seu braço direito.

— Como é que você está? — perguntei.

Ele não respondeu. Pela janela, olhava para um cercado de chão de areia com balanços que havia no jardim do hospital. Perto dali, via-se um arco de treliça, à sombra de uma fileira de hibiscos, e trepadeiras verdes subiam por aquela latada. Algumas crianças brincavam na areia com baldes e pás. O céu estava azul e sem nuvens, e vi passar um jato minúsculo deixando atrás de si dois rastros brancos, idênticos. Me virei novamente para Sohrab.

— Falei com o dr. Nawaz ainda agora, e ele acha que você vai ter alta daqui a uns dois ou três dias. É uma boa notícia, não acha?

Mais uma vez, a única resposta que tive foi o silêncio. Do outro lado do quarto, o garoto punjabi se esticou e resmungou alguma coisa ainda dormindo.

— Gosto do seu quarto — disse eu, tentando não olhar para os pulsos enfaixados de Sohrab. — É bem claro, e tem uma vista agradável. — Silêncio. Mais alguns minutos desconfortáveis se passaram e senti um ligeiro suor que começava a brotar na minha testa e acima do meu lábio superior. Apontei para a tigela de *aush* com ervilha que estava intocada sobre a mesinha de cabeceira, junto com uma colher de plástico que também não havia sido usada. — Você deveria tentar comer um pouco. Para recuperar *quwat*, as forças. Quer que eu ajude?

Ele me encarou e, depois, desviou os olhos, com o rosto impassível. Pude ver que os seus olhos continuavam sem brilho, ausentes, do mesmo jeito que me pareceram quando o retirei da banheira. Me abaixei para pegar o saco de papel que estava no chão entre os meus pés, e tirei de lá o exemplar usado do *Shahnamah* que comprei na tal livraria persa. Virei a capa de frente para ele.

— Eu sempre lia histórias desse livro para seu pai quando éramos crianças. Subíamos na colina perto lá de casa e nos sentávamos debaixo do pé de romã... — Minha voz foi murchando. Sohrab tinha voltado a olhar para a janela. Dei um sorriso forçado. — A história favorita de seu pai era a de Rostam e Sohrab, e foi por isso que lhe deu esse nome. Sei que você sabe disso. — Fiz uma pausa, sentindome meio idiota. — De todo modo, ele dizia na carta que me escreveu que essa história também é a sua favorita, então achei que seria bom ler um pouco para você. Que tal?

Sohrab fechou os olhos e os cobriu com o braço que tinha o hematoma.

Fui direto à página que tinha marcado no táxi.

— Então, vamos lá — disse eu, tentando imaginar, pela primeira vez, o que teria passado pela cabeça de Hassan quando pôde finalmente ler o *Shahnamah* e percebeu que eu o tinha enganado todas aquelas vezes. Pigarreei e comecei a ler. — "Prepare-se para ouvir o combate de Sohrab contra Rostam, embora esta seja uma história repleta de lágrimas" — principiei. — "Aconteceu que, certo dia, Rostam se levantou da cama com a cabeça cheia de pressentimentos. Lembrou-se..." — Li o capítulo I praticamente todo, até a parte em que o jovem guerreiro Sohrab veio ao encontro da mãe, Tahmineh, princesa de Samengan, e lhe disse que queria conhecer a identidade do próprio pai. Fechei o livro. — Quer que continue? Daqui a pouco vão começar as batalhas, lembra? Sohrab vai chefiar o seu exército até o Castelo Branco, no Irã. Continuo a ler?

Ele abanou a cabeça bem devagar. Botei o livro de volta na sacola de papel.

— Tudo bem — disse, encorajado por ele ter finalmente reagido. — Quem sabe a gente continua amanhã... Como está se sentindo?

Sua boca se abriu, deixando escapar um som rouco. O dr. Nawaz tinha me dito que isso podia acontecer, já que o tubo de ventilação tinha arranhado as suas cordas vocais. Sohrab passou a língua pelos lábios e tentou de novo.

— Cansado.

— Eu sei. O dr. Nawaz disse que era de se esperar...

Mas ele estava abanando a cabeça.

— O que foi?

Sohrab estremeceu quando falou novamente, com aquela voz abafada que mal passava de um sussurro.

— Cansado de tudo.

Suspirei e afundei na cadeira. Havia um raio de sol passando pela cama, exatamente entre nós dois, e, por um instante, o rosto macilento que me olhava do outro lado dessa luz era uma réplica do de Hassan. Não aquele Hassan que ficava jogando dominó comigo até o mulá começar a chamar para a *azan* do fim do dia e Ali nos mandar voltar para casa; não o Hassan atrás de quem eu corria, descendo a nossa colina, quando o sol já ia desaparecendo atrás dos telhados mais a oeste; mas o Hassan que vi pela última vez com vida, carregando as suas coisas atrás de Ali durante uma tempestade de verão, jogando aquilo tudo dentro da mala do carro de *baba*, enquanto fiquei só olhando pela vidraça encharcada da janela do meu quarto.

Sohrab balançou lentamente a cabeça.

— Cansado de tudo — repetiu.

— O que é que eu posso fazer, Sohrab? Diga, por favor.

— Quero... — principiou ele. Estremeceu novamente e levou a mão à garganta, como se tentasse tirar o que quer que estivesse bloqueando sua voz. Mais uma vez, os meus olhos foram atraídos por aquele pulso bem amarrado com ataduras de gaze. — Quero de volta a minha vida de antigamente — sussurrou ele.

— Ah, Sohrab!

— Quero o pai e a mãe *jan*. Quero Sasa. Quero brincar com Rahim Khan *sahib* no jardim. Quero morar novamente na nossa casa. — Arrastou o braço até esconder os olhos. — Quero de volta a minha vida de antigamente.

Eu não sabia o que dizer, nem para onde olhar e, por isso, baixei os olhos e fiquei fitando as minhas próprias mãos. "A sua vida de antigamente", pensei. "A minha também. Brinquei naquele mesmo quintal, Sohrab. Morei naquela mesma casa. Mas a grama morreu e tem um jipe estranho estacionado lá na entrada da nossa casa, vazando óleo no calçamento. A nossa vida de antigamente já não existe mais, Sohrab, e todos os que faziam parte dela ou morreram ou estão morrendo. Agora, somos só você e eu. Só nós dois."

— Isso eu não posso lhe dar — disse.

— Queria que você não tivesse...

— Por favor não diga isso!

— ...que você não tivesse... Queria que tivesse me deixado lá na água.

— Nunca mais diga isso, Sohrab — exclamei, inclinando-me para a frente. — Não agüento ouvir você falar desse jeito... — Pus a mão no seu ombro, mas ele se encolheu. Se afastou. Deixei cair a mão, pesaroso. Lembrei que, nos últimos dias antes de eu quebrar a promessa que tinha feito, ele finalmente estava se sentindo à vontade comigo, e eu podia tocá-lo. — Sohrab, não posso lhe devolver a sua vida de antigamente. Deus sabe que adoraria poder fazer isso. Mas posso levá-lo comigo. Foi para lhe dar essa notícia que entrei no banheiro aquela noite. Você conseguiu um visto para ir para os Estados Unidos, e viver lá, comigo e com a minha mulher. É verdade. Juro.

Ele soltou um suspiro e fechou os olhos. E lamentei ter dito essa última palavra.

— Sabe, fiz muitas coisas na vida de que me arrependo — disse eu —, mas talvez não me arrependa de nenhuma delas mais do que de ter voltado atrás com relação à promessa que fiz a você. Acontece que isso nunca mais vai acontecer de novo, e sinto muitíssimo que tenha acontecido. Estou lhe pedindo *bakhshesh*, pedindo o seu perdão. Será que você pode fazer isso? Pode me perdoar? Pode acreditar em mim? — Baixei o tom da voz. — Você vem comigo?

Enquanto fiquei esperando por sua resposta, a minha mente voou para um dia de inverno há muitos anos. Hassan e eu sentados na neve, debaixo de uma cerejeira sem folhas. Nesse dia, fui cruel com Hassan, impliquei com ele, perguntei se comeria cocô para provar a sua lealdade. Agora, eu é que estava sob a lente de aumento; eu é que tinha de provar o meu valor. E merecia isso.

Sohrab se virou de lado, dando as costas para mim. Durante um bom tempo, não disse nada. E então, como se fosse apenas uma idéia que lhe passou pela cabeça quando estava pegando no sono, murmurou:

— Estou tão *khasta*... — Tão cansado...

Fiquei sentado junto da cama até ele adormecer. Algo entre mim e Sohrab estava perdido. Antes daquele encontro com Omar Faisal, o advogado, um lampejo de esperança estava começando a penetrar nos olhos de Sohrab, como um hóspede acanhado. Agora, aquela luz tinha sumido, o hóspede tinha ido embora, e me perguntei quando ousaria voltar. Me perguntei quanto tempo levaria até que Sohrab voltasse a sorrir; quanto tempo levaria até ele me perdoar, se é que conseguiria.

Depois, saí do quarto e fui procurar outro hotel. Nem desconfiava que quase um ano ia se passar até que eu voltasse a ouvir Sohrab dizer outra palavra.

AFINAL DE CONTAS, SOHRAB NUNCA ACEITOU a minha proposta. Também não a recusou. Mas ele sabia que, quando as suas ataduras fossem retiradas e as roupas do hospital, devolvidas, não passaria de mais um entre os tantos órfãos hazara pelas ruas. Que escolha tinha? Para onde poderia ir? Então, o que considerei um sim, na verdade, foi muito mais uma rendição silenciosa; nem tanto uma aceitação, mas antes um ato de resignação de alguém exausto demais para decidir e cansado de acreditar. O que queria mesmo era a sua vida de antigamente. O que conseguiu foi os Estados Unidos e eu. Não que fosse um destino ruim, considerando-se os prós e os contras, mas não podia dizer isso a ele. Perspectivas são um luxo quando se tem um enxame de demônios zumbindo constantemente na cabeça.

E foi assim que, cerca de uma semana mais tarde, atravessamos um trecho de asfalto quente e negro da pista do aeroporto, e eu trouxe o filho de Hassan do Afeganistão para os Estados Unidos, tirando-o da certeza de um turbilhão para atirá-lo em um turbilhão de incerteza.

UM DIA, LÁ POR VOLTA DE 1983 OU 1984, fui a uma locadora de vídeo em Fremont. Estava olhando a seção dos *westerns* quando um sujeito parou ao meu lado, tomando uma Coca-Cola em um copo de 7-Eleven. Apontando para *Sete homens e um destino*, perguntou se eu já tinha visto aquele filme.

— Já — respondi. — Treze vezes. Charles Bronson morre no final, James Coburn e Robert Vaughn também. — Ele me olhou de cara amarrada, como se eu tivesse acabado de cuspir no seu refrigerante.

— Muito obrigado, cara — disse o sujeito, e foi embora abanando a cabeça e resmungando alguma coisa. Foi aí que aprendi que, nos Estados Unidos, não se pode revelar o fim de um filme e, se você fizer isso, vai ser tratado com desprezo e obrigado a pedir perdão por ter cometido o pecado de "estragar o final".

Já no Afeganistão, só o final importava. Quando Hassan e eu voltávamos para casa, depois de ter visto um filme indiano no cinema Zainab, o que Ali, Rahim Khan, *baba* ou o monte de amigos dele — primos de segundo e terceiro graus que entravam e saíam lá de casa — queriam saber era se a mocinha conseguiu ser feliz. O *bacheh* do filme, o galã, se tornou *kamyab* e realizou os seus sonhos, ou estava fadado a ser *nah-kam*, a mergulhar no fracasso?

Tudo o que queriam saber era se o filme tinha um final feliz.

Se alguém viesse me perguntar hoje se a história de Hassan, Sohrab e eu tem um final feliz, não saberia o que dizer.

Alguém sabe?

Afinal de contas, a vida não é um filme indiano. *Zendagi migzara*, como os afegãos tanto gostam de dizer. A vida continua, sem se preocupar com começos, finais, *kamyab*, *nah-kam*, crise ou catarse; apenas seguindo em frente, como uma caravana de *kochis*, lerda e empoeirada.

Eu não saberia responder a tal pergunta. Apesar do minúsculo milagre que aconteceu domingo passado.

CHEGAMOS EM CASA HÁ CERCA DE SETE MESES, em um dia quente de agosto de 2001. Soraya foi nos buscar no aeroporto. Nunca tinha estado longe dela por tanto tempo e, quando ela apertou os braços em volta do meu pescoço, quando senti o cheiro de maçã dos seus cabelos, me dei conta de como tinha sentido saudade.

— Você continua sendo o sol que nasce depois da minha *yelda* — sussurrei.

— O quê?

— Nada. Não tem importância... — respondi, beijando sua orelha.

Depois, ela se ajoelhou para fitar Sohrab. Pegou a mão dele e sorriu.

— *Salaam*, Sohrab *jan*. Sou sua *khala* Soraya. Estávamos todos esperando por você.

Quando a vi assim, sorrindo para Sohrab, com os olhos ligeiramente marejados, tive a percepção da mãe que ela teria sido se o próprio útero não a houvesse traído.

Sohrab se remexeu um pouco e desviou os olhos.

SORAYA TINHA TRANSFORMADO O ESCRITÓRIO, no andar de cima, em um quarto para Sohrab. Ela o levou até lá e ele se sentou na beira da cama. Os lençóis eram estampados com pipas de cores vivas voando em um céu índigo. Tinha feito inscrições na parede perto do armário embutido, metros e centímetros para acompanhar o crescimento de uma criança. Junto do pé da cama, vi uma cesta de vime com um monte de livros, um trem e uma caixa de aquarela.

Sohrab estava usando a camiseta branca e a calça *jeans* que eu tinha comprado para ele em Islamabad, pouco antes de viajarmos — a camiseta ficava meio pendurada nos seus ombros magros e encurvados. O seu rosto ainda não tinha recuperado as cores, a não ser pelo halo escuro em redor dos olhos. Agora, estava olhando para nós daquele mesmo jeito impassível que olhava para os pratos de arroz cozido que as serventes do hospital punham à sua frente.

Soraya perguntou se ele tinha gostado do quarto e percebi que ela estava tentando evitar olhar para aqueles pulsos, mas os seus olhos estavam continuamente voltando para as linhas rosadas recortadas ali. Sohrab baixou a cabeça. Enfiou as mãos sob as coxas e não disse nada. Então, simplesmente deitou a cabeça no travesseiro. Menos de cinco minutos depois, lá da porta do quarto, Soraya e eu vimos que ele já estava roncando.

Fomos para a cama e Soraya adormeceu com a cabeça apoiada no meu peito. No escuro do nosso quarto, fiquei acordado, mais uma vez com insônia. Acordado. E sozinho, com os meus próprios demônios.

Lá pelas tantas, no meio da noite, levantei para ir até o quarto de Sohrab. Fiquei parado junto da cama, olhando para ele, e vi alguma coisa aparecendo por debaixo do travesseiro. Peguei para ver. Era a foto Polaroid tirada por Rahim Khan, aquela que eu tinha lhe dado na noite em que estávamos sentados perto da mesquita Shah Faisal. Aquela em que Hassan e Sohrab estão parados, um ao lado do outro, apertando os olhos por causa do sol, e sorrindo como se o mundo fosse um lugar bom e justo. Perguntei com meus botões quanto tempo Sohrab teria ficado deitado na cama fitando aquela foto, virando-a e revirando-a nas mãos.

Olhei para o retrato. "Seu pai era um homem dividido entre duas pessoas", dizia Rahim Khan na sua carta. Eu era a metade autorizada, a metade legitimada e socialmente aceita, a encarnação involuntária da culpa de *baba*. Olhei para Hassan, com o sol lhe batendo no rosto e revelando aquela falha de dois dentes da frente. A outra metade de *baba*. A que não era autorizada, não era privilegiada. A metade que herdou o que havia de mais nobre e puro em *baba*. A metade que, talvez, lá no fundo do coração, *baba* considerasse o seu verdadeiro filho.

Botei a foto de volta no lugar de onde a tirei. E foi então que me dei conta de algo: que essa última idéia que me passou pela cabeça não tinha provocado nenhuma dor. Ao fechar a porta do quarto de Sohrab, fiquei imaginando se era assim que brotava o perdão, não com as fanfarras da epifania, mas com a dor juntando as suas coisas, fazendo as suas trouxas e indo embora, sorrateira, no meio da noite.

O GENERAL E KHALA JAMILA vieram jantar no dia seguinte. *Khala* Jamila, de cabelo bem curtinho e em um tom de vermelho mais escuro que o de costume, entregou a Soraya um prato de *maghout* com cobertura de amêndoas que tinha trazido para a sobremesa. Quando viu Sohrab, exclamou radiante:

— *Mashallah!* Soraya *jan* tinha nos dito como você era *khoshteep*, mas é ainda mais bonito em pessoa, Sohrab *jan*. — E lhe deu uma suéter azul de gola rulê. — Eu mesma tricotei para você — disse ela. — É para o próximo inverno. *Inshallah* vai caber direitinho.

Sohrab pegou a suéter das mãos dela.

— Olá, rapazinho — foi tudo o que o general disse, apoiando-se na bengala com ambas as mãos, e olhando para Sohrab como quem observa um objeto de decoração meio esquisito na casa de alguém.

Respondi, e respondi de novo a todas as perguntas que *khala* Jamila me fez sobre os ferimentos que sofri — pedi a Soraya que lhes dissesse que eu tinha sido agredido por um assaltante. Garanti a ela que não haveria nenhuma seqüela permanente, que os arames deveriam ser retirados em poucas semanas e que, então, poderia provar de novo a comida que ela fazia. E garanti também que passaria sumo de ruibarbo com açúcar nas cicatrizes para que desaparecessem mais depressa.

O general e eu fomos nos sentar na sala de visitas e ficamos tomando vinho enquanto Soraya e a mãe punham a mesa. Contei-lhe a respeito de Cabul e do Talibã. Ele ficou ouvindo e assentindo com a cabeça, a bengala no colo, e estalou a língua em sinal de reprovação quando lhe disse que tinha visto um homem vendendo a perna mecânica. Não mencionei as execuções no estádio Ghazi, nem Assef. Ele perguntou por Rahim Khan que, segundo me disse, tinha encontrado algumas vezes em Cabul, e abanou a cabeça com ar solene quando lhe falei da sua doença. Mas, enquanto conversávamos, percebi que, vira e mexe, ele olhava para Sohrab, que estava dormindo no sofá.

Como se estivéssemos rondando pelas bordas daquilo que realmente queria saber.

A ronda finalmente acabou e, no meio do jantar, o general pousou o garfo e disse:

— Então, Amir *jan*, não vai nos contar por que trouxe esse menino com você?

— Iqbal *jan*! — exclamou *khala* Jamila. — Isso lá é pergunta que se faça?

— Enquanto você está ocupada tricotando suéteres, minha querida, preciso lidar com a percepção que a comunidade tem de nossa família. As pessoas vão fazer perguntas. Vão querer saber por que há um menino hazara morando com a nossa filha. O que devo dizer a todos?

Soraya deixou cair a colher.

— Pode lhes dizer... — principiou ela, voltando-se para o pai.

— Está tudo bem, Soraya — disse eu, pegando a sua mão. — Está tudo bem. O general *sahib* tem razão. As pessoas vão perguntar mesmo.

— Amir... — disse ela.

— Não tem problema — retruquei. E, virando-me para meu sogro: — Sabe, general, o que acontece é que o meu pai dormiu com a mulher do empregado dele. Ela lhe deu um filho chamado Hassan. Hassan está morto. Aquele menino, dormindo ali no sofá, é filho dele. Meu sobrinho. É isso que o senhor vai dizer às pessoas que perguntarem.

Todos ficaram me olhando.

— E tem mais uma coisa, general *sahib* — prossegui. — Nunca mais se refira a ele como um "menino hazara" na minha frente. Ele tem nome, e esse nome é Sohrab.

Ninguém disse mais nenhuma palavra durante todo o resto do jantar.

SERIA UM ERRO DIZER QUE SOHRAB era quieto. Quieto significa em paz. Tranqüilidade. Estar quieto é baixar o botão do VOLUME da vida.

O *silêncio* é pressionar o botão para desligar. Desligar tudo.

O silêncio de Sohrab era o silêncio auto-imposto daqueles que têm convicções, daqueles que protestam, que tentam defender a sua causa recusando-se a falar. Era o silêncio de quem se escondeu no escuro, dobrou todas as bordas e as prendeu, bem enfiadas nos cantos, como se faz com um lençol.

Também não se poderia dizer que ele vivia conosco. Na verdade, ele ocupava espaço. E muito pouco espaço, aliás. Às vezes, no mercado, ou no parque, eu percebia como as outras pessoas pareciam praticamente não o ver, como se ele não estivesse ali. Levantava os olhos de um livro e via que Sohrab tinha entrado na sala, sentado defronte de mim sem que eu nem ao menos tivesse notado. Ele andava como se tivesse medo de deixar pegadas atrás de si. Movia-se como se tentasse não agitar o ar ao seu redor. Passava a maior parte do tempo dormindo.

O silêncio de Sohrab também era difícil para Soraya. Naquela ligação interurbana para o Paquistão, ela me falou das coisas que estava planejando para ele. Aulas de natação. Futebol. Clube de boliche. Agora, passando pelo quarto de Sohrab, via os livros que continuavam fechados na cesta de vime, a tabela de crescimento que não tinha marca nenhuma, o quebra-cabeça que nunca foi mexido, e cada um desses detalhes vinha lhe falar de uma vida que poderia ter existido. De um sonho que murchou quando estava apenas brotando. Mas ela não era a única. Eu também tive meus sonhos a respeito de Sohrab.

Ao contrário de Sohrab, porém, o mundo não ficava calado. Em uma manhã de terça-feira, em setembro passado, as Torres Gêmeas vieram abaixo e, da noite para o dia, o mundo mudou. De repente, a bandeira dos Estados Unidos estava por toda parte, nas antenas dos táxis amarelos que circulavam pelo trânsito da cidade, na lapela dos pedestres que andavam pelas calçadas em um fluxo constante, até mesmo nos gorros imundos dos mendigos de San Francisco, que ficavam sentados sob o toldo de pequenas galerias de arte ou diante da fachada de lojas. Um dia passei por Edith, a moradora de rua que fica sempre tocando acordeão na esquina da rua Sutter com a Stockton, e percebi um adesivo com a bandeira pregado no estojo do acordeão que estava no chão a seus pés.

Logo depois dos ataques, os Estados Unidos bombardearam o Afeganistão, a Aliança do Norte entrou no país e o Talibã bateu em retirada, correndo como ratos para se esconder nas cavernas. De repente, tinha gente fazendo fila na porta das mercearias e falando das cidades da minha infância, Kandahar, Herat, Mazar-i-Sharif. Quando eu era bem pequeno, *baba* levou a mim e a Hassan até Kunduz. Não me lembro muito bem da viagem, a não ser que sentei à sombra de uma acácia, com *baba* e Hassan, nos alternando para tomar suco de melancia de um pote de barro e apostando para ver quem cuspia os caroços mais longe. Agora, Dan Rather, Tom Brokaw e as pessoas que tomavam *capuccino* no Starbucks estavam falando da batalha de Kunduz, último reduto do Talibã ao norte. Em dezembro, pashtuns, tadjiques, uzbeques e hazaras se reuniram em Bonn, e, sob o olhar atento da ONU, deram início ao processo que pode, algum dia, pôr fim a vinte anos de infelicidade no seu *watan*. O barrete de astracã e o *chapan* verde de Hamid Karzai ficaram famosos.

Sohrab atravessou tudo isso como um sonâmbulo.

Soraya e eu nos envolvemos em projetos para o Afeganistão, tanto por um senso de responsabilidade civil quanto pela necessidade de algo — qualquer coisa que fosse — para preencher o silêncio lá de cima, o silêncio que sugava tudo como um buraco negro. Eu nunca tinha sido um ativista antes, mas, quando um homem chamado Kabir, antigo embaixador do Afeganistão em Sofia, telefonou perguntando se não queria ajudá-lo no projeto de um hospital, aceitei. O pequeno hospital ficava próximo à fronteira do Afeganistão com o Paquistão e tinha uma unidade cirúrgica que, embora modesta, conseguia tratar dos refugiados afegãos com ferimentos causados por minas terrestres. Mas acabou tendo de ser fechado por falta de verbas. Assumi a coordenação do projeto, tendo Soraya como minha assistente. Passava a maior parte do dia no escritório, mandando *e-mails* para pessoas no mundo todo, pedindo subvenções, organizando eventos para levantar fundos. E dizendo com meus botões que trazer Sohrab para cá tinha sido a melhor coisa que fiz.

O ano acabou com Soraya e eu sentados no sofá, com as pernas cobertas por uma manta, vendo Dick Clark na TV. As pessoas se cumprimentaram e se beijaram quando a bola prateada caiu, e a tela ficou branca de papel picado. Já, na nossa casa, o ano novo começou exatamente do mesmo jeito que o anterior tinha terminado. Em silêncio.

ENTÃO, QUATRO DIAS ATRÁS, em um dia frio e chuvoso de março de 2002, aconteceu uma coisinha assombrosa.

Levei Soraya, *khala* Jamila e Sohrab a um encontro de afegãos no parque do lago Elizabeth, em Fremont. Finalmente, o general tinha sido convocado para assumir um posto de ministro no Afeganistão no mês passado, e tinha viajado para lá há duas semanas, deixando para trás o terno cinzento e o relógio de bolso. A idéia era que *khala* Jamila fosse se juntar a ele dentro de alguns meses, quando já estivesse instalado. Ela sentia muito a sua falta — e andava preocupadíssima com a saúde dele por lá —, por isso, tínhamos insistido para que viesse passar uns tempos conosco.

Na terça-feira passada, o primeiro dia da primavera, foi o Ano-Novo afegão — o *Sawl-e-Nau* —, e toda a comunidade residente na região de San Francisco planejou comemorações, desde o lado leste até a península. Kabir, Soraya e eu tínhamos mais uma razão para festejar: o nosso pequeno hospital de Rawalpindi tinha sido reaberto na semana anterior. Não a unidade cirúrgica, só a clínica pediátrica, mas todos concordávamos que já era um bom começo.

O tempo andava ensolarado há alguns dias, mas, no domingo de manhã, quando sentei na cama, ouvi as gotas de chuva batendo na vidraça. "Sorte afegã", pensei, rindo baixinho. Fiz a *namaz* matinal enquanto Soraya ainda dormia — já não preciso consultar o folheto de orações que consegui na mesquita; agora, os versículos vêm naturalmente, sem qualquer esforço.

Chegamos lá por volta do meio-dia e encontramos um punhado de gente abrigada debaixo de um grande plástico retangular esticado e amarrado a seis estacas fincadas no chão. Alguém já estava fritando *bolani*; xícaras de chá e uma tigela de *aush* com couve-flor fumegavam no fogo. De um gravador, vinha o som arranhado de uma velha canção de Ahmad Zahir. Dei um sorriso enquanto corríamos os quatro por aquele gramado encharcado: Soraya e eu na frente, *khala* Jamila no meio e Sohrab mais atrás, com o capuz da capa de chuva amarela sacudindo em suas costas.

— Qual é a graça? — indagou Soraya cobrindo a cabeça com um jornal dobrado.

— Você pode tirar os afegãos de Paghman, mas não pode tirar Paghman dos afegãos — disse eu.

Baixamos a cabeça para entrar naquela tenda improvisada. Soraya e *khala* Jamila foram falar com uma mulher obesa que estava fritando *bolani* de espinafre. Sohrab ficou parado por um instante ali embaixo e, depois, recuou, voltando para a chuva, com as mãos enfiadas nos bolsos da capa e o cabelo — agora castanho e liso como o de Hassan — colado na cabeça. Parou junto de uma poça marrom-escura e ficou olhando para ela. Ninguém pareceu reparar nele. Ninguém o chamou de volta. Com o tempo, as perguntas sobre o menininho, sem dúvida alguma excêntrico, que tínhamos adotado, graças a Deus cessaram, e, levando-se em conta que as perguntas afegãs podem ser bem desprovidas de tato, isso significou um alívio considerável. As pessoas pararam de perguntar por que ele nunca falava. Por que não brincava com as outras crianças. Mas o melhor de tudo é que pararam de sufocar a empatia exagerada, pararam de abanar lentamente a cabeça, pararam de fazer "tsc, tsc" e de dizer coisas como *"Ah gung bichara"*, "Ah, pobre mudinho". A novidade tinha se esgotado. Como um papel de parede que desbota, Sohrab acabou se misturando ao pano de fundo.

Fui cumprimentar Kabir, um homem baixinho e grisalho. Ele me apresentou a uma dezena de indivíduos, um dos quais era professor aposentado, outro, engenheiro, um terceiro, ex-arquiteto, outro ainda, um cirurgião que tinha uma barraca de cachorro-quente em Hayward. Todos disseram que conheciam *baba* de Cabul e se referiram a ele em tom respeitoso. De um jeito ou de outro, meu pai tinha participado da vida deles. E acrescentaram que era muita sorte minha ter tido por pai aquele grande homem.

Conversamos sobre as dificuldades e a função talvez ingrata que Karzai tinha pela frente. Falamos do *Loya jirga*, do Grande Conselho, que deveria se reunir em breve, e do iminente retorno do rei à sua pátria depois de vinte e oito anos de exílio. Lembrei daquela noite, em 1973, quando Zahir Shah foi deposto por seu primo; lembrei dos tiros e do céu rajado de luz prateada — Ali abraçou a mim e a Hassan, dizendo que não precisávamos ter medo, que era apenas alguém caçando patos.

Depois, um dos presentes contou uma piada do mulá Nasruddin e todos caímos na risada.

— Sabe — disse Kabir —, seu pai era também um homem engraçado.

— Era mesmo, não era? — indaguei, sorrindo, lembrando de como *baba* reclamava das moscas logo que chegamos aos Estados Unidos. Ficava sentado na mesa da cozinha, com o mata-moscas na mão, de olho naqueles insetos que voavam de uma parede a outra, zumbindo aqui, zumbindo ali, irrequietos e apressados. "Neste país", resmungava ele, "até as moscas correm contra o tempo". Como eu tinha rido naquela ocasião... E, agora, sorria ao me lembrar disso.

Por volta das três da tarde, a chuva já tinha parado e o céu estava de um cinza gélido, coalhado de nuvens. Uma brisa fria soprava pelo parque. Apareceram mais famílias. Os afegãos se cumprimentam, se abraçam, se beijam, trocam comidas uns com os outros. Alguém acende o fogo em uma churrasqueira e logo o cheiro de alho e de *morgh kabob* me chega às narinas. Havia música, algum cantor novo que não conheço, e os risos das crianças. Vi Sohrab, ainda com a capa de chuva amarela, encostado em uma caçamba de lixo, olhando para o outro lado do parque onde ficava a quadra de beisebol vazia.

Pouco depois, eu estava conversando com o ex-cirurgião que me contou que ele e *baba* tinham sido colegas na oitava série, quando Soraya me puxou pela manga da camisa.

— Amir, olhe! — exclamou.

Ela estava apontando para o céu. Umas cinco ou seis pipas voavam bem alto, alguns retalhos de amarelo, vermelho e verde brilhante contra aquele fundo cinzento.

— Vá até lá. Veja quanto é — disse ela e, desta vez, estava apontando para um sujeito vendendo pipas em uma barraca perto dali.

— Tome, segure aqui — disse eu, deixando com ela a minha xícara de chá. Pedi desculpas e fui até a barraca, chapinhando pela grama molhada. Apontei para uma *seh-parcha* amarela.

— *Sawl-e-nau mubabrak* — disse o vendedor, pegando os vinte dólares e me entregando a pipa e também um carretel de madeira com *tar*. Agradeci, retribuindo os seus votos de um feliz Ano-Novo. Testei a linha, daquele jeito mesmo que Hassan e eu fazíamos, segurando-a entre o polegar e o indicador, e dando um puxão. Ela se tingiu de sangue e o vendedor sorriu. Sorri para ele também.

Levei a pipa até onde Sohrab estava, ainda apoiado na caçamba de lixo, de braços cruzados, mas, agora, olhando para o céu.

— Você gosta das *seh-parcha*? — perguntei, segurando a pipa pelas pontas das varetas. Ele tirou os olhos do céu, olhou para mim, depois, para a pipa e voltou a fitar o céu. Algumas gotinhas de chuva pingaram do seu cabelo e rolaram pelo seu rosto.

— Uma vez, li que, na Malásia, eles usam pipas para apanhar peixes — disse eu. — Aposto que não sabia disso. Amarram uma linha de pesca na pipa e põem ela para voar sobre a água rasa. Assim, ela não faz sombra e não assusta os peixes. E, na China antiga, os generais empinavam pipas nos campos de batalha para enviar mensagens aos seus homens. É verdade. Não estou de gozação não. — Mostrei a ele o meu polegar que sangrava. — E o *tar* também está legal.

Com o rabo do olho, vi Soraya nos observando lá da tenda, um tanto tensa com os braços cruzados e as mãos enfiadas nas axilas. Ao contrário de mim, ela foi aos poucos desistindo de tentar cativá-lo. As perguntas sem resposta, o olhar vago, o silêncio, tudo aquilo era doloroso demais. Entrou em compasso de espera, aguardando um sinal verde por parte de Sohrab. Só esperando.

Ergui o indicador, depois de lambê-lo.

— Lembro que seu pai verificava a direção do vento chutando o chão com a sandália, para levantar poeira e ver para que lado ele estava soprando. Hassan conhecia um montão de truques como esse — disse eu. Baixei a mão. — Acho que é para o oeste.

Sohrab enxugou uma gota de chuva que pingava de sua orelha e passou o peso do corpo de um pé para o outro. Não disse nada. Lembrei de Soraya me perguntando, alguns meses atrás, como era a voz dele. Disse-lhe que não me lembrava mais.

— Já lhe contei que o seu pai era o melhor caçador de pipas de Wazir Akbar Khan? Talvez até de toda Cabul? — perguntei, amarrando a ponta do *tar* no laço do cabresto. — Como os meninos da vizinhança tinham inveja dele... Saía correndo atrás das pipas e nunca olhava para o céu. As pessoas diziam que ele estava perseguindo a sombra da pipa. Mas é que elas não o conheciam como eu. Seu pai não perseguia sombras coisa nenhuma. Simplesmente... sabia.

Mais uma meia dúzia de pipas estava voando agora. As pessoas tinham começado a formar grupos, com as xícaras de chá na mão e os olhos pregados no céu.

— Quer me ajudar a empinar esta pipa? — perguntei.

Os olhos de Sohrab pularam da pipa para mim, e voltaram para o céu.

— Está certo — disse eu, dando de ombros. — Parece que vou ter que fazer isso *tanhaii*. Sozinho.

Sacudi o carretel com a mão esquerda, soltando cerca de um metro de *tar*. A pipa amarela oscilou na extremidade da linha, pouco acima da grama molhada.

— É a sua última chance — disse eu. Mas Sohrab estava olhando para um par de pipas que tinha se emaranhado lá no alto, acima das árvores.

— Tudo bem. Lá vou eu.

Saí correndo, com os meus tênis fazendo a água espirrar das poças e a mão segurando a ponta da linha acima da cabeça. Já fazia tanto tempo, tantos anos que não sabia o que era isso, que me perguntei se não estaria fazendo um papel ridículo. Deixei o carretel ir girando na mão esquerda enquanto corria; senti que a mão direita tinha se cortado novamente enquanto eu ia dando mais linha. Agora, a pipa estava subindo às minhas costas, subindo, rodopiando, e corri mais depressa ainda. O carretel começou a girar mais rápido e o cerol deu outro talho na palma da minha mão direita. Parei e me virei. Olhei para cima. Sorri. Lá no alto, a minha pipa estava balançando para um lado e para o outro, como um pêndulo, fazendo aquele velho som de pássaro de papel batendo as asas, som que sempre associei às manhãs de inverno em Cabul. Há vinte e cinco anos que não empinava pipas, mas, de repente, estava com doze anos outra vez e os velhos instintos vinham voltando rapidamente.

Senti uma presença ao meu lado e olhei para baixo. Era Sohrab, com as mãos enfiadas nos bolsos da capa de chuva. Ele tinha vindo atrás de mim.

— Quer experimentar? — perguntei. Ele não disse nada. Mas, quando lhe estendi a linha, a sua mão veio saindo do bolso. Ele hesitou. Depois, pegou a linha. O meu coração começou a bater mais depressa e girei o carretel para recolher a linha solta. Ficamos ali, um ao lado do outro, em silêncio, com o pescoço espichado para cima.

À nossa volta, crianças corriam atrás umas das outras, escorregando na grama. Agora, alguém estava tocando uma velha trilha sonora de filme indiano. Vários senhores mais idosos estavam fazendo a *namaz* da tarde, sobre um plástico estendido no chão. Havia um cheiro de grama molhada, de fumaça e de carne grelhada no ar. Desejei que o tempo parasse.

Então, percebi que tínhamos companhia. Uma pipa verde vinha se aproximando. Segui a linha com os olhos e dei com um garoto parado a uns trinta metros de onde estávamos. Ele tinha o cabelo cortado à escovinha e usava uma camiseta onde se lia, em letras bem pretas: "*The Rock Rules.*" Viu que eu estava olhando e sorriu. Acenou. Respondi, acenando também.

Sohrab estava me devolvendo a linha.

— Tem certeza? — perguntei, apanhando-a de volta.

Ele pegou o carretel da minha mão.

— Está bem — disse eu. — Vamos lhe dar um *sabagh*, vamos lhe dar uma lição, não é? — Arrisquei uma olhada. Aquele olhar baço e ausente tinha desaparecido. Agora, os seus olhos se moviam rapidamente, saltando da pipa verde para a nossa. O seu rosto estava um tanto afogueado e o seu olhar tinha se tornado subitamente alerta. Esperto. Vivo. Perguntei a mim mesmo se não teria esquecido que, apesar de tudo, ele continuava a ser apenas uma criança.

A pipa verde estava fazendo as suas manobras.

— Vamos esperar — disse eu. — Vamos deixar que chegue um pouco mais perto. — Ela debicou duas vezes e veio vindo na nossa direção. — Pode vir. Pode vir — chamei.

A pipa verde chegou ainda mais perto, agora subindo um pouco acima da nossa, sem sequer desconfiar da armadilha que eu tinha preparado para ela.

— Veja, Sohrab. Vou lhe mostrar um dos truques favoritos do seu pai, o velho tentear e debicar.

Ao meu lado, Sohrab respirava acelerado, pelo nariz. O carretel ia rolando nas suas mãos e os tendões nos seus pulsos, marcados de cicatrizes, pareciam até as cordas de um *rubab*. De repente, pisquei

os olhos e, por um instante, as mãos que seguravam o carretel eram
as mãos calejadas, de unhas lascadas do menino de lábio leporino.
Ouvi o grasnido de um corvo em algum lugar e olhei para cima. O
parque reluzia com uma neve tão fresca, tão deslumbrantemente
branca que os meus olhos chegaram a arder. E ela ia caindo em
silêncio dos ramos das árvores vestidas de branco. Agora, havia um
cheiro de *qurma* de nabo no ar. De amoras secas. De laranjas azedas.
De serragem e de nozes. O barulhinho da neve silenciosa foi ficando
mais abafado. E então, no meio daquela quietude, surgiu uma voz
nos chamando de volta para casa, a voz de um homem que mancava
da perna direita.

A pipa verde flutuava exatamente acima de nós.

— Ela já está vindo. Vai ser agora — disse eu, olhando rapidamente para Sohrab e para a nossa pipa.

A verde hesitou. Manteve a sua posição. Depois, se abateu sobre
a nossa.

— Lá vem ela! — exclamei.

Fiz tudo com perfeição. Mesmo depois de todos esses anos. A
velha armadilha do tentear e debicar. Soltei a pega e dei uns puxões
na linha, debicando e me esquivando da pipa verde. Com uma série
de sacudidelas do meu braço, a nossa pipa disparou, fazendo um
semicírculo em sentido contrário ao dos ponteiros do relógio. De
repente, era eu que estava por cima. Agora, a pipa verde tentava
desesperadamente subir, em pânico. Só que era tarde demais. Eu já
tinha lhe pregado a peça de Hassan. Puxei com força, e a nossa pipa
mergulhou. Quase pude ouvir a nossa linha cortando a dela. Quase
deu para ouvir o estalinho.

Então, como em um passe de mágica, a pipa verde estava girando
e rodopiando no ar, fora de controle.

Às nossas costas, todos aplaudiam. Foi uma explosão de palmas
e assobios. Eu estava ofegante. A última vez que experimentei uma
sensação tão fantástica como essa foi naquele dia de inverno, em
1975, logo depois de ter cortado a última pipa, quando avistei *baba*
no telhado lá de casa, batendo palmas, sorrindo radiante.

Baixei os olhos para Sohrab. Um dos cantos da sua boca tinha se
curvado um tantinho para cima.

Um sorriso.

De um lado só.

Que mal se notava.

Mas que estava ali.

Atrás de nós, crianças saíam correndo em disparada e um monte daqueles caçadores perseguia aos gritos a pipa solta que continuava voando acima das árvores. Foi só eu piscar os olhos e o sorriso tinha desaparecido. Mas existiu. Eu vi.

— Quer que tente apanhar essa pipa para você?

O seu pomo-de-adão subiu e desceu quando engoliu. O vento agitou o seu cabelo. Pensei ter visto ele fazer que sim com a cabeça.

— Por você, faria isso mil vezes! — me ouvi dizendo.

Virei, então, e saí correndo.

Tinha sido apenas um sorriso, e nada mais. As coisas não iam se ajeitar por causa disso. Aliás, *nada* ia se ajeitar por causa disso. Só um sorriso. Um sorriso minúsculo. Uma folhinha em um bosque, balançando com o movimento de um pássaro que alça vôo.

Mas me agarrei àquilo. Com os braços bem abertos. Porque, quando chega a primavera, a neve vai derretendo floco a floco, e talvez eu tivesse simplesmente testemunhado o primeiro floco que se derretia.

Saí correndo. Um adulto correndo em meio a um enxame de crianças que gritavam. Mas nem me importei. Saí correndo, com o vento batendo no rosto e um sorriso tão grande quanto o vale do Panjsher nos lábios.

Saí correndo.

Edição
Izabel Aleixo
Daniele Cajueiro

Revisão de tradução
Janaína Senna

Revisão
Anna Carla Ferreira
Cecília Bandeira
Jancy Medeiros
Perla Serafim

Diagramação
Roberta Meireles

Produção gráfica
Ligia Barreto Gonçalves

Este livro foi impresso em Guarulhos, em outubro de 2007,
pela Lis Gráfica e Editora, para a Editora Nova Fronteira.
A fonte usada no miolo é Sabon, corpo 11,5/15.
O papel do miolo é pólen soft natural 70g/m²,
e o da capa é cartão 250g/m².

Visite nosso *site*: www.novafronteira.com.br